学びと生き方のリフォーム

AI時代の人間・労働・経営

十名直喜

社会評論社

はしがき

英国のコリンズ辞書が選んだ2023年の言葉は、「人工知能（AI）」だという[*1]。新聞、インターネット、テレビなどで、その言葉を見聞しない日はない。AIは、今もなお進化の途上にある。その速さと影響の広さ、深さに、私たちは右往左往するばかりである。

本書は、このテーマに向き合い、その本質と課題を探求する。AIは、人間とは何か、人間らしさとあり方とは何かを、鋭く深く問いかける。そして、人間との違いを浮かび上がらせる。

「人生100年」時代と言われる。生まれ、育ち、学び、成長を遂げ、熟成、深化を経て、生涯を終える。その過程で、いろんな経験を積み、個性、人間性を磨き、自らの仕事と人生を創造的に紡ぎ出していく。自らの選択、経験、内省に裏付けられた創造性と思いやりこそ、人間らしさの核心をなす。AIとの違いも、そこにある。

そうした人間らしさを大切にせよ、AIに委ねてはならない。そのような警鐘を70年以上前から鳴らしたのが、「情報時代の父」N. ウィーナーである。「AIの父」とよばれるJ. ヒントンも、人類存続への脅威に警鐘をならしている。

本書は、元祖の情報論・洞察・警鐘に学び、現代的な視点から捉え直す。第1部では、人間・労働・経営について、AI論を起点に工芸・倫理・企業社会など多様な視点から考察する。第1部を「AI・倫理」編とみれば、第2部は「生活・学び」編にあたる。

第2部は、生活・住まい・学びについて、自らの体験と思索をふまえ、等身大の視点から考察する。内外の文献に広く学びつつも、自らの実践と検証をふまえてわかりやすく深く説いた貝原益軒『養生訓』に啓発されてのことである。それは、AIへの問いに応える道に通じる。

本を出版するたびに言われるのが、「硬い、難しい、寝転んで読めない」（妻）である。言われ続けて30年、何とかその殻を破りたい。そのような思いと願いを込め、紡ぎ出したのが、本書である。ただ、その壁は高い。わが思いはどこまで叶えられているだろうか。

序章を開き、第１章を見ると、少し重く感じられるかもしれない。AIをめぐる動向の激しさ、論点と課題の深さと難しさに冒頭から出くわすからである。いわば、AI 論の幻惑、呪縛である。

それを解きほぐし、本書を読み解く一手は何か。２つの読み方を提案したい。

１つは、オーソドックスなやり方である。まず、まえがき、目次をご覧いただき、序章と終章を眺め、全体像をイメージする。そして全体をパラパラめくり、関心を引いたページから興味に沿って読み進める。本書は、「AI」編、「倫理」編、「生活」編、「学び」編に分けている。いずれから入っていただいても OK である。

２つは、第２部とくに「生活」編から入る、という読み方である。まず、まえがき、目次をご覧いただき、序章と終章を眺め、全体像をイメージする。そして第７章、８章へと読み進める。立つ・座る、住まいなど日々の生活・仕事スタイルを通して、人間的な生き方を問い直す。「生活」編からどこに飛ぶかは、ご自由にどうぞ。

AI 論に向き合い、自らと社会のあり方を問い直す。そのような本書の旅にご同行いただければありがたい。

本書は、「働きつつ学び研究する」半世紀余の実践と思索を通して、紡ぎ出したものである。創造的な学び、生き方の哲学とノウハウを汲み取っていただきたく思う。

目次

序章

AIが問う人間的な生き方と創造性

1　本書の趣旨

1.1　4つの分野（AI、倫理、生活、学び）へのアプローチ

本書は、この2年余に、その折々の問題意識や着想をもとにまとめたものをベースにしている。作品は、論文、書評、リプライなど10数本からなる。書き下ろしたものも、2～3割を占める。

分野や内容は多様で多岐にわたるが、働きつつ学び研究する人々の種々の思いや息吹が深く反映されており、その点で首尾一貫している。多様性と一貫性ゆえ編集手腕が問われる。

作品は、定年後に立ち上げた「働学研」月例会などを舞台にしての研究交流、切磋琢磨を通して生み出されたものが多い。月例会では、毎月数本の研究発表と議論が行われている。そこでの知的刺激やひらめきが反映されるなど、珠玉の交流の賜物でもある。

いずれも、筆者の感性や知的な営みから紡ぎ出されたものである。これらは、4つの分野にまたがっている。

第1は、技術とくにAIをめぐる急激な進化が社会・経済、日々の仕事や生活、経営、教育などにもたらす影響とインパクトである。めまぐるしい変容と展開のなか、その本質と意味を明らかにする。至難を極めるも悪戦苦闘を通して、わが見解を踏み越える地平も切り開く。そこで得た知見と洞察は、AI編として本文の「起」に位置づける。

第2は、伝統工芸をめぐる苦境と再生への動き、過労死・品質不正などに向き合う企業社会論、経営と労働の倫理とあるべき方向を示唆する経営哲学などである。倫理編として、本文の「承」に位置づける。

第3は、座り過ぎ生活や住まいリフォーム論など、これまでとは異なる分野に切り込んだことである。座り過ぎへの問い直しや住まいのリフォーム論は、仕事、生活、人生、学びのリフォーム論へと展開する。これを生

活編として、本文の「転」に位置づける。

第4は、半世紀を超える「働きつつ学び研究する」活動の意義と課題に挑み、現代的な視点から捉え直したことである。舞台は、製鉄所を起点に基礎研、名学大博士後期課程、働学研（博論・本つくり）研究会等へと展開し、人生の舞台や課題も移り変わる。これらを学び編として、本文の「結」に位置づける。

1.2　羅針盤としての序章―多様性・激変・挑戦の「調べ」と「起承転結」

本書の幹は、序章、本文、終章からなる。全体からみると、序章は「起」、本文は「承・転」、終章は「結」にあたる。

一方、本文の世界においても、「起承転結」がみられる。本文は、4つの分野（AI・倫理・生活・学び）にまたがり、11章・4補論から成る。4つの分野は、4つの編（「AI」「倫理」「生活」「学び」編）に編集して、「起」「承」「転」「結」の流れで配している。

わが頭の中では、それなりにつながっており、妙なる調べを奏でている。テーマと作品の多様性、テーマをめぐる環境と内容の激変、新分野への挑戦と開拓。いわば、多様性・激変・挑戦の調べ、である。

なお、本文は2部編成にしている。第I部はAI・倫理編で、6章・2補論からなる。第II部は生活・学び編で、5章・2補論からなる。

本書を俯瞰的にみれば、序章は「起」、本文（第1部、第2部）は「承」「転」、終章は「結」、として捉えることができる。

序章は、本文を編集する羅針盤、あるいは航海地図といえる。多様な分野にまたがる作品を、いかに体系的かつ論理的にまとめるか。いかにわかりやすく興味深いストーリーとして提示するか。今回は、至難を極める。納得できる構図がなかなか描けないのである。

これまでになく四苦八苦するのは、なぜか。それを紐解くことにより、現代社会の混迷とそれを切り拓く視点、理論がみえてくる。

1.3　AI論から人間らしさとあり方に迫る　―第1部（AI・倫理編）の視点と問い

AIとどう向き合っていくかは、本書を通底する「調べ」になっている。AIの進化は、人間とは何か、その存在意味は何かを、深く厳しく問いかけている。そして、人間の経験と内省の重要性、そこから湧いてくるひらめき、創造性、感動、物語（思い出）の大切さが改めてクローズアップされている。

2023年秋にまとめ、大学紀要と学会誌に投稿したAI・情報化論文2本（第1，2章）は、第1部の起点となり軸をなしている。それなりの手応えを感じる一方で、何か言い足りないもの、深めたいものも感じる。言い足りないもの、深めたいものは何か。紀要原稿では、「AIが問う」としたが、AIは人間に何を問うているのかが問われよう。本書は、それを考察する。

AI（人工知能：Artificial Intelligenceを、「異星人の知性」（Alien Intelligence）と見なして対処すべし、とM.ガブリエルはいう。「異星人の知性」として「人工知能」に向き合うべしとの提言は、示唆に富む。AIが急激に進化し、言語をも自在に操る。知性とは何か、人間らしさ、人間の創造的営みとは何か。動植物、非生命体、「異星人」など、人間とは異質な存在を視野に入れて、問い直すことが求められている。

AI編は、刻々と変化するAIの技術と社会状況に向き合い、その本質と課題を探る。「動」と「静」の視点から見れば、AI編は「動」そのもの。一方、倫理編は「静」にあたる。伝統工芸、経営哲学、企業社会論の視点から、AI編を見つめ直す。

第I部は、そうした「動」と「静」の視点から、AIの意味とあり方を考察する。ただし、そのメッセージは必ずしも明確とはいえない。さらなる掘り下げが必要と感じる。

1.4　日々の営みから人間的な生き方と創造性に迫る
―第II部（生活・学び編）の視点と問い

そこで、身近な体験と思索を通して、等身大の視点から捉え直したのが、第II部である。日々の生活、仕事、学びなど等身大の体験と思索、そこから湧き出る個性と創造性にこそ、人間らしさの本源があるとみられる。その視点からまとめたのが、座り過ぎ、住まいリフォーム（第7，8章）である。生活編にあたる。そこには、AI 論の呪縛を超える視点が含まれている。いわば「転」に他ならない。

そのポイントをなすのが、「時間」観である。AI 社会は、効率の名のもと「時間」をどんどん速める社会といえる。「タイムパフォーマンス」や「倍速」が広がり、(年齢とともに速まる)「体感時間」はさらに加速する。一方、年齢とともに深まる「内省時間」は軽視されがち。第 8 章は、そのような現代社会の風潮に警鐘を鳴らし、「人生時間」として捉え直す。すなわち、「体感時間」×「内省時間」として人生時間を捉え、その文化的創造を提言する。

第Ⅱ部の核心は、働きつつ学び研究するライフスタイル論、その多様かつ本質的な意義の解明にある。それは、「内省時間」の文化的創造に他ならない。人生 100 年時代さらには AI 時代にあって、その重要性はいっそう高まっている。

「働きつつ学び研究する」理念を軸に、半世紀を超えての自らの歩みと実践、それを通して導き出した視点とノウハウを提示する。

出だしの四半世紀は、製鉄所現場での交流と探求という自己実現がメインであった。大学に転じ、社会人の博士論文指導などに力を入れるなか、他者実現の比重を高めていく。自己実現から他者実現への広がりと重点シフト、さらに両者の統合に向け、定年退職後の新たな挑戦。そこから得られる珠玉の知見とノウハウなどを考察する。

1.5　AI 論の磁場から解き放つ身近な体験と感性　―2 部編成の相克とダイナミズム

第Ⅰ部は、技術、労働、経営などを第三者の視点から客観的・理論的に捉えたもので、俯瞰的アプローチといえる。一方、第Ⅱ部は、生活、住まい、働学研などを主体的・経験的に捉えたもので、等身大アプローチといえる。

第Ⅰ部は、人間、労働、生産、技術、経営、物質代謝などの領域である。AI の急激な進化、情報化が及ぼす影響とその意味など、俯瞰的な視点から論点と課題を考察する。

第II部は、日々の生活と自らの労働、職場などの領域である。座り過ぎ生活や住まいのリフォーム、働きつつ学び研究する実体験、いわば等身大視点から意味と課題を探求する。

この2つの領域は一見、かけ離れているようにみえる。しかし、じっくりみると、アプローチは違えども、人間の意味と本質、生活と仕事、人生の意味とあり方を問うものである。根底的なテーマに収斂される点で、深くつながっている。

立ち生活・住まいリフォーム論（第7、8章）は、定年後の5年間の生活実践に光をあてたものである。それが、AI論（第1, 2章）の強烈な磁場（いわば呪縛）から筆者を解き放ち、それと対極をなす五感に基づく体験と感性の視座を切り開いてくれたといえる。

AIの進化、戦争や大地震などに揺れるなか、人生100年時代にどう向き合うか。晩節をどう照らし、社会にどう貢献していくか。どのように学び働き、どう生きるのか。2つの領域から迫ることによって、より深く問い直し考察することができる。

そこで、本書を2部編成とし、多様なテーマを統一的に捉え直す。むしろ、両者の有機的な関係に光をあて、ダイナミックに浮かび上がらせたい。

2　本書の構成とポイント

2.1　本書の題目　―主題と副題の位置づけ

本書の題目は、『学びと生き方のリフォーム　―AI時代の人間・労働・経営』。

主題は文化論、副題は技術論。あるいは、主題は主体的・経験的、副題は客観的・論理的、ともいえる。

当初、『AIが問う人間、労働、経営　―学びと生き方のリフォーム』としていた。それに対し、「人間的な生き方」をクローズアップすべし、主題の冒頭に「AIが問う」が来ると竜頭蛇尾とみられかねない、等の示唆をいただく。

そこで、主題と副題を入れ替える。副題の「AIが問う」は、「AI時代の」に変える。新副題は、本書の起点となり基底をなす。一方、新主題は「人間的な生き方」をクローズアップさせる。筆者としても、納得できる形に収めることができたと感じている。

なお、主題と副題をつなぐ「リフォーム」というキーワードについて触れておきたい。リフォームとは、一般的には「衣服の仕立て直しや建物の改築・改装」(『広辞苑』)を指す。本書では、第8章を起点に視野を広げ、広義のリフォーム論として提示する。すなわち、衣服や建物のリフォームにとどまらず、住まいのリフォーム、さらには仕事・生活・人生のリフォーム(再設計・再挑戦)として捉え直す。

2.2 2部編成とそのねらい

本書は、序章、第Ⅰ部(6章、2補論)、第Ⅱ部(5章、2補論)、終章からなる。この2年余に主としてまとめた論文、書評など公刊13本、書き下ろし4本を、2部編成として提示する。補論4本は、1章、6章、9章、11章の後に配している。各章で収めきれず心残りの論点を、少し異なる視点から光をあてたものである。各章を補完する位置にある。

図表 序-1 2部編成の骨組み

序章 AIが問う人間的な生き方と創造性
第Ⅰ部 AI時代の人間・労働・経営 ―「AI・倫理」編
Ⅰ-1 「AI」編 (1～2章、補論1)
Ⅰ-2 「倫理」編 (3～6章、補論2)
第Ⅱ部 学びと生き方のリフォーム ―「生活・学び」編
Ⅱ-1 「生活」編 (7～8章)
Ⅱ-2 「学び」編 (9～11章、補論3,4)
終章 学びと生き方の協奏曲

第1部(「AI・倫理」編)は、AIが人間に突き付けている論点と問いを客観的、論理的に論じる。その核心に位置するのが、人間らしさとあり方である。

第２部（「生活・学び」編）は、身近な生活、仕事、学びにフォーカスして、人間らしさとは何かを主体的・経験的な視点から述べる。

２部・４編にすることにより、多様なテーマとせめぎ合う視点が体系的に整理され、その構造がわかりやすくなる。さらに、２部と４編を対置させつつ分析することにより、さらに深い関係をダイナミックに抉り出す。そこに、本書の狙いがある。

2.3　第Ⅰ部（「AI・倫理」編）の構成とポイント

第Ⅰ部は、２編・６章・２補論からなる。AIの急激な進化は、人間、労働、技術、経営のあり方を根源から揺り動かしている。人間とは何か、労働・生産とは何か、経営とは何か。情報・物質代謝論、さらに経営哲学・工芸・企業社会の視点からアプローチする。

情報化社会、AIなど技術進歩の光と影にメスを入れ、その本質とあり方を根底から問い直すのが、1-1「AI」編（第1, 2章、補論1）である。情報、データ、アルゴリズム、AI、資本主義などの定義と原点に立ち返る。

1-2「倫理」編（3～6章、補論2）は、工芸や手仕事、経営哲学、企業社会の視点から「AI」編を捉え直す。

Ⅰ-1 「AI」編

第１章は、AI進化の70数年を俯瞰し、近年における生成AIなどの急激な発展がもたらす社会・労働・経営の変容とその意味、さらに人間の本質とあり方、社会・技術・労働の未来などを考察する。

補論１は、第１章作成後（2023.11～24.3）の最新動向に目を向け、追記として織り込んだものである。AIをめぐる状況変化はすさまじいが、第１章の趣旨と骨組みに変わりはなく、それを補完するものである。

第２章は、第１章で論じ切れていないテーマを掘り起こし、新たな視点から捉え直す。情報化社会論、精神代謝労働論への考察を通して、物質と精神、自然と社会の統合的把握への新たな知見を提示する。

Ⅰ-2 「倫理」編

第3章は、工業化に伴い淘汰されてきた工芸、その手仕事や工芸的思考に光をあてる。現代産業が希求する創造や革新のヒントが隠されており、伝統工芸の壁を崩し、最新技術やアート、デザインなど異分野との交流・連携の広がりに注目する。

第4章は、十名直喜『サステナビリティの経営哲学』をめぐるSBI大学院大学学長との公開対談のエキスである。105項目の「質問」は、IT観・生産力観、情報、コモンズ、新しい資本主義、スミス・マルクス・渋沢栄一論など多岐にわたる。そこでの論点と課題を、新た視点から掘り下げ展開する。

第5章は、欧米における「フリーメイソン」の視点から、日本の中世、近世、近代へと至るプロセスを分析し、歴史的な種々の謎にメスを入れる。古代フリーメイソンから近代フリーメイソンへ、米国および欧州における近代フリーメイソンの展開を捉える。

第6章は、故・森岡孝二の比類なき企業社会論と社会活動を取り上げ、筆者との関係の中で捉え直す。「働きつつ学び研究する」わが人生の扉を開いた彼との出会い、『働き過ぎの時代』『雇用身分社会』などの労作、過労死防止法制定などの社会活動に光をあてる。

補論2は、労務理論学会特別賞（十名直喜『企業不祥事と日本的経営』）の「授賞理由」を紹介し、「授賞のお礼」を述べたものである。同学会の特別賞は2人目で、森岡孝二との師弟授賞となる。

2.4　第Ⅱ部（「生活・学び」編）の構成とポイント

第Ⅱ部は、2編・5章・2補論からなる。半世紀を超える働きつつ学び研究する活動と交流を通して、さらに定年退職後における座り過ぎ生活と住まいのリフォームを通して、学びと生き方を考察する。

立ち生活の実践と住まいのリフォームを通して、人間の五感に基づく体験と学び、思索の大切さに光を当て、AIの進化がその基盤を揺るがす問題に対峙するのが、2-1「生活」編（第7,8章）である。

2-2「学び」編（9～11章、補論3,4）は、半世紀を超える「働きつつ学び研究する」実践に光を当て、理念・理論・ノウハウを学び直し社会の視点から捉え直し提示する。

II -1 「生活」編

第７章は、座り過ぎ生活を問い直す。近年、「座り過ぎ」の弊害が各種調査で指摘され、「立つ」「座る」のあり方が問われている。「立って読み書く」５年間の体験をふまえ、近年の研究や古典を手がかりに、生活、仕事、人生の意味とあり方を考察する。

第８章は、定年退職を機に行った住まいのリフォームに光をあてる。「自宅のリフォーム」を生活の質を高めて人生の文化的熟成を促す「人生のリフォーム」として、「終活」を「人生の終盤を活かす生き方」として捉え直し、そのモデルを提示する。

II -2 「学び」編

第９章は、退職後に立ち上げた「働学研（博論・本つくり）研究会」の歩みを、半世紀の視点から捉え直す。「働きつつ学び研究する」社会人を支援し、育ちあい磨き合う環境を創り出す活動と教訓、そこで得た珠玉のノウハウを紹介する。

補論３は、コロナ禍のなかオンライン開催として再挑戦した働学研の最新３年半を総括する。元の資料は 160 ページを超えるが、そのエキスを紹介する。月例会 43 回の研究発表は 280 本、参加者 981 人に上る。博士３人、10 数冊の単著書出版など、多くの奇跡を生み出す。

第 10 章は、「働く人たちの論文作成・研究支援ガイド」（基礎研ホームページ）に掲載の小文「「働きつつ学び研究する」意義と展望」、それをめぐる社会人研究者７人との対話（コメント＆リプライ）を基に、基礎研の理念と歩み、研究支援のノウハウと課題を提示する。

第 11 章は、近年、関心を呼び起こしている社会人の「学び直し」（リスキリング）に光をあてる。働学研は、それに深く向き合い、本質的に応えようとする。ライフワーク出版などを通して、仕事と人生を創造的にし、楽しく意味あるものにするモデルとノウハウを提示する。

補論４は、ほぼ同時期に出版された社会人研究者の単著書３冊に光をあてる。数十年にわたり働き学び研究するなかで創り出されたものである。ライフワーク出版に至るプロセスを「守・破・離」の視点から捉え直し、ノウハウ・教訓などを汲み出す。

3　本書を読み解く工夫

3.1　理解を促す補助線

本書には「図表 序-2　図表一覧」に示すように、多くの図表（36本）を挿入している。総論編（7）、AI編（11）、倫理編（1）、生活編（7）、学び編（10）となっている。

「図表」としているが、その多くは囲い込みメモである。当該箇所の論理や流れをコンパクトに箇条書きし、四角のコーナーに収めたものである。複雑で理解しにくいと思われる個所やクローズアップしたい箇所に、補助線あるいは早見表として、配している。「図表によって、思考の整理ができ、読み進めるうえでのサポートになっています」（井手芳美）とのコメントもいただいている。

図表序-2　図表一覧

総論

Ⅰ-1「AI」編

II-1 「生活」編

II-2 「学び」編

3.2　口頭発表・論文化・公刊プロセスの開示

本書の多くは、働学研、文化政策研、基礎研などで発表し、議論したものである。「口頭発表」をふまえて洗練化し、学会誌などに投稿し掲載されて「公刊作品」になるというプロセスを大切にしている。

まず、この間に発表し議論した記録の一端をピックアップしたのが、「図表 序 -3　口頭発表一覧」である。一部抜けているものもあるとみられる。

次に、「公刊作品」を中心に示したのが、「図表 序 -4　本書の初出一覧」である。「公刊作品」は、学会誌（『国際文化政策』、『経済科学通信』、『労務理論学会誌』）、大学紀要（SBI 大学院大学紀要、名古屋学院大学論集）、学術誌その他（『ACADEMIA』、基礎経済科学研究所ホームページ）に掲載されたものである。未公刊の 5 本は、本書を編集する際に書き下ろしたものである。

図表 序 -3　口頭発表一覧

序章：2024.3.16 働学研

第 1 章（a）：2023.5.20 働学研、2024.3.24 基礎研季研究交流集会
補論 1：2024.3.24 基礎研季研究交流集会
第 2 章（b）：2023.3.19 文化政策研、2024.2.17 働学研
第 4 章（d）：SBI 大学院大学学長との公開対談 2022.5.7

第 5 章（e）：2023.2.18 働学研
補論 2（g）：2023.6.24 労務理論学会全国大会、2023.7.22 働学研
第 7 章（h）：2024.1.20 働学研
第 8 章（i）：2023.12.23 働学研

補論 3（j）：2024.1.25 働学研 ML
第 9 章（k）：2023.3.26 基礎研春季研究交流集会
第 10 章（l）：2023.8.26 働学研
補論 4（m）：2023.8 基礎研研究教育支援委員会 ML

第 11 章（n）：2022.9.11 働学研
補論 5：2022.9.11 働学研
終章：2024.3.16 働学研

図表 序 -4　本書の初出一覧

学びと生き方のリフォーム　―AI 時代の人間・労働・経営

序章　AI が問う人間的な生き方と創造性　（書き下ろし）
第 I 部　AI 時代の人間・労働・経営
I -1 「AI」編
a(2024.2)「人工知能（AI）の進化が問う人間、労働、情報　―不確実性の時代と経営への視座」『SBI 大学院大学紀要』第 11 号
b(2024.3)「情報化、精神代謝労働論への視座　―物質と精神、自然と社会の統合的把握に向けて」『国際文化政策』第 17 号
I -2 「倫理」編
c(2022.10)「現代産業と工芸職人」『ACADEMIA』No.188　全国日本学士会
d(2023.2)「経営哲学の探求と創造　―『サステナビリティの経営哲学』出版記念学長対談の視座」『SBI 大学院大学紀要』第 10 号
e(2023.8)「書評　山根幸三著『フリーメイソンと日本』」『国際文化政策』第 16 号

f(2020.8)「挑戦と思いやりが生んだ森岡企業社会論　―到達点と課題」『経済科学通信』No.151

g(2023.10)「労務理論学会特別賞の受賞とお礼」「授賞理由」、「授賞のお礼」『労務理論学会誌』第 33 号（2024.3）

第Ⅱ部　学びと生き方のリフォーム

Ⅱ -1 「生活」編

h(2024.3)「座り過ぎ生活を問い直す　―「立って読み書く」実践と思索を踏まえて」『名古屋学院大学論集　社会科学篇』Vol60, No.4

i(2024.3)「住まいのフォーム物語―Quality of Life と終活への視座」（書き下ろし）

Ⅱ -2 「学び」編

j(2022.9)「学びあい育ちあいの理論と政策」『国際文化政策』第 14 号

k(2024.1)「コロナ禍の再挑戦 3 年半の記録―2020 年 6 月～ 2023 年 12 月」働学研 ML

l(2023.9)「働きつつ学び研究する意義と展望　―次の半世紀に向けて」基礎経済科学研究所ホームページ

m(2023.8)「基礎研・働学研論をめぐる感想・コメントへのリプライ」未公刊

n(2023.2)「学び直し社会の文化的創造―半世紀の挑戦と贈り物」『国際文化政策』第 15 号

終章　学びと生き方の協奏曲　　（書き下ろし）

定年退職後の 5 年間、働学研を立ち上げ、軌道に乗せ、社会人の仕事と研究を支援するプラットフォームにすべく全力疾走してきた。それは、自らを元気づけ励まし、学び磨く場にもなっている。並走しつつ、自らの研究でも全力投球し、それをぶつけて真摯に議論する。それがまた、場を盛り上げていく一助にもなる、と感じている。

本書は、そうした孵化器のなかで育まれ鍛えられた作品群を編集したものである。

4　AI時代を生き抜く学びと生き方の協奏曲

本書の各章・補論は、この2年余に執筆・公刊した作品をベースにしている。テーマや分野は多様で多岐にわたる。一見、かけ離れたように見える作品があるかもしれない。「2冊に分けては」、あるいは「外しては」との指摘を受けたものもある。

しかし、いろんなつながりを筆者なりに感じ、織り込んでいる。むしろ、そのつながりに光をあてることにより、視野が拓けて、新たな論理や物語も紡ぎ出すことができたといえる。働学研を中心に文化政策研、基礎研などでの交流（発表、議論、支援）を通して、ひらめき、育み、磨かれたものが多く、そこに深い絆とドラマがある。

そうした視点をふまえ書きおろしたのが、序章、終章、第8章、補論1、補論3である。他の公刊作品も、絆とドラマに留意し、本書に収めている。

序章に添付する「図表一覧」、「口頭発表一覧」および「初出一覧」にも、そうしたプロセスが刻まれている。それを汲み取っていただければと、紹介する次第である。

序章と終章、そして本文（11章・4補論）の全体でもって、本書の題目『学びと生き方のリフォーム　―AI時代の人間・労働・経営』に応える。いわば、AI時代を生き抜く学びと生き方の協奏曲として、提示する。

＊略称　「働学研」：働学研（博論・本つくり）研究会
「基礎研」：基礎経済科学研究所
「文化政策研」：国際文化政策研究教育学会

第1部
AI時代の人間・労働・経営
――「AI・倫理」編

第I部（「AI・倫理」編）は、AIが人間に突き付けている論点と問いを客観的、論理的に論じる。その核心に位置するのが、人間らしさとあり方である。

第I部は、2編・6章・2補論からなる。AIの急激な進化は、人間、労働、技術、経営のあり方を根源から揺り動かしている。人間とは何か、労働・生産とは何か、経営とは何か。情報・物質代謝論、さらに経営哲学・工芸・企業社会の視点からアプローチする。

I -1「AI」編は、情報化社会、AIなど技術進歩の光と影にメスを入れ、その本質とあり方を根底から問い直すのである。情報、データ、アルゴリズム、AI、資本主義などの定義と原点に立ち返る。

I -2「倫理」編は、工芸や手仕事、経営哲学、フリーメイソン、企業社会の視点から捉え直す。

図表 部1第Ⅰ部の構成

第Ⅰ部　AI時代の人間・労働・経営　―「AI・倫理」編
Ⅰ-1 「AI」編 （1,2章、補論1）
第1章　人工知能（AI）の進化が問う人間、労働、情報
―　不確実性の時代と経営への視座
補論1　AIの進化をめぐる期待と懸念
第2章　情報化社会、精神代謝労働論への視座
―　物質と精神、自然と社会の統合的把握に向けて

Ⅰ-2 「倫理」編 （3～6章、補論2）
第3章　AI時代の伝統工芸と知的職人
第4章　経営哲学の探求と創造
―『サステナビリティの経営哲学』出版記念学長対談の視座
第5章　中世・近代日本の謎に切り込むフリーメイソン論
―　山根幸三著『フリーメイソンと日本』の書評を通して
第6章　挑戦と思いやりが生んだ企業社会論の新地平
―森岡孝二の到達点と課題
補論2　労務理論学会特別賞の受賞とお礼

第1章

人工知能（AI）の進化が問う人間・労働・社会 －不確実性の時代と経営への視座－

1　はじめに

比類なき言語は、現生人類が地球上の覇者となった理由とされる。AIの急速な進化は、言語の分野をはじめ、人間が築いてきた知の領域に足を踏み入れている。これをどう評価するか、これにどう向き合うかが問われている。

まず情報とは何かを問い直し、その本質、定義、機能を捉え直す必要がある。人間とは何か、その存在意味とあり方、さらに生産、労働、経営とは何か、などが根底から問われるに至っている。

かつて1970年代に叫ばれた「不確実性の時代」は、主として資本主義社会をめぐるものであった[*2]。いまや、地球環境のみならず人間の本質とあり方をめぐるものへと広がり、「不確実性」から「リスク」へ、さらに「脅威」へと深化しつつある。

本章は、1～8で構成される。まず2、3において、生成AIをめぐる近年のめまぐるしい変容とそれをめぐる議論と向き合う。その全体像、特徴、本質を理解し整理することは至難である。とりあえず、2紙（日本経済新聞、読売新聞）の記事を手がかりに概観する。直近の数か月間に切り抜いた関連記事は数百に及ぶ。そのうちの一部をピックアップし、筆者の理解に沿って編集したが、字数の制約からさらに過半を割愛している。「群盲、象を撫でる」の類であるが、テーマの根幹に触れることができればと思う。

次に4～7では、先行文献（N.ウィーナー、C.ヒダルゴ、Y.N.ハラリ、S.ズボフ、P.F.ドラッカー、K.マルクスなど）に基づき、原点と本質に立ち返り、上記の論点と課題を理論的に捉え直す。

以上をふまえ、情報と物質、知識とノウハウ、AIの暴走と制御、意識と知能、人間の意味とあり方、技術と人間の未来などについて深め、現代の立ち位置と処方箋を考察する。

2　人工知能（AI）の進化と生成AI登場のインパクト＊3

2.1　AIをめぐる「進化」の変遷

人工知能（AI）の進化は、目覚ましいものがある。さらに生成AIの登場で加速され、新たな進化段階を迎えているとみられる。半世紀を超えるこの間の変遷を、ごく簡単に振り返ってみたい。

AI（Artificial Intelligence：人工知能）という言葉が初めて登場したのは、1956年に情報科学の研究者らが集まった米ダートマス会議とされる。人間の能力を超えて様々な問題の解決ができる夢の技術として期待がかかった。

それに応えるべく、AIブームが1950～60年代（第1次）、80年代（第2次）に起こったが、計算能力の限界などから下火になる。

AIが急速に進化したのは、21世紀に入ってからである。そのきっかけとなったのが、「深層学習（Deep Learning）」である。米Googleが2012年、脳の神経回路の働きをモデルとする「深層学習」を使ったAIで、大量の画像から猫を判別することに成功したと発表した。深層学習では、事前に人間が猫の特徴を詳しく教えなくても、画像や音声などのデータを大量に読み込ませるだけで、AIが自ら特徴を抽出する。

深層学習によって画像認識や自動翻訳の精度が飛躍的に高まり、第3次のAIブームを巻き起こした。2016年、深層学習で訓練した囲碁AI「アルファ碁」がトップ棋士を破るに至る。

オープンAI（本社、サンフランシスコ）は2015年、米テスラ最高経営責任者（CEO）らによって設立された。AIの普及・発展を目的とした非営利団体として活動を開始し、19年に営利目的に移行する。数年前から開発競争が激化するなか、オープンAIは2022年11月、文章や画像を新たにつくり出すチャットGPTを公開した。無料公開されると即、大きな話題を呼び、2か月間で利用者は1億人を突破するに至る。チャットGPTのほかに、文章から画像を生成するAIなども開発されている。

2.2 チャットGPTの仕組み・性能と課題

GPTは、Generative Pre-trained Transformerの略で、文章を生成するために事前訓練した手法である。トランスフォーマー（Transformer）は、米Googleが2017年に開発した言語学習手法である。ホームページやニュース、SNSなどオンライン上にある膨大な情報を読み込む。

それによって、文章中の重要な単語や単語同士の関係性などを学習し、これまでのAIよりも、格段に自然な文章生成が可能になる。

チャットGPTは対話型AIサービスを基本とし、質疑応答や要約、翻訳、小説や詩の作成、プログラム作成などを行う。オンライン上で質問や指示を日本語や英語で入力すると、人間を相手にしたような自然な対話や受け答えをする。

自然な受け答えのカギを握るのは、次に来るのにふさわしい単語の予測である。直前の単語だけではなく、遠く離れた位置にある単語にも注目する。それによって、文脈を捉える力が大きく高まる。さらに、出来上がった文章が適切かどうかについて、利用者からの評価を受け、最適な表現を常に学ぶ仕組みも組み込まれている。

原理的には膨大な情報量から予想した言葉を次々とつないでいるだけで、文法をきちんと理解しているわけではない。しかし、「そのつなぎ方が驚くほどうまい」。「ここまでの精度のAIがこんなに早く出てくるとは思っていなかった」(松原仁）[*4]。

同じ質問をしてもチャットGPTの受け答えが毎回異なる。答えにあえて「揺らぎ」が生じるように設計し、人間に近づけようとしていると推察される。ただし、どこが間違っているか、見分けるのは難しい。

図表 1-1　チャット GPT の仕組み・性能・課題

定義

GPT：Generative Pre-trained Transformer
文章を生成するために事前訓練した手法。米 Google が 2017 年に開発。

言語学習手法の仕組み

オンライン上にある膨大な情報を読み込む
→文章中の重要な単語や単語同士の関係性を学習
→次に来る単語を予測（直前の単語＋遠く離れた位置の単語にも注目）
→文脈を捉える力が大きく高まる→作成文章が適切かどうか、利用者から評価
→最適な表現を常に学ぶ

対話型サービスの性能

質疑応答や要約、翻訳、小説や詩の作成、プログラム作成。
オンライン上で質問や指示→人間を相手にしたような自然な対話や応答。
「ゆらぎ」設計→受け答えが毎回異なる。「つなぎ方が驚くほどうまい」。

課題

詳しい仕組みはブラックボックス。どんなデータを使ったかも非公開。

備考：筆者作成。

何よりも、詳しい仕組みはわからず、ブラックボックスとなっている。どんなデータを使ったかの詳細も非公開である。それらは決定的な「弱点」とみなされるなど、大きな問題を抱えたままの見切り発車となっている。

3　AIの進化にみる光と影

3.1　AIの進化をめぐる評価の二面性

技術の飛躍的な進歩はこれまでも、発明や適応、成長など新たな機会を生み出す一方、多くの人の人生や暮らしに不可逆的なダメージを及ぼしてきた。人類は、移行に伴う混乱への適応力と「創造的破壊」とも呼ばれる混乱を切り抜ける力を試されてきた。世界はまたもや、技術の飛躍的な進歩への対応と備えを迫られている。

AIの進化は目覚ましいものがあり、さらに生成AIの登場で、新たな進化の段階を迎えている。生成AIがすさまじい勢いで世界に広がるなか、社会システムを変えるほどの破壊的イノベーションが進行しつつある。この「進歩」は止められないとの指摘もみられる[*5]。しかし、「進歩」のあり方や方向性、スピードを制御することは必要であり、切実な課題となっている。

A.ングは、「AI活用は人類の利益」だと高らかに宣言する。チャットGPTの優れた点は、利用者にとって親しみやすく、使いやすいことにあり、「AIの大衆化」を実感させたことにある。AIは、「人間に勝る賢さを獲得しつつある」。汎用技術であるため、さまざまな用途で役に立つ。一定の弊害があるにしても、利益の方がはるかに上回る。「AIが絶滅危機をもたらすという意見は誇張しすぎ」、「AIの進化を減速させるのではなく、可能な限り速くすべきだ」という[*6]。「弊害」および「利益」とは何か、が問われている。

一方、A.ングとともにAI研究の大家として知られるG.E.ヒントンらは、AIが核戦争と同様に、人類を絶滅させる恐れがあるとの声明に署名した[*7]。第一線の専門家の間でも、AIが生む光と影に対する見方は割れる。

インターネットやSNSは多大な価値をもたらす一方、社会に深刻な分断を生じさせてきた。AIは、この10年で驚くべき進化を遂げ、人間と社会がそのスピードに追い付くのも難しくなっているほどである。負の側面をどう制御するかが問われている。

3.2　AI の進化が問う人間、仕事、教育

3.2.1　AI の進化が問う学びと仕事のあり方

GPT などの大規模言語モデル（LLM：Large Language Model）は、専門家にしか使えないものだったが、そのハードルが一気に下がった。一般人が気軽に文章や画像が作れる「AI の民主化」が進行している。文章や画像の生成機能が急速に普及したことで、学びや働き方の大変動が始まっている。

この流れを制御することは至難で、なかなか止めがたいとの見方が広がっている。ただ AI は、万能とはいえず、制約も少なくない。過去のデータを収集し加工するだけなので、記号の枠の中で循環するしかない。優れたアイデアを生み出したり、新たな問題を発見し解決を図ったりすることは、AI には難しい。

そこで、AI を使いこなしながら、新たな価値を生むことが、人間の主な仕事になる。AI にはできない人間ならではの独創性を追求することが求められる。

井上智洋は、生成 AI などを使って発想をすぐに形にする「アイデア即プロダクトの経済」が近づいているという。人間が独自に有するのは、意志、体験、価値判断であり、この 3 つの力を磨くことがますます重要になる[*8]。体験が新しい発想を促し、価値判断力を培うからである。人間らしさが、そこに詰まっている。善悪や美醜の判断も、人間に独自なものである。AI は、それをまねているにすぎない。これまでにない問題が起きたときに、何が正しいかを判断できるのは人間である。

身体、体験、経験、創造をめぐる考察も、注目される。土居丈朗は、身体化された経験に根ざした知識を習得すべきだという[*9]。

若松英輔は、2 人の哲学者（森有正、S. ヴェイユ）の「経験」「創造」論を紹介し、経験に関する考察を深めている[*10]。森有正は体験と経験を峻別する。人は様々な体験をするが、経験にまで深めることができるとは限らない。体験は、未知なるものとの間で起こるが、自分の中だけにとどまる。経験は自らの深まりを認識し、世界あるいは他者へと開かれていく。S. ヴェイユは、「人間の偉大さとは、つねに、人間が自分の生を再創造す

ることである」という。

人生が提示するのは、結論ではなく「問い」であり、それにどう応じるのかが問われる。その「問い」と向き合い、「経験」を深め、生そのものを新たに創造できるかは、人間らしさの根幹にあるとみられる。

3.2.2 生成 AI をめぐる子どもと教育への懸念

AI の進歩は、大学などの役割の見直しをも迫っている。いずれ講義の多くを担当できる AI が登場する。大学は、人間にしかできない能力の教育・開発に重点を移さざるを得ない。しかし、成果を生み出すには時間がかかり、技術変化に追いつくのは至難である。

生成 AI への懸念が、教育界に広がっている。柳田邦男と酒井邦嘉は特別対談で、AI への依存と教育への利用に警鐘を鳴らしている[*11]。

生成 AI という新しい技術は、人間の知性・感性の根幹に触れる問題をはらんでいる。人間の知的活動において一番大事な、言語機能あるいは思考力に関わるからである。

文章や画像を手軽に作り出せることは、一方において安易な利用を促し、人間のもつ創造力を低下しかねないリスクをはらんでいる。とくに脳が発達段階にある子どもたちと向き合う学校において、深刻に問われている。

子どもたちは、ネット上の情報を簡単に信じ込んでしまう傾向が強い。その原因について専門家は、脳の部位によって成熟の度合いと速度が異なるという発達アンバランスに着目する[*12]。本能や感情を司る脳の部位は「大脳辺縁系」と呼ばれる。「前頭前野」には大脳辺縁系にブレーキをかけ感情をコントロールする司令塔的な働きがある。大脳辺縁系が思春期に急激に成熟するのに対し、前頭前野が完全に機能するには 25 年以上かかるとされる。「前頭前野が未成熟の段階にある子どもの頃は、物事を感覚的に捉えてしまい、ネット情報の強い刺激に影響されやすい」(明和政子)[*13]。

教育現場で大切なのは、「対人間」の側面である。教師からの人間的影響や、人と人との触れ合いが欠かせない。同じ言葉であっても、肉声で伝えることにより、言葉以上の情報が伝わる。

図表 1-2　ネット情報や生成 AI が子どもに及ぼす影響・メカニズム・対策

子ども脳にみる発達・成熟のアンバランス

子どもたちは、ネット上の情報を簡単に信じ込んでしまう傾向が強い。
その要因：脳の部位における発達の速度と度合いの違い
「大脳辺縁系」：本能や感情を司る。思春期に急激に成熟する。
「前頭前野」：大脳辺縁系にブレーキをかけ、感情をコントロールする。
完全に機能するのに 25 年以上かかる。
前頭前野が未成熟な子供の頃→物事を感覚的に捉える。「AI ＝神の声、正しい答え」　→ネット情報の強い刺激に影響されやすい

教育界に広がる生成 AI への懸念

言語機能、思考力に関わる→人間の知性・感性の根幹に触れる問題をはらむ。
生成 AI などへの依存→便利、面白い→依存への傾斜→人間の主体性や創造性、考え方、感じたことなどを言語化する脳の働きは使われなくなっていく
対話型 AI への依存→自分の良いように対話→人と議論するより居心地も良い

あるべき対策

教育現場で大切なのは、教師からの人間的影響や、人と人との触れ合い
AI に負けない感性や考える力、創造力を育てる取り組みの重要性が増大

備考：筆者作成。

生成AIへの依存が、スマートフォンと同様に懸念される[*14]。「神の声」のように、AIが絶対的に正しい答えを出してくれると思っているようである。人間は、依存に陥りやすい面をもっている。麻薬やアルコールだけでなく、便利なもの、ちょっと面白いものに傾斜しやすい。AIも然りである。AIに依存することで、人間の主体性や創造性、考え方、感じたことなどを言語化するという脳の働きは使われなくなっていく。活用され磨かれる機会も減るなか、廃用性萎縮の法則が働き、劣化し壊れていくこと

が心配される。

「賢く利用しよう」という意見もみられるが、疑似的な対話だけで理解したような感覚に陥りかねない。主体的に考え、幅広く議論し、創造する力が衰える側面にも目を向ける必要がある。とくに対話型AIへの依存は、危険とみられる。自分の良いように対話が引き出される。人と議論するよりAIに依存する方が居心地もよく、四六時中手放せなくなる。生成AIにみるこの特徴に対し、「自己欺瞞」性とみなし、警鐘が鳴らされている。

教育分野への生成AIの導入については、危機管理の観点と対策が提起されている[*15]。起こりうる最悪の事態を想定し、様々なリスク要因に万全の対策を立てる。発生した事態に対し検証チームを設けて問題点の解明と改善策を打ち出す、というものである。

AIに対しては、それに負けないだけの感性や考える力、創造力を育てる取り組みが、今まで以上に重要性を増している。

3.3　AIへの警戒・脅威論の源流と4大リスク

3.3.1　世界を変えたGoogleの光と影

米Googleは2023年9月、会社設立から25年を迎えた。世界シェアの9割超を握るインターネットサービスを軸に事業領域を拡大し、社会経済への影響力を飛躍的に高めた。米シスコシステムズによると、1998年から2025年までの間にネットの情報量は3万倍に増えた。検索サイトの訪問回数は、2023年7月に1000億回に迫り、フェイスブックの8倍に上る。検索や広告を通じて生み出された経済効果は米国だけで7000億ドル（約100兆円）に達する[*16]。

検索や広告市場の独占的位置と租税回避に対し、各国の警戒も強まっている。米司法省は2020年、Googleを反トラスト法（独占禁止法）違反で提訴した。それを機に、世界的な影響力を高めるプラットフォーム企業に批判が集中する。その影響で、壁にぶつかったとの見方もあったが、生成AIへの期待から時価総額はこの半年で5割超の増加となる。

一方、生成AIがネット空間を汚染するとの懸念も浮上している。英オックスフォード大学などの研究チームは2023年5月、生成AIが作るデータを次世代のAIが訓練に使い回すことにより、ネット空間の情報の劣化や汚染が進みかねない、と警鐘を鳴らした。「AIは諸刃の剣」との見方も出ている。

チャットGPTなどの生成AIは、ネット上のデータを取り込んで学習する。その大半は、もともと人間が作ったものである。しかし、生成AIが普及するにつれ、ネット上にはAIが作ったデータが増えていく。研究チームが模擬実験したところ、AI生成する内容は単純化が進み、現実離れの度合いが増し、データの多様性も失われていく。研究チームは、この現象を「モデル崩壊」と名づけた。

生成AIには、「起きる確率が高いこと」に答えるという特徴がある。少数派の考えやめったに起きないことははじきがちである。その結果、ネット上では多数派の意見や出現率の高い出来事ばかりが並んでしまうおそれがある。

現実世界における多様性の喪失のように、ネット空間でも情報の多様性が減じていき、無意味な情報で埋めようとしている、という[*17]。

3.3.2 AIへの警戒・脅威論の源流は「サイバネティックスの父」N. ウィーナー

AI脅威論は、2010年代後半、科学者やIT企業が唱えた時期があったが、当時は同調する専門家は少なかった。今や、様変わりし、世界の名だたるAI研究者がAI脅威論を真剣に議論している。AIをもっともよく知る人々が、そのリスクを肌感覚で認識するに至ったとみられる[*18]。

AIへの警戒・脅威論の源流は、「サイバネティックスの父」「情報時代の父」と評されるN. ウィーナーとみられる。N. ウィーナー[1948]『サイバネティックス　―動物と機械における制御と通信』は、科学と技術の革命を起こし、情報革命の起点となる。サイバネティックスはAI技術のベースとなり、あらゆる産業の日々の労働を変えていく。創始者の心眼には、21世紀の現代が直面する脅威も映っていた。当時の専門家仲間の中でただ1人、情報化時代の暗い面にも目を向け警鐘を鳴らした。

図表 1-3　N. ウィーナーの AI 観と警鐘

知能を持った機械の特徴
A　経験から学ぶことができる。
B　際限なく複製をつくることができる。
C　それを生み出した人間にも予見できないようなふるまい方ができる。
人間らしさとその源
「自分たちの目的、その精神の力、何よりも大事な選択する力」
新技術の魅力と魔性
自らの人間らしさを機械に渡してしまい、それを放棄するよう、人間に促す。 「両刃の剣であり、いずれ人を深く傷つける」

備考：筆者作成。

知能を持った機械は、経験から学ぶことができ、際限なく複製をつくることができ、それを生み出した人間にも予見できないようなふるまい方ができる。この新技術の魅力と魔性は、人間をして、「自分たちの目的、その精神の力、何よりも大事な選択する力」を機械に渡してしまい、自らの人間らしさを放棄するように促す、ことを心配していた。

ウィーナーは、そうした人類の未来を危惧し、草創期から警鐘を鳴らした最初の人物でもある。人間の価値観、自由、精神性に対する脅威が生まれつつあることについて、それが見えるようになる半世紀以上も前から熱心に説いた[*19]。

3.3.3　生成 AI の「人間らしさ」と 4 大リスク

この心配が現実化し、最大の脅威となっている現在、あらためて N. ウィーナーの洞察に立ち返り、処方箋を汲み出すことが求められている。約 70 年前のウィーナーの心眼と警鐘に、時代がやっと追いついたといえよう。

図表 1-4　人間の学習・発達モデル（HLM）と大規模言語モデル（LLM）の比較

人間の学習・発達モデル
（HLM：Human Learning and Development Model）
ヒト乳児は、情報のほとんどを遮断し、処理できる情報だけを脳に入れる。
知識の増加と成熟に伴い、入れる情報の量を漸次的に増やしていく。
<入力情報を絞り、暫時的に増やしていく>
「Less is More 理論（小は大に勝る）」(認知科学)

大規模言語モデル（LLM：Large Language Model）
モデルサイズを大きくするほど性能アップ→従来の機械学習の常識を覆す
モデルサイズを大きくしていく→「創発」が起こる
(それまで解けなかった問題が、ある時点から急に解ける)

課題
生成 AI のメカニズムと人間の学び方をより深く解明する
→ AI リスクへの対処法やデータ駆動社会への見通しを得るカギを握る

備考：筆者作成

人間の能力を凌駕する AI は、プロ棋士を破った囲碁や将棋のソフトなどすでにいろいろあるが、2022 年暮れからの半年で起きた一大変化は、チェット GPT のような「人間のように振舞う」AI が登場したことにある。

I. ブレマーは、目下の備えるべき AI リスクとして、偽情報、拡散、大量解雇、人間代替の4つを挙げている。この4大リスクは、生成AIの「人間らしさ」に起因するところが多い。

生成 AI のエンジンである大規模言語モデル（LLM）は、意味をよく理解せずに統計的に言葉を発しているとされるが、LLM では「未知の能力の創発が起きている」と考える研究者もいる。

大規模言語モデルは、モデルサイズを大きくするほど性能が上がるという現象を示し、従来の機械学習の常識を覆した。モデルサイズを大きくしていくなかで、それまで解けなかった問題がある時点から急に解けるような「創発」が起こるという[*20]。

それは、人間の学習・発達モデル（HLM）とは対照的である。ヒト乳児は情報のほとんどを遮断し、処理できる情報だけを脳に入れている。知識の増加と成熟に伴い、入れる情報の量を漸次的に増やす。情報を入れる窓のサイズや、最初に言語情報のどの要素に注目するかは、生物学的に決まっている。このようなヒトの発達・学習過程は、認知科学では「Less is More 理論（小は大に勝る）」と呼ばれる。

言語学習の大前提が、AI の大規模言語モデルと人間では、まったく異なるのである。

生成 AI のメカニズムと人間の学び方をより深く解明することが、AI リスクへの対処法やデータ駆動社会、人間的な社会の見通しを得るためのカギを握るとみられる。

3.3.4 生成 AI が加速させる雇用不安定な未来

AI の 4 大リスクのうちの 2 つ（大量解雇、人間代替）と密接に関わるのが、「雇用の未来」である。2013 年に英オックスフォード大の C. フレイと M. オズボーンは「雇用の未来」と題する論文を発表した。米国の 47% の労働者が従事する職業が 10-20 年後に消滅する恐れがあるとして、AI 失業をめぐる議論を巻き起こした。反論として多くみられるのは、「影響は一部」論、能力拡張 AI による「生産性向上」論の 2 つである。井上智洋は、いずれも AI 失業論をミスリードしている、と批判する[*21]。

第 1 は、職業には多数のタスクがあり、影響は一部にとどまるという主張である。AI などの IT が奪うのは、そのうちのごく一部のタスクであり、職業がなくなることは起き難いという。確かにこれまで、雇用の消滅はそれほど多くはない。しかし、もっと頻繁に起きているのは、各職業における雇用の減少であり、その影響の方がより大きい。

第 2 は、能力拡張 AI による「生産性向上」論である。人間と代替的な AI は雇用を奪う可能性があるが、人間の能力を拡張するような AI は雇用を奪わずむしろ生産性を高めるという。しかし、雇用が必要でなくなるかどうかは、需要の動向に左右される。生産性の向上で価格が低下しても、需要が増大しなければ雇用は減少する。そして、より多くの商品はいずれ需要の飽和点を迎え、その商品の生産に従事する労働者は減少に転じる。

ITがサービス業を効率化している昨今、労働者はどこに向かえばいいのか、という問題が現れる。生成AIは、言葉や画像を扱うあらゆる職業を脅かすことになる。その対象は、ホワイトカラーのほぼすべての仕事に及ぶ。ブルーカラーの雇用も、いつまでも安泰というわけではない。雇用が著しく不安定となる未来が危惧される。

4　N.ウィーナーの情報理論と警鐘

AIの急速な「進化」は、人類進化のこれまでの歩みを問い直し、人間の存在意味と人間社会のあり方に根底からの再考を促している。

こうした課題に対し、「サイバネティックスの父」と呼ばれ草創期から警鐘を鳴らしたN.ウィーナーの情報理論と哲学に立ち返り、理論的に考えてみたい。

4.1　N.ウィーナーにみる情報の捉え方

N.ウィーナー[1948]『サイバネティックス』は、彼の最初の著書であり、その後の情報理論、情報社会を切り拓いた画期的な作品である[*22]。数式が多く難解で読みづらいが、重要な視点が随所に示されている。

ウィーナー[1948]の最も注目すべき点は、情報を、物質、エネルギーと区別し、独自なものとして捉え対置したことである。「情報は情報であって、物質でもエネルギーでもない」[*23]。さらに情報を、「系における組織化の程度の尺度」とみなした[*24]。

情報は、（シャノンらのいう）伝えるべきビットの列、つまり信号の連なりにとどまるものではなく、より広義に捉えた。工学と生物学の双方から情報にアプローチし、その普遍的な過程と原理を「サイバネティックス」として提示した[*25]。

ウィーナーにとって鍵になる概念は、「組織化」である。組織化は生物学に由来し、これによって、情報の物理的な次元と生命過程との直接のつながりを把握する。彼が提示する新しい「情報のフィードバックによる制御」論は、その技術的方法が本質的には普遍的な過程であること、人間などあらゆる生物の基本的動作方式と同じであること、を示した。ここに、アナログ、デジタルをつなぐ情報処理の「基本的一体性」が切り拓かれ、生物と無生物の世界を結びつける橋を架けたのである[*26]。

4.2 N. ウィーナー [1950] における通信と制御、言語の理論

N. ウィーナー [1950] は、前著の思想を一般読者にわかるようにしてほしいとの要望に応えて出版されたもので、次のように説き起こす[*27]。

情報とは、「外界との間で交換されるものの内容を指す言葉」である。適切な情報は生きていく上で欠かせない。通信と制御は、社会生活の要素、内的生活の本質的な要素をなす[*28]。フィードバックを通してエントロピーを制御する働きは、生物と通信機械に共通している[*29]。

自然では孤立系においてエントロピーが増大する傾向は、熱力学の第 2 法則で表現される。一方、人間は孤立系ではなく、自らの感覚器官を通して情報を取り入れ、受け取った情報に基づいて行動する。機械も同様であり、両者はともに局所的な反エントロピー過程とみられる。

「言葉をしゃべることは、人間の最大の関心事であり、人間の達成した最も著しい特徴である」[*30]。言語は、通信を媒介とする符号体系であり、通信の別名である。人間の通信の特徴は、符号体系の精巧さ、複雑さ、高度の任意性にある。

会話言語において人には、音声、意味、翻訳という 3 つの通信回路がある。通信機との比較を通して、「意味のある情報」という概念が提示される。意味のある情報は、単に「通信機を通る情報」ではなく、「通信機プラス濾過機を通過する情報」だという。「濾過機」とは「制御に使われる情報システム」とされる。それは、脳における「解釈組織」にあたるとみられる[*31]。音声は、「感覚器」から脳に届き、「解釈組織」を経て、「意味のある情報」へ、さらに「行動段階」の「翻訳」へと転化する。

4.3 N. ウィーナーの情報・人間観と警鐘に立ち返る

N. ウィーナー [1948][1950] は、物質とエネルギーに並び、自然・社会・人間に関わる広義の概念として、「情報」を捉え理論化した。それから半世紀余を経て刊行された F. コンウェイ /J. シーゲルマン [2005] は、「情報時代の父」と呼ばれる N. ウィーナー (1894 ～ 1964) の生涯に光をあて、通信、制御の視点から情報の本質と情報社会の内奥に迫る。

20 年近くを経た今日の切羽詰まった状況とその本質を透視しているかのようである。本書を手がかりに、ウィーナーの情報と人間社会への洞察と警鐘をあらためて考えてみたい。

ウィーナーの「情報」概念は限りなく広く統合的で、その哲学は限りなく深く先駆的である。

1 つは、情報を物質・エネルギーと区別し、それに並ぶものとして位置づけたことである。

2 つは、心と物質の両方を、サイバネティックスの視点から情報を軸にして、統合的に捉えたことである。

心と物質の両方の現象をどう統合的に捉えるかは、何世紀もの間、哲学者や科学者の手を逃れてきた課題である。それを、理解の範囲内に持ち込み、生命のない自然だけでなく、生物や、人間の日常の行動にも根ざすものとして捉えたのが、ウィーナーである。サイバネティックスを軸に、最初の学際的科学革命を起こした。サイバネティックスは、人工知能、認知科学、環境科学、現代経済学理論など、何十もの新しい技術や科学の分野を生み、刺激し、それに貢献したのである。

3 つは、情報を「系における組織化の程度の尺度」とみなし、生物と無生物、意味のある・なしを含む、広義の概念として捉えたことである。

4 つは、サイバネティックスの産物である知能を持った機械（人工知能）について、大きな可能性とともに、「人間の価値観、自由、精神性に対する脅威」として捉え、当初から警鐘を鳴らしたことである。

情報及び人工知能に対するウィーナーの洞察は誰よりも広く深く、その心眼は遠い未来をも見据える。われわれが人間として掲げたい目的や価値は、人間が決めるべきである。自分たちに似せて生み出した機械とどう共存していくか。それがわれわれの最大の課題であることを、ウィーナーは明らかにした[*32]。

知能を持った機械は、経験から学ぶことができる。際限なく複製をつくることができ、それを生み出した人間にも予見できないようなふるまい方ができる。

この新技術の魅力と魔性は、人間をして、「自分たちの目的、その精神の力、何よりも大事な選択する力」を機械に渡してしまい、自らの人間らしさを放棄するように促すなどのリスクもはらんでいる[*33]。ウィーナーは、そうした人類の未来を危惧し、当初から警鐘を鳴らした最初の人物でもある。人間の価値観、自由、精神性に対する脅威が生れつつあることについて、それが見えるようになる何十年も前から熱心に説いた。

この心配が現実化し、最大の脅威となっている現在、あらためてウィーナーの洞察に立ち返り、処方箋を汲み出すことが求められている。

5 情報・知識・ノウハウ論
―各論者の見解をふまえて

5.1 P.F. ドラッカーの「情報」「知識」論と課題
―N. ウィーナーとの比較視点

N. ウィーナーは、情報を、生命のない自然だけでなく、生物や、人間の日常の行動にも根ざすものとみる。サイバネティックス論に基づき、「情報」を軸に、心と物質の両方の現象を、統合的に捉えた。彼の理論を起点とする AI の急激な発展は、人類にとっての大きな脅威と化し、人間の本質と存在意義のより深い問い直しを迫っている。

まずは、ウィーナーの「情報」概念をみてみよう。物質・エネルギーと対置し、限りなく広い。彼の「情報」理論の意義と課題は何か。他の論者との比較を通して、考えてみたい。

P.F. ドラッカー [1993] の「情報」論は、ウィーナーと比較すると、対照が際立つ。ドラッカーは、知識と情報を峻別する。「知識」は人間が主体的に会得したもの、人格的な存在であり、本やデータの中にある「情報」とは異なるという。

「知識」は、「通貨のような非人格的な存在ではない。…本や、データバンクや、ソフトウェアの中に…あるのは情報にすぎない」。「知識」は、「人間の中にある。人間が教え学ぶものである」。それゆえ、「知識社会への移行とは、人間が中心的な存在になることにほかならない。」[*34]

ドラッカーは、人間が中心的な存在となる「知識社会」の到来を予言した。いま急速に進行する情報社会では、その予言とは裏腹の状況が出現する懸念も高まっている。AIが中心となり人間は脇役と化し、人間であることの意味、存在価値が根底から問われる社会である。

ドラッカーのバラ色の未来社会論と現代におけるAI進化をめぐる深刻な懸念。その落差は、何に起因するのか、が問われねばなるまい。

5.2 「情報」概念をめぐる「秩序」・「意味」「尺度」論 ―N. ウィーナーとC. ヒダルゴ他の比較

情報とは何か。それを複眼的に、望遠鏡や顕微鏡、心眼で観るように、巨視的、微視的、意味的に捉え直してみよう。

巨視的にみると、情報とは何か。ウィーナー[1948]は「情報は情報であって、物質やエネルギーではない」、ヒダルゴ[2015]は「宇宙はエネルギー、物質、情報でできている」という。いずれも、情報を物質、エネルギーと区別して捉えており、その点では共通する。

一方、微視的にみるとは何か。情報を最もシンプルかつ最小単位で捉えることである。そこでは、情報と物質の関係性が問われる。情報の尺度として二進法を取り入れたウィーナーは、情報を「秩序の尺度」とみなす。ヒダルゴは「物理的秩序」と捉える[*35]。「秩序」に注目する点では、共通性がみられる。

さらに、心眼で社会的にみると、情報と意味の関係が浮かび上がる。その次元になると、両者の違いが明らかとなり、乖離も広がる。

ウィーナーによると、情報は、「物質でもエネルギーでもない」、「系における組織化の程度の尺度」であり、「外界との間で交換されるものの内容」を指す。本稿も、この定義に準ずる。

一方、ヒダルゴは、情報を物理的なものの配列と捉える。情報は、私たちが生みだす物理的なモノのすべてに内在する、という。情報を、メッセージ、意味と区別し、より単純なもの、「電線や電磁波のなかを伝わる」ものとみなす。意味は、知識を持つ主体がメッセージに与える解釈だという[*36]。

情報と意味を根本的に異なる概念とみなし、両者を切り離して捉える先駆は、C.E. シャノン /W. ウィーバー [1949] である。シャノンとウィーバーは、情報と意味を根本的に異なる概念を指すものとみなす。草創期における技術的な制約もあって、メッセージの意味に依らずに、「情報」を伝達できる機械を構築したい、と考えてのことである。電線や電磁波のなかを伝わるのは、意味ではなくもっと単純なもので、それを解釈し意味を吹き込むのが人間や一部の機械、という[*37]。

ウィーナーとヒダルゴの「情報」概念は、「秩序」という点で共通するも、内容の捉え方で大きく分かれる。何故か。

1つは「秩序」の捉え方にある。ヒダルゴは「物理的」に限定するも、ウィーナーは限定しない。

→（次項）図表 1-5　「情報」とは何か　―各論者の見解比較

2つは「組織化」「尺度」という新たな要素がウィーナーの概念に入っていることである。「組織化」概念は、生物および社会を貫く概念であり、内容、意味へとつながる。さらに、「尺度」は「計量の標準、物事を評価する基準」(『広辞苑』) であり、メッセージ、意味などとも深く関わる。

「情報」概念は今や、ウィーナーが提示した広義の理解が一般化している。

5.3 「情報」・知識・ノウハウの区別と関係

知識とノウハウは、どのような関係にあるか。ヒダルゴの提示は示唆に富む。

知識とノウハウはイコールではないという。知識は、「何かと何かの関係性」である。一方、ノウハウは、「行動を可能にする能力」、より詳しくは「行動を可能にする暗黙の計算能力」である。ノウハウが、知識と異なるのは、「行動する能力」(暗黙の能力) を含むという点である[*38]。

ヒダルゴにみるノウハウと知識の理解は、M.ポランニー[1966][*39]の暗黙知と形式知の区別と関係にヒントを得ている。ポランニーの「暗黙知」は、体では実行ができ伝えられるが、言葉では説明ができないことなどを指す。「ノウハウ」とは、ポランニーの「暗黙知」を言い換え捉え直したもの、とヒダルゴはいう[*40]。

情報と同じように、知識やノウハウも物理的な形で具象化される。ただ、情報と違うのは、知識やノウハウは人間やそのネットワークに具象化される点だという。知識やノウハウを具象化した「人」や経済は、人々が知識やノウハウを蓄積して物理的秩序を生み出し、知識やノウハウ、ひいては情報をいっそう蓄積していくシステムである[*41]。

ヒダルゴの情報論は、動態的把握に特徴がある。物質、エネルギー、情報を宇宙の3要素とみなし、エネルギーと物質はもともと存在するが、「情報は生じる」と捉える。

図表1-5 「情報」とは何か ―各論者の見解比較

N.ウィーナー[1948][1950]の見解	C.ヒダルゴ[2015]の見解
マクロ	**マクロ**
物質・エネルギー・情報に3大区分	物質・エネルギー・情報に3大区分
ミクロ	**ミクロ**
「系における組織化の程度の尺度」	物質の配列の仕方＝「物理的秩序」
内容	**内容**
「外界との間で交換されるものの内容」 意味のある・なしを含む 会話言語における3つの通信回路 ＝音声、意味、翻訳 通信機→意味のない情報→「ろ過機」(解釈組織)→意味のある情報→「翻訳」→行動情報	C.F.シャノン/W.ウィーバー[1949] (≒ヒダルゴ) 電線や電磁波の中を伝わるもの 情報と意味を切り離す 情報≠意味 P.F.ドラッカー[1993]≒ヒダルゴ 情報≠知識

その他の定義
「あることがらの知らせ」(『広辞苑』)
「何らかのパターン」(一般システム理論)

備考：筆者作成

宇宙における情報の存在や成長を理解する手がかりになるのが、「非平衡系、固体、物質の計算能力」の3つの概念である。情報が生まれるにはエネルギーが、そして情報が生き残るには固体が必要である。情報が爆発的に成長するには、もう1つの要素、物質の計算能力が必要となる[*42]。

経済を記述する方法は2つあるという。1つは（自然科学に従って）エネルギー・物質・情報である。もう1つは（経済学に従って）土地・労働・資本である。資本は、物的・人的・社会関係の3つに分けて捉えることができる。これらを、物質、エネルギー、ノウハウ、知識、情報という5つの観点から捉え直している[*43]。「情報」と「知識・ノウハウ」は、まったく別の概念とみる。「情報」は体系化された配列に具象化される秩序のことであり、知識やノウハウはシステムが持つ情報処理能力のことだという[*44]。

ヒダルゴの情報・知識・ノウハウ論は、実に興味深い。ただ、「情報」概念は、「物理的なもの」に対象が限定されており、「社会的なもの」には及んでいない。自然科学と経済学で「情報」の捉え方を異にするのは、それゆえとみられる。

宇宙、社会、人間を統合的に捉えたウィーナーの情報理論と哲学に現代的な光を当て、人文・社会科学へ創造的に応用することが求められている。

6　データ至上主義論から監視資本主義論、「人類の脅威」論へ

6.1　技術と人間の未来
―Y.N. ハラリ［2015］にみる情報文明への視座と警鐘

6.1.1　人間至上主義とデータ至上主義

Y.N. ハラリ［2015］は、人間至上主義とデータ至上主義を対置し、比較して捉え直す。

人間至上主義は、人間への畏敬と崇拝を掲げる。人間には世界におけるあらゆる意味と権威の源泉である神聖な本質が備わっており、この宇宙で起こることはすべて人間への影響に即して良し悪しが決まる、というものである[*45]。

一方、データ至上主義では、人間の存在が相対化され、他の動物や機械などと同一線上に（機能的に）捉えられる。

十名直喜[2017]は、機能的アプローチと文化的アプローチの2つの視点から現代産業を捉える[*46]。一方、機能的アプローチに一元化する手法は、データ至上主義といえる。

データ至上主義においては、グローバルなデータ処理システムが、全知全能として個々の人間に君臨する。人間の経験に本質的な価値はなく、価値はデータに変えることにあるとされる。価値は、データ処理メカニズムにおける「機能」に即して評価される。

データ処理システムの全知全能化は、K. マルクス『資本論』第1巻における全体労働と部分労働の視点を想起させる。部分労働を担うのは、労働者である。一方、全体労働をわがものとし全知全能として君臨するのが資本であり、資本家（工場主）をその権化とみなした[*47]。今や、全体労働に相当するのは、アルゴリズムと言えるかもしれない。

6.1.2 アルゴリズム、データ、テクノ人間至上主義

「情報の自由」と「表現の自由」は、別個のもので、相矛盾する側面もみられる。「表現の自由」は人間に与えられた権利であるが、「情報の自由」は情報に与えられるもので、「表現の自由」を侵害するリスクも内包している[*48]。

本書のキーワードをなす「アルゴリズム」とは、「計算をし、問題を解決し、決定に至るために利用できる、一連の秩序だったステップのこと」だという[*49]。「問題を解決する定型的な手法・技法」という別の説明（『広辞苑』第7版）もわかりやすい。

C. オニール[2016]は、AI・ビッグデータを動かすアルゴリズムはけっして万能ではなく、むしろ欠陥だらけのまま使われていると警鐘を鳴らす[*50]。アルゴリズムには、作り手の先入観や誤解、偏見などが無意識のうちに紛れ込む。むしろ、数学の中につくり手や企業の価値観やニーズを埋め込んだものが、アルゴリズムだという。仕組みが不透明なまま急速に成長するゆえ、とくに悪質なアルゴリズムを「数学破壊兵器」と呼ぶ。

「データ」は、「アルゴリズム」と同様にハラリ [2015] のキー概念であり、データ至上主義のキーワードとして提示されている。「森羅万象」は「データの流れ」とみる。ところが、データとは何かについての定義は見当たらない。

同様の傾向が、C. ヒダルゴ [2015] にもみられる。情報とは何かを丁寧かつ深く解き明かすが、「データ」という用語、概念はほとんど見当たらない。

そこで、『ウィキペディア』(「データ」2023.9.30 閲覧）などをふまえ、次のように定義しておく。「データ」とは、「単数または複数の人や物や事象に関する定性的または定量的な値の集まり」である。データは本来、公正・中立を旨とするが、偏見・誤謬も避けがたい。効率・利便性・収益性が優先されるなか、データの収集と活用のあり方が問われている。

人間至上主義と人間崇拝の宗教に代わって浮上するのが、新しいテクノ宗教で、テクノ人間至上主義とデータ教からなる。AI 進化の中で、知能と意識の分離という新たな事態も出現している。これまでのホモ・サピエンスは、すでに歴史的役割を終えており、たえずアップグレードする必要があるという。テクノ人間至上主義は、人間の知能と心の改造（アップグレード）も視野に入れて踏み込もうとする[*51]。

6.1.3 耳を傾けるべきは人間の経験・感情か、アルゴリズムか

ホモ・サピエンスは、他の動植物に対して、高慢と偏見に満ちた、勝手放題な振る舞いを行ってきた。歴史を通じて、人間はグローバルネットワークを創り出し、そのネットワーク内で果たす機能に応じてあらゆるものを評価してきたという。

何千年もそうしているうちに、人間はネットワークの功績を自分の手柄にし、自らを森羅万象の頂点とみなすなど、「高慢と偏見」を募らせていく。それらが、人間至上主義に反映されている。残りの動物たちが果たす機能は重要性の点ではるかに劣っているとみなされる。動植物の生命と経験は過小評価され、何の機能も果たさないとみなされた類は絶滅するに至る。

データ至上主義は、コンピュータ科学と生物学に深く根ざしており、科学の全領域に広まりつつある[*52]。「人間中心からデータ中心へという世界観の変化」は、すでに現代社会の大きな流れになっている。データ至上主義が制覇すると、ホモ・サピエンスが動植物に行ってきた蛮行と同様の振

図表 1-6　データ至上主義 vs. 人間至上主義（Y.N. ハラリ [2015]）

人間至上主義

人間への畏敬と尊敬
人間の絶対視、高慢と偏見
→動植物の生命と経験に対する過小評価
人間＝意味・権威の源泉
人間の経験＝本質的価値
「汝の感情に耳を傾けよ」

「データ教」のホモ・サピエンス観

歴史的役割を終了
人間の知能と心のグレードアップ志向

「データ」とは何か

「単数または複数の人や物の事象に関する定性的・定量的な値の集まり」（ウィキペディア、十名）

Y.N. ハラリ [2015]、C. ヒダルゴ [2015] は、データについて種々論じるも、定義は見当たらない。

データ至上主義

現代的位置

現代社会の大きな流れ＝「人間中心からデータ中心へという世界観の変化」
データ至上主義＝コンピュータ科学と生物学に深く根ざし、科学の全領域に広がる。

特徴・本質

人間の相対化。動物、機械と同一線上。
人間の経験には、本質的な価値はない
アルゴリズムの視点から人間の経験・価値を機能として評価。「アルゴリズムに耳を傾けよ」
価値はデータにある。森羅万象＝データの流れ

AI・人間の知性

AI の知性＝機械、アルゴリズム、知能、データ
人間の知性＝生命、生物、意識、知能、経験

アルゴリズムの本質

定義

計算・解決・決定に至る一連の秩序だったステップ

哲学（生命・科学観）

生き物＝アルゴリズム。生命＝データ処理
知能は意識から分離化
意識を持たない高度なアルゴリズム

社会性

作り手の価値観・ニーズ・偏見が反映
現実の単純化、リアルの複雑さを省く
アルゴリズムの全体を理解する人間・組織はない

備考：筆者作成

舞いを、ホモ・サピエンスに対してするかもしれない、とハラリは警鐘を鳴らす[*53]。

人間至上主義は、経験こそ意味があり、その意味を見出すことに価値の源泉があるとみなす。一方、データ至上主義は「人間の経験には本質的な価値はない」と捉え、価値は経験よりもデータにあるとみなす[*54]。

データ至上主義は、人間に対して機能的なアプローチを採り、アルゴリズムの視点から、人間の経験の価値をデータ処理メカニズムの機能として評価する。

データ至上主義は、人間至上主義の価値観を根底から問い直して批判する。「汝の感情に耳を傾けよ」と言う人間至上主義に対し、データ至上主義は「アルゴリズムに耳を傾けよ」と命令する。しかし、アルゴリズムの全体を理解する人間や組織はなく、どこから生じるのかも謎という[*55]。

6.1.4 データ至上主義の世界における人間の存在意味と価値

データ至上主義が世界を支配すると、人間はどうなるのか。最初は、人間至上主義に基づく健康と幸福の追求を加速させ、データ至上主義は広まる。ところが、人間からアルゴリズムへと権限がいったん移ってしまえば、人間はその構築者からチップへ、さらにデータへと落ちぶれ、ついには急流にのまれた土塊のように、データの奔流に溶けて消えかねない、と警鐘を鳴らす[*56]。

生命が本当にデータフローに還元できるかどうか。生命現象は意思決定にすぎないのかどうか。この世界にはデータに還元できないものがあるのではないか。意識を持つ知能から、意識を持たない優れたアルゴリズムにのり換えて、失われるものは何か。

いずれも大きな謎であり、論点とみられる。データ至上主義の教義を批判的に考察することは、「21世紀最大の科学的課題」、「最も火急の政治的・経済的プロジェクト」にもなりうるという[*57]。

6.1.5 アルゴリズムの論理と生命・人間の意味、あり方

アルゴリズムの視点から、生命と科学を俯瞰すると、次の3つが浮かび

上がる。

1　生き物はアルゴリズムであり、生命はデータ処理である。

2　知能は意識から分離しつつある。

3　意識を持たない高度な知能のアルゴリズムが、私たち以上に人間を知るようになる。

こうした3つの動きに対し、ハラリは次の3つの重要な問いを提起する。

1　生き物は、本当にアルゴリズムにすぎないのか、データ処理にすぎないのか。

2　知能と意識は、いずれに価値があるのか。

3　意識は持たない高度な知能のアルゴリズムが、私たちよりもよく私たちを知るようになったとき、社会や政治や日常生活はどうなるのか[*58]。

ただし、アルゴリズムは万能ではなく、無色透明な技法でもない。作り手の価値観やニーズ、偏見などが反映され、社会的、階級的な産物といえる。元になるモデルも、対象を単純化したものゆえ、リアルな世界の複雑さや機微、重要な情報などがこぼれ落ちやすい。そうしたアルゴリズムが帯びやすい影の側面にも目を向け、制御権を人間に取り戻していかなければなるまい。

一方に「生命、生物、意識、知能」、他方に「機械、アルゴリズム、知能、データ」が対置される。「知能」を媒介として両者の関係とあり方が深く問われているのである。それは、「知能」と「知性」、「AIの知能」と「人間の知性」の関係の問い直しをも促しているといえよう。

「ポストヒューマン時代」と呼ばれる今日、人間存在そのものの揺らぎも危惧される。今や、人間の意味とあり方への根源的な問いかけを抜きにして、AIを論じることは難しくなっている、といわねばなるまい。

6.2　人類の未来を賭けた闘い
—S. ズボフ [2019] が問う監視資本主義との対峙

6.2.1　技術論、文明論から資本論へ

AIの進化をめぐって、これまでいろんな論者の考察をみてきた。その多くは、技術論、文明論の視点から提示されたものである。資本主義の本

質、さらに今日のIT資本主義の本質、巨大IT資本の論理には本格的なメスが入れられていない。

S.ズボフ[2019]は、この間隙を埋める画期的な労作とみられる[*59]。Googleを中心とする巨大IT資本の狙いと特徴、その本質が、詳細かつ体系的に暴き出され、警鐘、警告が随所に示されている。生成AIをめぐって、いろんな考察がなされ、人類に及ぼす影響、リスクの大きさと制御の必要性が提示されている。

しかし、その多くはすでに現実のシステムとして組み込まれ、人間の本質への侵犯と操作がすでにかなり進行している。S.ズボフ[2019]は、その実態を解明し、これでもかこれでもかと暴き出す。AI資本論の金字塔といえよう。しかし、その変革の論理は相対的に弱く、今後の課題とみられる。

6.2.2 監視資本主義と人間の経験、人格、感情

デジタルの夢が暗黒と化し、かつてない貪欲化プロジェクトへの急速な変化に対して、S.ズボフ[2019]は「監視資本主義」と命名する[*60]。

監視資本主義は、人間の経験を「無料の原材料」とみなし、行動データに変換する。「データ」とは、「監視資本主義の新しい製造プロセスが必要とする原材料のこと」とされる。他に類を見ない独特の定義である。データの多くは「行動余剰」とされ、(人間行動の)「予測製品」へと加工されて「行動先物市場」で取引される。この段階においては、複雑化し包括的になる「行動修正」が「生産の手段」となる。「余剰」とは、人間の声や人格、感情である[*61]。

6.2.3 監視資本主義は外来種の如し
：前例のない無規制の領域に進出・支配

グーグルは、監視資本主義を発明し完成させた。インターネットの未踏領域を舞台に、法律や競争などの障害もほとんどないまま、前例のない市場操作を図り、誰もついて行けないスピードで事業を推進した[*62]。

その操作は、わたしたちの知らないように設計されている。監視資本主義の製品とサービスは、抽出しやすい場所におびき寄せる「餌」だという。

価値の交換対象ではなく、生産者と消費者を結びつけるものでもない。顧客は行動先物市場で取引する企業であり、人間は「余剰」の源泉、原材料抽出操作の対象である[*63]。

6.2.4 監視資本主義の狙い・本質・特徴

監視資本主義は、「無限の自由と完全な知識」を要求し、「資本主義が築いた人と社会との互恵的な関係」を破壊した。さらに、「人間の主権の転覆」を謀る「上からのクーデター」だという[*64]。

→（**図表 1-7 監視資本主義の特徴と人間・「データ」観（S. ズボフ [2019]）**

わたしたちの活動は技術（テクノロジー）の必然的な結果だと、思い込ませようとする。しかし技術は、経済や社会から切り離されては存在しえず、「テクノロジーの要求」は存在しない。技術は、経済的な目的の表出であり、経済主体の「要求」に沿って動き出す[*65]。

監視資本主義は、「ユビキタスなデジタル装置という媒体を介して人形を操る人形遣い」だという。「人形」を「人間」に置き換え、「デジタル装置という媒体を介して人間を操る人間遣い」といっても不自然ではなかろう。

この装置（「ビッグ・アザー」と命名）は、知覚力と計算力をそなえて人間の行動を監視し、計算し、修正し、変化させる。人間の行動をかつてないほど広範に修正する[*66]。

監視資本主義は、人形ではなく人形遣いである。技術ではなく技術を動かす論理である。監視資本主義の世界では、「行動修正の手段」が「生産手段」となる。機械処理が人間関係にとって代わり、「確実性」が人と人の信頼にとって代わる[*67]。

監視資本主義は「人形遣い」、「技術を動かす論理」であり、その下では人間関係が機械処理に、信頼が確実性にシフトするという警鐘は、示唆に富む。

6.3 新たな「人類の脅威」とその特異性

生成 AI の利用が急拡大するなか、「人類や文明の存続を脅かす」等の警鐘が相次ぐ[*68]。

日本政府の AI 戦略会議は、懸念されるリスクとして、偽情報の氾濫、犯罪の巧妙化、著作権の侵害など 7 項目を挙げる。

一方、Y.N. ハラリは、「言語」が人類の文明を築いてきたことを考える

図表 1-7　監視資本主義の特徴と人間・「データ」観（S. ズボフ [2019]）

監視資本主義の特徴・本質

グーグル

前例なき無規制の領域に進出し、市場操作を謀り、監視資本主義を発明・完成。

監視資本主義の特徴・本>

現実にシステム化→人間の本質への侵犯と操作
人と社会の互恵的な関係を破壊
「人間の主権の転覆」を謀る「上からのクーデター」
ユビキタスなデジタル装置を介して人を操る「人形遣い」(「人間遣い」)。
人間関係→機械処理。信頼→確実性

技術と経済主体

技術は、「経済的な目的の表出」であり、経済主体の要求に沿って動く。
技術を動かす論理＝監視資本主義
人間の活動≠「技術の必然的結果」
(必然的結果と思いこます)

監視資本主義における人間・「データ」

「データ」の定義

「データ」＝「監視資本主義の新しい製造プロセスが必要とする原材料」

人間・操作

人間＝「原材料」抽出操作の対象
＝「余剰」の源泉
製品とサービス＝抽出しやすい場所におびき寄せる「餌」
デジタル装置→人間の行動を監視、計算、修正、変化させる
人間の声・人格・感情＝「余剰」

「データ」の役割

「人間の経験」＝「無料の原料」
→「行動データ」に変換。
「データ」→「行動余剰」→「人間行動の予測製品」→「行動先物市場」で取引
「行動余剰」→生産手段

備考：筆者作成。

と、生成AI問題はもっと「大きな構図」で捉えるべきだという。AIが言語を乗っ取れば、対話に基づく「民主主義は破壊されかねない」、生成AIは「精神世界と社会」を滅ぼす「新しい大量破壊兵器」になりかねないと警鐘を鳴らす。今はその性能を見極め、規制を優先すべき時だと訴える。

同様の懸念は、生成AIの開発者たちも懐いている。「AIのゴッドファーザー」と呼ばれるG.E. ヒントンは、「AIがもたらす、人類の存亡にかかわる脅威は深刻で間近」と警鐘を鳴らす[*69]。

大塚隆一は、人類の存続や文明を揺るがしかねない「4つの脅威」として、気候変動、核兵器、遺伝子の改変、AIを挙げる。チャットGPTに代表される生成AIは、最も対処が難しいかもしれないとみる。

第1に、技術の進歩や影響の波及のスピードが桁違いで、規制が追いつかない。第2に、関わるプレーヤーが質も数も他の脅威とは異なる。第3に、競争力や軍事力の源泉にもなりうるため国家間の覇権争いなども絡む。第4に、何をどう規制すればいいのか、不明な点が多い。

チャットGPTを開発した米オープンAIのS.H. アルトマン最高経営責任者は米議会で、国際原子力機関（IAEA）のような組織が必要だと証言した。

生成AIで特に怖いのは、言語で人心を操作しうる点である。他の「3つの脅威」に比べて、生成AIは深刻さのレベルが一段高いともいえる。

7　技術と人間の未来をどう切り拓くか

7.1　「異星人の知性」と「AI 8原則」

AI（Artificial Intelligence）は、「異星人の知性」（Alien Intelligence）

技術の進歩があまりに速く、いずれ人間に制御できなくなるのではないかという懸念が広がっている。人間は、「自然と技術の複合体」であり、環境の中に生きる生物的存在であるのみならず、環境そのものをも自ら生み出す存在でもある。現代人は科学によってすべてが説明できると信じてきた。きわめて複雑な現実や自然を前に、その是非があらためて問われている。

AIという非生物的なモデルは、人間と相互作用し、周囲の環境に知性を与える存在でもある。この「宇宙人」的存在の如きAI（Artificial Intelligence）を、M.ガブリエルは「異星人の知性」（Alien Intelligence）と呼ぶ。人間の理解が及ばない存在を、人間自身が生みだしたことに「恐ろしさ」も感じている[*70]。

AIは、人間が生みだしたチェスや囲碁などで優れたプレーヤーになるが、チェスや囲碁そのものを発明することはできない。

AIの脅威は、人間の悪の側面が増幅され、独裁や犯罪などに使われることだという。人間の行動を企業の利益にかなうようにコントロールする監視資本主義をはじめ、現実はパノプティコン（18世紀にベンサムが構想した囚人窟）より悪い状況に進んでいるという。

AIをはじめとする技術の急速な進歩は、「現実はすべて自然科学で説明できる」とする自然主義、「自然は予測やコントロールが可能」とみる科学万能主義の風潮を強めている。そうした考え方がもたらしたのが、環境問題の深刻な事態である。現実や自然は複雑かつ多様で、数学や物理学などの方程式で解明できる事象は現実の一部でしかないからである。

人間中心の考え方や科学万能主義とは異なる道が求められている。

生成AIの製造責任とAI 8原則[*71]

生成AIの出現は、人材不足の日本社会に朗報となる可能性もある一方、不正行為や悪用が懸念され、これまで以上に格差を広げ、人間の尊厳を傷つける可能性も危惧される。

本来は、開発企業が担うべき責任、すなわち製造責任は大きいはずである。しかし、多くは自らの利益のために責任を丸投げし、壮大な社会実験が推進されつつある。その展開によって、これだけ急激な対応を迫られている理由として、横山広美は「多点・多目的開発」「スピード」「世界同時経験」の3つを上げている。多くの企業がかかわり汎用性が高いため多目的に開発されている。世界中の大人数が「効果」をほぼ同時にかつ直接に経験しつつあり、その展開は「速すぎるほど速い」。

これらの特徴は、いずれも生成AIの制御を困難にする要素であり、政府レベルでなければ規制をかけにくい。

開発から公開までのスピードと製造責任は、互いに関連する。これらが十分に担保されないと、科学技術に対するガバナンスは十分に機能しない。事前にリスクをある程度予測し、それを回避するためのアセスメントを整備・実行しておく必要がある。それがないと、起きうるリスクに対して予防原則の措置がとれないからである。

米ハーバード大学のジェシカ・フェルドらのグループが提唱する「AI 8原則」が注目される。「個人のプライバシー」、「説明責任」、「安全性とセキュリティ」、「透明性と説明可能性」、「公平性と無差別」、「人間による制御」、「専門家の責任」、「人間の価値の促進」の各項目である。共同研究の公正性をうたったモントリオール宣言や日本を含む世界36のAIガイドラインを分析し、共通する8項目として提示されたものである。

7.2 「テクノ新世」が問う人間の意味とあり方

AIやバイオテクノロジーが指数関数的な発展を遂げ、人間社会を揺らしている。技術が人知を超えて進化する「テクノ新世」の時代を、われわれはどう生き抜くべきか。米ハーバード大学の政治学者M.サンデルの考察と提言は、実に深く示唆に富む[*72]。

「技術が民主主義を置き去りにすることがないよう、市民社会や大学といった公共の場で倫理をめぐる課題を議論していかねばならない」と述べ、技術の行方を企業や専門家だけに委ねず、公共の場で熟議を続けることが重要だと訴える。

人間の知能を超える汎用AI（AGI）の出現が予測されるなか、それとどう向き合うべきか。人間の知能の領域は残るのか。人間であることの意味は何か。そうした論点に、サンデルは次のように応える。

真の問題は、知能が人間を超えるかどうかではなく、私たちがAIによって現実と仮想の区別を失うかどうかにある。人間であることの意味は、生身の現実の人間の存在にある。ある人の「アバター（Avatar）」が作れるようになり、本物との違いが分かりづらくなる時代が近づいている。それは、人間の真正性（本物であること）が失われることを意味し、「人間性の根幹にかかわる問題」である。AIが突きつけるこの問いは、平等や民主主義といった価値観をめぐる議論よりも深刻なテーマだという。

7.3　技術革新の目的と方向の転換　―脱人間パラダイムを超えて

インターネット以降の技術革新は、何が有益で、何に問題があったのか。その光と影があらためて問われている。新技術は、遠くにいる家族や知人と多様なコミュニケーションができるようになり、仕事の効率も高まるなど、多くの面で有益をもたらしている。

一方、その恩恵は複雑でもある。過去数十年間技術革新が生んだ利益の多くは豊かな人の手にわたり、社会格差を拡大してきた。嘘や誤情報も増え、健全で民主的な公共生活を脅かしている。

AIに頼りすぎる弊害にも、サンデルは警鐘を鳴らす。AIやアルゴリズムに頼ることで、人間の判断力や意志が低下するリスクがある。SNSやアルゴリズムはどんどん強力になって、私たちの注意を惹きつけ吸い寄せていく。注意や関心を操作されてしまうと、人間の自由の大切な部分を失うことになる。

何が重要で、何に価値があるかを自分で考えて注意を向けることは、個人が自分の意志で選択する能力とも深く関係するからである。私たちが重要なことに注意を向ける能力を失い、SNSやプラットフォームの虜になるのが、真に危険なことである。

技術がもたらす影響については今や、「技術は人間であることの意味を変えるだろうか」という根本的な問いを立てて議論する必要が生じている。

人間は技術とどう向き合うべきか。サンデルは、人間が技術を制御することの重要性を強調する。「技術革新の方向性は人間には制御できないという前提に異議を唱えるべし」という。自動化を進めて人間の仕事をなくして生産性を高めることが、技術の目的と言えるかどうか。それは、技術の唯一の目的ではなく、生産性を高める最良の手段ともいえない、という。

より人間的な仕事を生み出し、人間の価値を高め、雇用を増やす方向へ、技術革新の舵を切ることが求められている。

「人間の価値ある目的を達成するために技術をどのように使うべきか」

という命題に正面から向き合うことが、現代ほど切実に求められている時代はないといえよう。

8　おわりに

本テーマとの出会いと交流は、働学研（博論・本つくり）研究会に届いた1通のメールが起点となる。2023年4月下旬のことである。月例会で「チャットGPTに仕事を奪われるリスクをお話しいただきたい」(2023.4.24、家庭教師)。

そこで、2023年5月20日の月例会では、「AI・労働・非物質代謝」分科会を設け、筆者も急きょ参画し、「チャットGPTの衝撃と人工知能「全能説」への視座」というテーマで発表した。チャットGPTとAIの進化をめぐる最近の論調（新聞記事など）を手がかりに、先行文献（N.ウィーナー、M.テグマーク、P.メイソン、P.F.ドラッカー、K.マルクスなど）に基づき、人間とAIのあり方等を考察し、先人の洞察と警鐘にどう向き合うべきかについて日本社会の課題を視野に入れつつ論じた。

この発表資料（パワーポイントのレジメ）を叩き台にして再考し文章化したのが、本章である。当初、2か月ほどで一気に論文にするつもりであったが、着手できないまま3ヶ月以上が過ぎて行く。他の各種案件や課題が次々と舞い込み、それらに対応するのに精一杯であった。やがて当初のイメージや臨場感も薄れ、半ば空中分解と化す。

3ヶ月以上の頓挫は、自らの忙しさもさることながら、テーマに関わる事情、すなわち状況変化のめまぐるしさ、論点の広さ・深さ・複雑さなどによると感じている。腹をくくって正面から向き合わないと対応できない難題である。論文締切りの催促を受け、2023年9月に入り意を決し急きょ、新しい資料や文献も含めて読み直し、イメージを再構築してまとめる。

第1次原稿の段階で、社会人博士2人（太田信義、濱真理）から貴重なコメントを賜った。小論のポイントが簡潔に示されているので、その一部を紹介したい。

「多くの現代人、とくに最新技術にかかわりを持つ人にとって最大の関心事の一つであるAI, 生成AIについて、その概要を見事にまとめられている。

その全体像、光と影について、本質とは何か、から論を起こし、情報・物質・エネルギー、さらには知能・学習・知識・ノウハウから情報社会論にまで言及して掘り下げている。そして、負の予測としての「人類の脅威」論から、結びとして「技術革新の目的と方向の転換」、の論文展開は読み手の理解を深める。

さらには、サンデル教授の次の言葉、「技術革新の方向性は人間には制御できないという前提に異議を唱えるべし」で結ぶ論文構成は、読み手に深い理解と勇気を与える」(太田信義、2023.9.27)。

N. ウィーナーは、時間と労働を節約する新技術が、人々を促して、自分たちの目的、その精神の力、何よりも大事な選択する力を、機械に渡してしまうことを心配し、人類の未来を危惧していた。知能を持った機械は、経験から学ぶことができ、際限なく複製をつくることができる。それを生み出した人間にも予見できないようなふるまい方ができる。そんな機械について、警鐘を鳴らした最初の人物である。

1950年頃、情報技術の曙期に、なぜ透視できたのか。彼の情報理論の何がそれを可能にしたのか、が問われよう。小論は、そこに着目し起点にして考察したものである。

「比類なき言語」は、現世人類が覇者となった理由とされるが、その出自、原点をどう見るかも問われている。言語を「創造」とみなすか、「発明」とみなすか。言語を起点とする数万年前の「認知革命」は、「遺伝子の突然変異」によるものか、文化的発達の加速化に伴うものか。それは、現世人類史をめぐる最大の論点とみられる。

言語を操る特権は今や、人間だけのものではなくなりつつある。人類は「自らより賢い存在」となりつつあるテクノロジーとどう向き合うべきか。AIは「われわれに大きな機会と厄介な難題の両方をもたらすだろう」(M. テグマーク [2017]) という警鐘は今や、喫緊の課題となっている。

AIは、人間の諸側面を映し出す鏡でもある。AIの進化がもたらす衝撃、その光と影は、より鮮明となっている。AIの利用と開発をめぐる競争が加速するなか、その方向性と速度を人間が制御し、より人間らしい技術と社会へ軌道修正していく世論と動きも強まっている。本書が、そうした流れをより大きく確かなものにしていく一助になれば、幸いである。

補論 1

AI の進化をめぐる期待と懸念

1　はじめに

本章は、2023 年秋にまとめ SBI 大学院大学紀要 11 号に投稿した作品（2024 年 2 月公刊）をベースにしている。

AI をめぐる国際内外の動向は、目まぐるしいものがある。本章は、2023 年春～秋にかけて、新聞などに掲載された記事などに基づいている。その後、昨冬から今春に至る数カ月間に、AI をめぐる内外の動向はさらにすさまじいものがある。

それらをふまえて本格的に論ずると、別の作品へと変身を遂げるかもしれない。出版原稿の提出が迫るなか、その時間もない。

そこで、この数カ月間（2023.11 ～ 24.3）の動向などをふまえ、少し加筆したのが、補論 1 である。AI をめぐる状況変化はすさまじく、数か月で別世界の様相を呈するも、本質的な論旨に変わりはない。それを一部補完するものである。

ただ、AI の技術と社会状況の最新を追いかけても切りがなく、AI 論の呪縛に囚われかねない。その意味やあり方を深く多面的に考察するには、多様な視点からの内省的アプローチが欠かせない。倫理編さらに第Ⅱ部（生活編、学び編）において、その課題に応える。

2　AI 進化の近未来予測にみると期待と懸念（光と影）

英政府は 2023 年 11 月、各国首脳らを集めた「AI 安全サミット」を初めて開催し、AI がもたらすリスクをまとめた報告書を公表した。2030 年までの AI の発展状況と英社会に与える影響を想定した 5 つのシナリオを提示している[*73]。

第 1 のシナリオは、20 年代後半に技術的なブレイクスルーが起こり、高性能な自立型エージェント（システム）が誕生する。そして、誰でも自由に利用できる形で公開される。

それに対して、AI を使ったインフラ攻撃が深刻化。テロ組織が AI を使って生物兵器の開発を進めるなどの懸念が示される。

第 2 のシナリオは、自律走行車など特定分野で AI 技術が大きく進歩する。

それを機に、生産性の向上やコスト削減のため、産業界の様々な分野で AI の導入が進む一方、業種によっては大幅な人員削減を伴い、社会問題となる。AI に対する懸念は、安全性よりも、失業や貧困を生み出すという経済的・社会的な側面が中心になる。

第 3 のシナリオは、AI が作成した映像や文章と人間が作成したものとの区別がほぼつかなくなる。それに伴い、国家やテロ集団による AI を使ったスパイ行為、偽情報の拡散、選挙介入、人権侵害が増加する。

第 4 のシナリオは、AI が経済成長や医療の進歩をもたらし、AI の導入に対する好意的な受け止めが広がる。20 年代末には、ある企業が人間に近い能力を持つ汎用人工知能を開発する。それが一般に公開されない場合においても、将来的なリスクへの懸念が高まる。

第 5 のシナリオは、20 年代を通じて技術革新はほとんど起きず、産業界の利用は限定的なものにとどまる。AI によるライフスタイルの変化はほとんどない。

これらのシナリオは、約 30 人の専門家と複数の英政府機関が参加して策定された。政策決定や産業界の議論のたたき台として示されたものである。

各シナリオの中には、すでに一部が現実化し、進行形にあるものも見られる。

いずれにしても、AI の進化をめぐる期待と懸念の両面が、コンパクトに提示されている。AI 進化のあり方や度合いによって将来のリスクが大きく異なることを示すものとして注目される。

ただ本報告書は、2030 年までの近未来に限定してのシナリオとなっている。人間の本質やあり方など、より深い問いかけや懸念は、2030 年以降のシナリオとみられているのかもしれない。しかし、懸念はより深く、人類の未来をも左右しかねないゆえ、そうした点への考察とシナリオづくりが求められている。

図表1-8　AI進化をめぐる期待と懸念（光と影）
―英国政府が想定したAI進化の近未来5つのシナリオ（2023.11）

5つのシナリオ（～2030年）	各シナリオへの懸念
第1のシナリオ 20年代後半に技術的なブレイクスルーが起こり、高性能な自立型エージェント（システム）が誕生する。誰でも自由に利用できる形で公開される	**第1のシナリオへの懸念** AIを使ったインフラ攻撃が深刻化。テロ組織が、AIを使って生物兵器の開発を進める。
第2のシナリオ 自律走行車など特定分野で、AI技術が大きく進歩する。生産性の向上やコスト削減のため、産業界の様々な分野でAIの導入が進む。	**第2のシナリオへの懸念** AIに対する懸念は、安全性よりも、失業や貧困を生み出すという経済的・社会的な側面が中心になる。 業種によっては大幅な人員削減が進み、雇用問題が起こる。
第3のシナリオ AIが作成した映像や文章と人間が作成したものとの区別がほぼつかなくなる。	**第3のシナリオへの懸念** 国家やテロ集団によるAIを使ったスパイ行為、偽情報の拡散、選挙介入、人権侵害が増加する。
第4のシナリオ AIが経済成長や医療の進歩をもたらし、AIの導入に対する好意的な受け止めが広がる。20年代末に、ある企業が人間に近い能力を持つ汎用人工知能を開発。	**第4のシナリオへの懸念** このシステムは一般に公開されないものの、将来的なリスクへの懸念が高まり始める。
第5のシナリオ 20年代を通じて技術革新はほとんど起きず、産業界の利用は限定的なものにとどまる。	**第5のシナリオ** AIによるライフスタイルの変化はほとんどない。

備考：「生成ＡＩ考」読売新聞2024.2.8に基づき、筆者作成。

次節にみるG. ヒントンの懸念と警鐘は、そうした課題に切り込むものとみられる。

3 「AIの父」G. ヒントンの懸念と警鐘

3.1 AIが人類にもたらす脅威

G. ヒントンは、「深層学習」技術のパイオニアの1人で、「AIの父」と評される。「深層学習」の技術は、AIに革命を起こし、対話型AI「チャットGPT」のような生成AIの開発を可能にした。

76歳の同氏は、学会と米グーグルでキャリアの大半を過ごす。AIが人類に脅威をもたらすことはないと信じていたが、昨年「神の啓示」を受けたと言う[*74]。

ヒントンはAIのリスクについて気兼ねなく発言するため、約10年間所属したグーグルを2023年に退社した。AI兵器の開発や使用に対する抑止力はあまり機能しておらず、人類にもたらす脅威は「原爆を上回る」と危惧する[*75]。

ヒントンは、「デジタル知能は生物学的知能に取って代わるか」という講演（2024.3.19）で、ほぼ確実にイエスだと結論づけた。

ヒントンは、AIの進化に2つの大きなリスクがあるとみている。

1つは、悪人がコンピュータに悪い目標を与え、大量の偽情報拡散や生物テロ、サイバー戦争、殺人ロボットといった悪い目的のために使うことである。

とくに、誰でも利用や改変ができるオープンソースのAIモデル（米メタの大規模言語モデル「Llama（ラマ）」など）に、警鐘を乱打する。それは、悪人に絶大な力を与えているに等しく、「オープンソース化することは正気の沙汰ではない」と言う。

2つは、AIモデルが危険な形で「進化」し、他者をコントロールする志向性を持つようになる可能性もあることである。「AIなどが今後20年で人類を絶滅させる確率が10%ある」という。

米オープンAIの最新モデル「GPT-4」は、「言語を学ぶことができ、共感や思考プロセス、皮肉などを表現する」という。そして、こうしたモデルが「言語を実際に理解している」とみる。

しかし、安全性の問題に専念するAI研究者は現在、1%にすぎない。これを30%に引き上げるべきだという。AIの場合、その行方に関わる利害と不確実性を考えると、研究を急ぐべきだという[*76]。

3.2 「意識を宿す」AIへの危惧

AIが人間の知性を超える瞬間は、「シンギュラリティ」と呼ばれる。AIが爆発的な発展を遂げ、GNPのほとんどを稼ぎ出すようになれば、人類の存在は無視できるほど小さくならざるをえない。ヒントンは、AIが経済活動する世界では、「どんなことでも起こりうる」と言い、AIが独自の意思を持ち、人間の指示に従わなくなる未来を警戒する[*77]。

AIに意思や感情は宿るのか。それは人間にとって、どのような意味を持つのか。生成AIブームの舞台裏で、世界の科学者は今、そのような人間に関わる根源的な問いに直面している。AIシステムが感情や人間レベルの意識を持つことを想像するのは、もはやSFの領域ではない、という。

AIが意識を持つか否かは、古から議論されてきたが、テクノロジー業界では開発スピードが優先され、AIの意識をめぐる議論はある種のタブーと見なされてきた。米グーグルの研究者だったブレイク・レモイン氏は2022年、同社の生成AIが意識を宿したと主張し、守秘義務に反したなどとして解雇された[*78]。

「生成AIの基盤技術である大規模言語モデルに意識が宿ることも否定できない」(金井良太ほか) の見解をめぐっては、専門家の間でも評価が分かれる。

著名なAI研究者や神経科学者のグループは、2023年に検証のアプローチを示す論文をまとめるなど、AIの意識の有無を評価する手法づくりに挑んでいる。

第2章

情報化社会、精神代謝労働論への視座

―物質と精神、自然と社会の統合的把握に向けて―

1　はじめに

本章に先立ち、また並行して、第1章を執筆した。AIの急速な進化、とくに生成AIをめぐる動向と論調をふまえ、その本質、光と影を先行文献に立ち返り考察している。情報と物質・エネルギー、さらに知識・ノウハウ・学習から情報社会・資本主義論にまで視野を広げ掘り下げた。しかし、大学紀要への投稿に伴う、論文の構成や字数、さらにテーマの難しさなどの事情により、未展開や割愛を余儀なくされたものも少なくない。

そこで、懸案のテーマに着目し、新たな視点から捉え直し編集したのが、本章である。情報化社会論、精神代謝労働論への考察を通して、物質と精神、自然と社会の統合的把握への新たな知見を提示したい。

2　情報化 / 消費化社会の「光」と「闇」―見田宗介（1996）を問う

2.1　独自の資本主義観と情報化 / 消費化社会論

見田宗介[1996]は、情報化 / 消費化社会論を「古典的な資本制システム」に対置して自在に展開する。

「古典的な資本制システム」は、需要の有限性と供給能力の無限拡大運動との矛盾をかかえており、恐慌という形で顕在化する。「情報化 / 消費化社会」は、この基本矛盾を「資本のシステム自体による需要の無限の自己創出という形で解決し乗り越えてしまう形式」と捉える[*79]。

情報化／消費化を特徴とする現代社会は、巨大な光と闇をもつという。現代社会の巨大な闇は環境破壊、資源・エネルギー制約、貧困と飢餓（「南北問題」）にあり、それを乗り越える処方箋が情報化／消費化社会の巨大な光にあるという。

ただし、現代社会の巨大な光と闇は、不可分の如く深い関係にある。「巨大な光」とみなす機能が、巨大資本の価値増殖手段となり、巨大な闇の創出を促しリードする機能へと転化する。本書では、このダイナミックな関係への視座は弱く、論理的に切り離して展開されている。

2.2 情報と消費の概念にみる本来性と現代性

見田宗介は、情報をどのように捉えているのかが問われよう。情報は、「情報量」(ビット) というような単位に還元されるものでなく、日常用語が含意するような手段的・効用的な「情報」というコンセプトにも限定されないという。

情報は、3つの機能 (認識, 行動, 美) をもつ。「認識情報」は、知識としての情報であり、見えないものを見る力をもつ。「行動情報」は、指令情報、プログラムとしての情報であり、行動をデザインし、コントロールし、プログラムする力をもつ。「美としての情報」は、充足情報、歓びとしての情報であり、効用の彼方にあって、それ自体が喜びであるような非物質的なものの空間へと視界を開放する (見田, 1996, 152-156 ページ)。

消費については、「商品の購買」としての資本主義的消費に対置されるのが、本来的な消費、「充満し燃焼しきる消尽」としての消費である。バタイエは後者を、効用を超えた人間の原的な豪奢性、無償性と捉える。

消費を、必要と効用 VS 美しさと魅力性という両面から捉える視点は、興味深い。物質的な生産と消費の最小限化を図りつつ、「美しさと魅力性」をはらむ非物質的な文化的消費は制限せず自由に解き放つ、という。

一方、そのような消費社会へのシフトは、現実空間においてどのようにして可能になるのか。肝心な論点とみられるが、本書では問われていない。

2.3 本源的な欲求の無限空間と深刻化する現実空間の対照性

生きることは、もっとも単純な歓びの源泉である。一方、必要は、生きるための手段に属する。生きることの歓びは、必要に先立ち、限りなく自由なものである。歓喜と欲望は、必要よりも本源的で、上限は開かれている、という[*80]。

このような欲求の無限空間は、本当に可能なのか。地球の物質代謝などの物理的限界を踏み越えることができるのか。欲求を自由に解き放って、果たして望ましい方向に制御できるのか。

見田の情報化社会論は、物質主義的な消費と幸福からの解放を唱え、それ自体魅力的である。一方、情報化がもたらす深刻な負の諸側面、とくに巨大IT資本の支配・収奪、AI革命のリスクなどは、視野に入っていない。情報を非物質ととらえ、しかも物質やエネルギーとの関わりを捨象した非現実的世界のユートピア論とみられる。

2.4　物質，情報，エネルギーへの視座

見田宗介は、「情報」を「物質」の対概念として捉える。それは、N.ウィーナーの情報概念を下敷きにして捉え直した吉田民人の見解に基づく。吉田は、物質とエネルギーは「同じものの変換体にすぎない」として、「物質」として一括する[*81]。

情報を非物質として捉える見解は、ウィーナーやC.ヒダルゴと共通するが、その内面に分け入ると、かなりの違いもみられる。

とくにC.ヒダルゴ[2015]は、エネルギーをキー概念と位置づける。「宇宙はエネルギー、物質、情報でできている」[*82]、情報が生れるにはエネルギーが欠かせないという。エネルギーを物質に一括する吉田／見田の捉え方とは対照をなす。

ヒダルゴは、「エネルギーと物質はもともと存在するが、情報は生じる」と捉える。情報を成長させる重要な概念、物理的メカニズムとして、「非平衡系」、「固体」、「物質の計算能力」の3つを挙げる（ヒダルゴ, 2015, 225ページ）。情報が生れるには「エネルギー」が、そして情報が生き残るには「固体」が、さらに情報が爆発的に成長するには「物質の計算能力」、が必要とみる。

C.ヒダルゴの情報論は、情報の動態的把握に特徴がある。一方、見田の情報社会論は情報の静態的把握に特徴があり、両者は対照をなしている。

図表 2-1　情報化 / 消費化社会論（見田宗介 [1996]）の構図と論点

巨大な光と闇

情報化 / 消費化社会＝「巨大な光」Vs. 環境破壊、資源・南北問題＝「巨大な闇」

巨大な「光」と「闇」に区分できない。両者は不可分な関係。

情報化 / 消費化社会→巨大資本の価値増殖手段→「巨大な闇」も創出

情報の無限性・無限空間論の陥穽

情報は、非物質だが、物質・エネルギーに媒介される。

(1) AI の進化・浸透→電力消費量の急増→現実空間の環境破壊

(2) ネット空間の情報劣化・汚染

生成 AI の使い回し→単純化・現実離れ→データの劣化・多様性喪失

論理の現実離れ→現実に進行するネット空間の環境破壊など視野の外

本源的な欲求の無限空間、深刻化する現実空間の対称性

情報の 3 機能＝認識，行動，美。美の非物質的消費を無限に解き放つ。

非物質的消費・欲求は無限か？それを受容する現実世界はあるのか？

節度（「足るを知る」）の意味を問い直す

備考：筆者作成

2.5　情報の「非物質性」と「代謝性」からみる「無限空間」論の矛盾

非物質は、物質としての存在をもたないもので、時間、空間、精神の概念などとみなされている。情報は、物質、エネルギーと区別される点で、非物質に位置する。

情報は、生命系・非生命系を問わず物質に内在するとみられる。一方、人間社会においては、情報は精神的営みの所産とされる。ただし精神的所産は、非物質のままでは「代謝」(交流、変化) できない。物質的な媒体を通して伝達され、変化する。その点からみると、非物質も、物質代謝を通して変化が可能となる。

「資源は有限だが、情報は無限」である（見田 , 1996,152 ページ)。それゆえ情報は、有限な物質界を生きる人間に、「幸福の無限空間」、「幸福のかたちの創造の無限空間」を開くという。

情報を物質・エネルギーから切り離して捉える見田（1996）は、情報化社会論の最も大きい射程は非物質的なものの空間への視界の開放にあるとして、その徹底的な展開を図る。ただ情報は、物質・エネルギーから切り離したままでは動かない。ダイナミックな展開がどのように可能になるのか、が問われねばなるまい。

2.6　資源・エネルギー・環境の有限性が問う「情報の無限性」論

物質の有限性と情報の無限性という対照的な構図が示されている。しかし、「情報の無限性」は、有限な物質によって担われる。情報は、それ単独では機能しない。人間が認識するのは、紙媒体や電子媒体などの物質を通してである。そこでも、巨大な資源やエネルギーが使われている。

データは、AI の燃料とも言われる。データの価値は、生成 AI の登場で一段と高まっている。一方、AI の活用の広がりはデータとその利用を爆発的に増大させる。

データセンターの電力消費量も、データ利用の急増に伴い、飛躍的に増大する。2022 ～ 26 年の 4 年間で倍増し、年間 1 兆キロワットを超える可能性があるという。これは、日本の電力消費量にほぼ匹敵する。典型的なグーグル検索に比べ、チャット GPT の問答は、1 件当たり 10 倍近い電力を消費するという。

電力大量消費というリアル世界での環境リスクは、AI にとって避けて通れない課題になる[*83]。

有限な物質循環をどう制御するかは、地球環境問題として深刻に問われている。一方、情報についても、同様である。

生成 AI が作るデータを次世代の AI の訓練に回すことにより、ネット空間の情報の劣化や汚染が進みかねない。AI が生成する内容は単純化が進み、現実離れの度合いが増し、データの多様性も失われていく。デジタル空間の汚染、データの劣化への警鐘も鳴らされている[*84]。

人間や社会に危害を及ぼす情報や悪用も少なくなく、ルールや規範が問われる。

人間が、情報をどのように制御し、わがものとしていくのか、それはどのようにして可能になるのか、実現するのか、が問われよう。

資源＝物質＝有限、情報＝非物質＝無限、という単純な構図そのものも、再考されねばなるまい。情報は非物質か、物質かをめぐっては、多様な見解がみられる。情報は非物質としても、情報を担う媒体は物質であり有限であり、媒体を運ぶエネルギーも有限である。

以上、評者は、物質・非物質の二元論の妥当性とあり方を問う立場を採る。次に、物質・精神の二元論に立つ論考について検討する。

3　情報時代における精神代謝労働論の意義と課題 ―二宮厚美（2023）への視座

3.1　二宮厚美［2023］の趣旨と構成

同書は、「はじめに」、6つの章、「あとがき」から構成されている。そのうち、同書の理論的な土台をなす第1､2章と、「はじめに」､「あとがき」（下線部分）を中心にコメントしたい。

≪目次≫

3.2　同書の趣旨と論点

同書は、「保育・教育から看護・保健までの対人サービス労働」をコアに位置づけ深く掘り下げた「社会サービス労働論」である。著者の高い視座と志は、「社会サービスの経済学」という本書のタイトルに示されている。

エッセンシャルワークを、社会的必要労働の中核に位置づけ、精神代謝という独自な概念をベースにして、精神代謝労働論として捉え直し、その根幹に社会的サービス労働を位置づける。

「精神代謝労働」は、「労働」と「コミュニケーション」という2つのキーワードを結合したもので、「社会サービス労働」の「本源的規定」、「中核的カテゴリー」とみなすなど、同書の理論的なキーワードになっている[*85]。そこで、「精神代謝労働」を俎上に載せてみたい。

同書は、物質と精神、物質的労働と精神的労働の二元論的視点から、物質代謝労働と精神代謝労働に分け、それを軸にして社会サービス労働を提示する。「精神代謝」アプローチは、社会科学分野でも初とみられる。「精神代謝」とは何か、科学的な概念として成り立つのか、が問われねばなるまい。

人工知能の急速な進化は、物質と精神の境界域にも踏み込み、精神とは何か、知能と意識の関係、人間の存在意味、物質代謝のあり方などがあらためて問われている。そのような視点から、「精神代謝労働」論にメスを入れる。

3.3　社会サービス労働と「精神代謝労働」

3.3.1 「物質代謝労働論」と「精神代謝労働論」への視座

「社会サービス労働論」と「精神代謝労働論」は、同書の中核をなす。そして、「社会サービス労働論」の理論的な中心に位置するのが、「精神代謝労働論」である。

「精神代謝」とは何か、科学的な概念として成り立つのか。それに応えるのが、第1章とみられる。エンゲルス（『家族・私有財産・国家の起源』第1版序文）の「2種類の生産」（物質的生産と人間自体の生産）に注目し、物質代謝労働と精神代謝労働として捉え直している。しかし、エンゲルスの「2種類の生産」は、いずれも人間と自然との物質代謝を制御する営みであり、それを担う労働からなる。

3.3.2 「精神代謝労働」と身体、道具，言語の関係

第1章ではさらに、労働、道具、言語の深い関係に注目する。そこで、3者の関係について考えてみたい。

労働は、道具の生産から始まり、労働の中から言語が生れ、道具と言語の発達を促した。

「道具の主たる機能は「制御（コントロール）」にある」(二宮, 2023, 45ページ）という。果たしてそうであろうか。道具の主たる機能は、「作用」であり、「制御」ではない。制御は、人間が労働を通して行うものである。

労働は、物質代謝を媒介・規制・調整する、つまり物質代謝を制御する活動である。労働においては、①手（作用＝道具)、②頭（制御＝精神)、③口（音声＝言語)、④身体（動力・支柱）が総動員され、②を軸に統合的に制御される。道具は、(身体の）手から（外在の）道具へ、さらに機械へと発展してきた。

二宮は、これを物質代謝労働と精神代謝労働に分け、物質代謝労働は①の手と④の動力が、「精神代謝労働」は②の精神が、主たる役割を担うという。

「精神代謝労働」は、②頭（精神）を中心に行われるが、それだけではない。「第2の脳」といわれる①手、③口（音声言語)、④身体（動力・支柱）など物質的な手段が総動員されて初めて機能する。

いずれも物質代謝を制御する活動であり、物質と精神にわけることには無理があるとみられる。

道具は物質代謝、言語は精神代謝を担う労働手段としているが、道具と言語を駆使して、物質代謝を制御するのが、労働である。

第1章では、道具を軸にして物質代謝を論じている。主要な労働手段が道具から機械へシフトするに伴い、何がどう変わったのか。しかし、機械という新たな段階の分析はなされていない。さらに機械は、コンピュータの登場に伴い新たな局面へと展開するが、情報技術論についても分析がみられない。

3.3.3 情報化と「情報関連労働」

「物質代謝労働」と「精神代謝労働」を、「人類史を貫く2大労働」とみなし、さらに第3の労働部門として、「情報関連労働」を位置づけている[*86]。

ただし、「情報」とは何かは、提示されていない。「その定義・定説が今のところ確立していないから」という。そこで、「情報に固有な機能・役割」については、情報の起源を「言葉」に求めて、その「制御機能」と「コミュニケーション機能」に着目する。情報のデジタル化は、この2つの機能を顕在化させ、独立の労働部門にしたと捉える。

なお、「情報」概念は、K. マルクス『資本論』、A. マーシャル『経済学原理』にも見当たらない。現代的な意味での「情報」概念が登場し定着するのは、コンピュータの出現以降とみられる。

「情報」の定義や機能については、コンピュータ科学、人工知能（AI）、認知科学などの新たな分野で考察されてきた。その起点となり原点に位置するのが、「サイバネティックスの父」といわれるN. ウィーナーの洞察である。この点については、後程触れる。

3.4 物質代謝と「精神代謝」の関係

3.4.1 物質代謝とは何か

「精神代謝」は、尾関周二の「創作」とのこと。「これを労働概念に活かし、精神代謝労働にまで発展させるに至らなかった」という[*87]。尾関説では「精神代謝」がどのように定義されているのか。同書はそれを継承したのか、あるいは捉え直したのか。いずれも、最重要な論点とみられるが、触れられていない。

「精神代謝」とは何か。その科学的根拠は何か。そもそも「精神代謝」という用語が成り立つのか。「精神代謝」概念を本書のキーワードとする以上、不可欠な作業とみられる。

そこで、「精神代謝」の概念について検討する。その前に、深く関連する「物質代謝」についてみておきたい。まず、代謝とは何か。「代謝」は、生物の生存と機能に不可欠な化学反応である[*88]。「化学反応」は、物質が化学変化によって他の物質に変化すること、およびその過程である。

「物質代謝」は、代謝における物質の変化に注目したものである。いわば、化学変化の総称であり、生物学的な概念にほかならない。

「物質代謝」は、「生物体を構成する物質変動全般」、すなわち物質を摂取し、自体を構成し、エネルギーとし、不必要分を排出する一連のプロセス、をいう。物質代謝に関連して行われる「エネルギーの出入・変換」は、「エネルギー代謝」と呼ばれる[*89]。

3.4.2 医療分野からの「精神代謝」論 ―精神への物質代謝アプローチ

近年、「精神代謝」という概念が医療分野から提示されている。精神、心の問題をすべて「心理的な症候群」として片づけるのではなく、特定の物質（栄養素）が不足している可能性にも目を向けるべしという。生物学的精神代謝と社会的精神代謝の 2 種類が示されている。「生物学的精神代謝」はホルモンや神経伝達物質を材料として無意識下で行われる代謝、「社会的精神代謝」は言語などによる情報や知識を材料として意識下で行われる代謝、とされる[*90]。

「社会的精神代謝」は、同書の「精神代謝」に近似するとみられるが、それ単独で行われるのではない。物質を媒介とする「生物学的精神代謝」を経由して行われる。

精神代謝は、非物質的な側面だけをみるのではなく、物質が関与する側面に光をあてた概念として提示されているのである。物質を媒介として行われる精神の変容、両者の関りとそのプロセスに光をあてたものといえる。

医療分野の「精神代謝」論は、まさに精神の問題への物質代謝アプローチに他ならない。精神と物質の統合アプローチといえる。それは、物質代謝と切り離して精神活動を捉えようとする同書の精神代謝論、すなわち精神と物質の二元論的アプローチとは、似て非なるものといえよう。

精神代謝は、エネルギー代謝ともども、物質代謝の一環として行われる。それゆえ、物質代謝と精神代謝に 2 大別するには無理があるとみられる。

3.4.3 音声・文字と物質代謝、「精神代謝」

精神代謝という用語を提示し、理論的な中核としたのは、経済学において初めてとみられる。それゆえ、物質代謝概念と対比しつつ、「精神代謝」を独自に定義し直すことが不可欠であるが、同書ではなされていない。

「精神代謝労働」を担う主要な労働手段は、「言葉」だという[*91]。言葉は、身体や道具、機械を媒介にして機能する。しかし「言葉」は、一括りでは捉え難い。言葉は、「音声」と「文字」から成り、それぞれが独自の機能と役割を担い、固有の特徴を有するとみられる。

言葉は、複雑な音節からなる「音声」として約7万年前に登場し、現世人類が他の人類を凌駕し生き残る大きなツールとなる。音声は、物質ではなく「状態」にあるとされる。口、喉、気管（などの物質）を通して創出・発信される。さらに、それを受信し、「翻訳」して、その意味を読み解くのが、精神代謝に当たるとみられる。

約1万年前に登場した「文字」は、媒体という物質を通して伝達される。身体外の物質との関係がより強まるのである。媒体は、粘土、木、石などを経て、紙へと収斂する。さらに、コンピュータの出現に伴い、電子画面が媒体として役割を担いその比重が高まっているが、電子画面も媒体である。

なお、言葉を構成する音声と文字の関係は、物質代謝労働を担う労働手段としての道具と機械の関係を彷彿させる。音声は自らの身体器官を媒介するゆえ、手を媒介する道具に匹敵する。一方、文字は、心身を離れ外部の物体を媒介する。それゆえ、人間の手を離れる機械により近いとみられる。

3.4.4 「精神代謝」は物質代謝の一環

それでは、「精神代謝」という用語はどうか。意識のさまざまな変化、知的営みを指すと推察される。そのような「精神代謝」は、物質代謝と対置されるものではなく、物質代謝の枠内で行われるものである。

精神はそれ自体を実現するために物質を必要とし、物質はそれ自体に価値や意味を与えるために精神を必要とする。あらゆる生命現象は、精神も含め物質的な基盤の上に立っている。「精神代謝」は、物質代謝に包摂されており、物質代謝を通して機能する。一方、物質と精神が交差する接点の探求も、学際的に進められている。

同書は、精神代謝を軸に、道具と言語を2大キーワードとして、物質代謝と精神代謝を対置して展開する。そこに、同書の斬新性があるとみられるが、科学的に成り立つかどうかが問われよう。

図表2-2　精神代謝労働論（二宮厚美［2023］）の構図と論点

3大労働の位置づけ

「人類史を貫く2大労働」＝「物質代謝労働」と「精神代謝労働」
第3の労働部門＝「情報関連労働」

「精神代謝労働」

「労働」と「コミュニケーション」という2つのキーワードを結合
社会サービス労働論の中核。本書のキーワード。
エンゲルスの物質的生産と人間の生産→2大労働として把握
物質的生産＝物質代謝労働、人間の生産＝精神代謝労働
⇔　いずれも物質代謝を制御する営み。2つに区分できるか？
「人間そのものの生産」は、物質と精神に及び、精神代謝労働に括れない。

キーワードの定義・分析

機械の定義なされず。道具との違いは？情報の定義もなされず。
「物質代謝」と「精神代謝」は、いずれも定義されず。
物質代謝概念：自然科学の分野でも定説。マルクスの物質代謝論もそれに依拠。
精神代謝概念：いずれの科学分野でもほとんど認知されていない。
→その概念に基づく展開は，深く慎重な考察が欠かせない。
「精神代謝」は新規ゆえ、社会科学的に定義する必要がある。

備考：筆者作成

3.5　物質的生産労働とサービス労働への視座

3.5.1　人間そのもの生産・再生産と「精神代謝労働」

人間そのものの生産・再生産は、物質代謝に包摂された対人労働である。これを、精神代謝労働と一括するのは飛躍しすぎではなかろうか。

物質代謝に内在し、包括されていた精神代謝労働、情報関連労働が、社会的労働の広がり、コンピュータ技術の出現などによって、独立した労働部門として出現したという捉え方は、理に適っている。

情報の機能は、制御とコミュニケーションだというが、その前に情報とは何かが問われねばなるまい。

3.5.2　サービス労働における言語とコミュニケーションの関係

「サービス労働では、労働主体は言語的コミュニケーションを媒介にして労働対象に働きかける」[*92]という。しかし、「言語的コミュニケーションを媒介にして」という表現は、適切ではない。「言語や表情、身振りなどを媒介にして」の方が適切とみられる。言語は媒介の手段であるが、コミュニケーションは機能である。

コミュニケーションは、道具ではない。その機能すなわち作用にあたる。コミュニケーションにおいて、道具（すなわち手段）にあたるのは、内在的には①手（手振り）、③口（音声＝言語）、④身体（身振り）である。外在的な手段は、技術の発展に伴い多様化・高度化してきた。それらの内在的・外在的な手段を媒介にして、成り立つ（機能する）のがコミュニケーションである。コミュニケーションは、手段ではなく、機能にあたる。

3.5.3　「人間の生産」にみる精神と物質の統合性―「非物質的生産」への視座

山田良治[2018]の「図表5　物質・非物質を基準とした「生産―消費3分類」」は、注目される[*93]。物質的生産と非物質的生産に2大別し、さらに非物質的生産を、精神的生産と対人型生産に区分している。同書の物質代謝と精神代謝の区分にも照応するとみられ、「その包括性という点で言えば、本書の図表3や飯盛図表4を凌ぐと言ってよい」と、高く評価している[*94]。

「非物質」とは何か、非物質的生産とは何か。物質的生産と非物質的生産に分けることができるのか、が問われよう。精神的生産と対人型生産は、非物質的生産として一括することは難しいとみられる。

非物質とは、「物質としての存在をもたないもの」、重さと体積をもたないもので、時間、空間、精神概念などがそれにあたる。精神的生産と対人型生産は、非物質と物質の両面を有する。内容は非物質性を有するが、文字・数字などの記号やシンボル、人間を媒体として存在し、機能する*95。

人間そのものの生産は、物質的生産と対置されるも、非物質生産として一括することは難しい。人間を育み育てることは、物質性と精神性の両面が含まれており、非物質的生産だけでは包摂しきれないからである。

3.6　サービス労働と教育・学習

3.6.1 物質的生産労働とサービス労働

「図表　物質代謝労働・精神代謝労働と情報関係労働」*96は、実に魅力的な図表である。ただし、物質代謝労働は物質的生産労働、精神代謝労働は対人サービス労働に置き換えたい。物質的生産労働は、直接的生産労働だけでなく間接的生産労働も含まれる。間接的生産労働には、補修・輸送さらには種々の物的サービスも含まれる。

「図表　人類の生存と労働・生産・消費の関係」*97は、「2種類の生産」（物質と人間）を生存過程として物質代謝と精神代謝に区分し、労働過程を「物質的生産労働」（=「対物労働」）と「サービス労働」（=「対人労働」）として捉え直す。しかし、両者はいずれも物質代謝の一環であり、このように区分することには無理がある。

3.6.2 サービスとは何か

サービスの定義は、共有されているが、それをどう解釈するかが論点となる。「使用価値の有用な働き」の対象となるのは、対人だけでなく対物も含まれる。

サービスは、「商品にせよ労働にせよ、ある使用価値の有用な作用」（マルクス, 1867, 252ページ）である。利用者に役立つ機能や活動であり、サービス生産とは利用者の求める価値を生む活動（価値生産活動）と捉えることもできる*98。物を補修、洗濯、運搬することにより、利用者の求める価値に応える労働は、サービス労働であり、対物労働といえる。

サービス労働は、対人労働の比重を高めているが、対物労働も欠かせない。

3.6.3 教育と学習の多様な関係

教育労働は、他者によって消費されるが、他者においては学習となる。学習は、自ら消費しつつ自らに付加価値を付けていく生産的行為でもある。教育労働は、他者の学習支援に他ならない。

物質代謝労働を物質的生産労働に、精神代謝労働を対人サービス労働に置きかえると、一連の分析は、斬新かつ深く、示唆に富む。対人サービス労働では、消費主体を享受主体として捉え直す。物質的生産労働における「主体―客体関係」が、対人サービス労働では「主体―主体関係」に転じ、さらにそれを媒介にして「主客逆転の関係」を呼び起こす可能性を秘めているという。同書の白眉をなす洞察といえよう。

3.7 物質と精神の統合的把握に向けて

精神を物質から相対的に自立したものと位置づける二宮［2023］に対し、評者は物質との相互作用をふまえ精神活動の領域を展開すべしという。

評者の提起は、「物質と精神の相互作用を独自の領域として研究すべき」という趣旨に沿うものである。物質と精神を統合的に把握し、自然や人工物との共存を図るべく、提示している。

地球上における人間の営みは、「精神代謝」も含め、自然と人間の物質代謝という基盤の上になされている。物質代謝概念は、自然科学の分野でも定説となっており、マルクスの物質代謝論もそれをベースに提示されている。

一方、精神代謝概念はいずれの科学分野でもほとんど認知されていないとみられる。それゆえ、その概念に基づく提示は、深く慎重な考察が欠かせない。二宮［2023］において立論の土台になっているが、上記の配慮が十分とはいえない。

物質代謝を制御するのが労働ゆえ、物質代謝労働という表現は同義反復になる。それに対置される精神代謝労働も然りである。

評者は現代産業論を担当しながら、ものづくり産業論にとどまり、サービス産業論&労働論には踏み込めていない。二宮（2023）は、社会サービス労働論に深く分け入り体系的に展開されている。評者の至らぬ領域に切り込まれた画期的な成果と感じている。

そこで次節では、自然科学の洞察が社会科学へ応用された先例に立ち返り、新たな視点から捉え直してみたい。

4　自然科学から社会科学への応用と展開 ―「物質代謝」「組織」「情報」論の新地平

4.1　K. マルクスの自然的・社会的物質代謝論

「物質代謝」は、生物学および化学用語であり、生体内の化学変化を指す。それを社会の次元にあてはめ、労働過程や交換過程における生産物の形態変化を社会的な物質代謝として捉え直したのが、K. マルクスである。

マルクスは労働を、人間と自然との物質代謝を制御する過程と捉え、交換過程を社会的物質代謝とみなしている。化学分野の最先端であった「物質代謝」概念を『資本論』に取り込み、労働過程から流通過程に及ぶ随所で示している。リービッヒ（1862）『農芸化学』の略奪農業批判に感銘を受け、第1巻出版の1-2年前に『資本論』に取り込んだといわれている[*99]。

マルクスは、地球上における自然の循環過程を「自然的物質代謝」とみなす[*100]。労働は、他の動植物とは異なる形で自然との関係を取り結び、「人間と自然の物質代謝」を媒介・制御する[*101]。

自然事物の変化や相互転換を社会的カテゴリーで解釈する試みは、歴史的にも早くからなされており、マルクスも参考にしたとみられる[*102]。

その好例が、「社会的物質代謝」論である。「人間と自然の物質代謝」を社会的な「交換」カテゴリーで捉え直し、社会における生産物（商品）の交換過程を「社会的物質代謝」とみなした。交換を通して「非使用価値であるところ」から「使用価値として役立つ場所」へ移す「形態変換」を、「社会的物質代謝」と呼んだのである[*103]。

4.2　A. マーシャルの「組織」「産業組織」論

A. マーシャル [1920] も、動植物にみる生物学的な「組織」概念に注目し、経済学に援用している。3 つの生産要因である「土地、労働、資本」に「組織」を加え、「土地、労働、資本および組織」として捉え直した。資本は、主として「知識と組織」から成っている。「組織」は、多様な形態を持ち「知識」を助けるとして、「独自の生産要因」と位置づける[*104]。

図表 2-3　物質と精神、自然と社会の統合的把握への視座

自然科学の洞察が社会科学へ応用された先例

1　K. マルクス [1867] の自然的・社会的物質代謝論

化学分野の最先端であった「物質代謝」概念を、『資本論』に取り込む。
労働＝人間と自然の物質代謝を媒介・制御
地球上における自然の循環過程＝「自然的物質代謝」
社会における生産物の交換過程＝「社会的物質代謝」

2　A. マーシャル [1920] の「組織」「産業組織」論

動植物にみる生物学的な「組織」概念に注目し，経済学に援用する。
3 つの生産要因「土地，労働，資本」に「組織」を加える
→「土地，労働，資本および組織」として捉え直す。
「組織」の視点から産業を考察し，「産業組織」として捉え直す。

3　N. ウィーナー [1948] の「情報」「組織化」論

精神の知覚過程を、情報処理という新しい言葉で説明する。
生物学に由来する「組織化」概念を「情報」のキー概念として捉え直す。
工学と生物学の双方から情報にアプローチし、普遍的な過程と原理を提示する。

統合的視点から捉え直す

「精神代謝」＝心や意識を伴う精神的な営み，とくに精神的生産は，精神的な「変換」プロセス。
「情報代謝」＝生物，無生物など「物質」が内包する「情報」の発生，収集，解釈，利用とその過程。
両「代謝」は、物質的な媒体によって担われ、物質代謝の一環。

備考：筆者作成。

さらに、「組織」の視点から産業を考察し、「産業組織」として捉え直している*[105]。「知識」を、植物の「根」「枝」に例え、産業の発展における熟練と知識の重要性に光をあてる*[106]。

4.3 N. ウィーナーの「情報」「組織化」論

情報、精神、物質は、どのような関係にあるか。N. ウィーナー（1948）は、精神の知覚過程を情報処理という新しい言葉で説明した。「情報は情報であって、物質でもエネルギーでもない」*[107]と述べ、マクロ的には物質、エネルギーと並ぶ独自なものとして「情報」を位置づける。

ミクロ的には情報を「系における組織化の程度の尺度」とみなしてエントロピーに対置する*[108]。

ウィーナーは、生物学に由来する「組織化」概念を「情報」のキー概念として捉え直し、生物と無生物の世界を結びつけ橋を架けたのである*[109]。

ウィーナーは、情報を非物質とみるも、物質と関わりをもち、「精神」を含む広義な概念として捉えている。

4.4「精神代謝」「情報代謝」論への統合的視座

これまでK. マルクス、A. マーシャル、N. ウィーナーなど、自然科学の知見、最新の成果を社会科学に応用する事例を見てきた。この手法をもってすれば、「精神代謝」の考察も可能になり、さらに「情報代謝」論への視野も切り拓かれよう。

「精神」は、「心、意識、たましい」（『広辞苑』）で、物質の対義語とされる。心や意識を伴う精神的な営み、とくに精神的生産は、精神的な「変換」プロセスであり、精神代謝と呼ぶことも出来よう。

ただし、精神的な「変換」プロセスは、物質的な媒体によって担われ、物質代謝の一環として行われる。精神代謝は、物質代謝に対峙されるものではない。物質代謝の土台の上で、物質を媒介にしながら、非物質的な独自な世界を紡ぎ出すのである。

さらに、「情報代謝」についても新たに提起したい。「情報代謝」は、生物、無生物など「物質」が内包する「情報」の発生、収集、解釈、利用とその過程を指すものである。「精神代謝」も、その重要な一角を占める。ただし、情報の「代謝」は、物質を媒介にしながら、物質代謝の一環として行われる。

ここまで、物質・非物質二元論、物質・精神二元論に立つ諸説を批判的に考察し、統合的な視点を対置してきた。

最後に、物質・生命・知能・学習を統合的に捉えるM.テグマークの論稿を紹介する。

5 生命・知能・情報・学習・人間論 ―M.テグマーク（2017）への視座

5.1 生命，知能，計算の進化と定義

M.テグマーク[2017]は、生命史をふまえ「生命」を独自に定義する。生命とは、自ら「複製できるプロセス」であり、「自己複製する情報処理システム」に他ならない[*110]。

生命の進化は、自らをデザインする能力に応じて、3つの段階に分けることができるという。ハードウェアとソフトウェアが進化する「ライフ1.0（生物学的段階）」は、約40億年前に始まった。約10万年前を起点とする「ライフ2.0（文化的段階）」はソフトウェアの大部分はデザインされる。次に起きる「ライフ3.0（技術的段階）」では、ハードウェアとソフトウェアがデザインされる[*111]。

地球史さらには宇宙史においても、生命と知能の出現は、特筆に値するとみられる。ただの物質が、どのようにして知能を持つに至ったのか、知能とは何かが問われる。

「知能」とは「複雑な目標を達成する能力」と定義する。そこには、理解力、自己意識、問題解決力、学習能力などもすべて含まれる。これまで存在した類の「知能」に限定せずに、最大限に幅広く包括的に捉える[*112]。

知能は、情報と計算に行きつくという。計算とは何かが問われる。「計算」とは、「情報を取り込んで変換する」こと、「ある記憶状態を別の記憶状態に変換する」ことである[*113]。計算は、「時空内での粒子の配列パター

ン」を指す。重要なのは粒子ではなく、そのパターンである。計算は情報と同じく、物理的物体とは独立して振舞うことができる。物質が不必要なわけではないが、物質の詳細はほとんど問題にならない*[114]。

学習の歴史は、生命そのものの歴史と同じくらい長い。自己複製する生命体はすべて、何らかの方法で学習した振舞いをしている。情報の複製や処理は、その核心に位置するとみられる。

5.2　AIの進化が促す人間性と学習論への根源的な問い

直観力と創造性は、もっとも重要な人間的特性とみられるが、AlphaGoはその両方を兼ねそなえているようだという。

「深層強化学習」を使い、目標をうまく達成させる術を学習して、最終的には製作者を上回る成果に至る。直観力と論理力を融合させて、ときにはきわめて創造的な手も生み出された。深層学習の直感力とGOFAI（Good Old-Fashioned AI）の論理力を組み合わせれば、何にも負けない「戦略」を生み出せるという*[115]。

一方、「言語を処理するAIの道のりはまだ長い」というM. テグマーク（2017）の予測は、生成AIの登場で裏切られ、進化は一気に加速している。そして、目標、能力の幅広さ、直感力や創造力や言語など、多くの人が人間性の中核をなすと感じる領域にAIが踏み込みつつある*[116]。

それは、人間であることの意味にどのような課題を投げかけているのであろうか。意識を持たない人工知能が進化するなか、人間の「精神」（「心，意識，たましい」）と「知能」との関係、あり方があらためて問われている。

AIの急速な進化は、新しい技術の学習方法にも再考を迫っている。新しい技術を利用するにあたっては、実証済みの方法論に頼ってきた。それは、「経験に学ぶ」「間違いから学習する」という方法論である。

しかし、新技術が強力になればなるほど、「試行錯誤による安全工学の方法論」には頼れなくなってくる。失敗がまさに壊滅的事態を引き起こしかねないからである。「たった一度の事故で全ての恩恵を帳消しにするような大災害が起こりかねないレベルに、容赦なく近づいていく」*[117]。

「走りつつ考え対処する」という事後対策ではなく、「走る前に思慮と熟議を尽くし設計する」という事前対策が、人類存続の課題となっている。

6　おわりに

下記（A, B）は、2023年3月、5月に学会、研究会で発表、議論したものである。

A 「物質代謝＆精神代謝労働論の意義と課題」（2023.3.19 国際文化政策研究教育学会）

B 「生成AIの衝撃と人工知能「万能説」への視座」（2023.5.20 働学研）

本章は、それらを手がかりにしてまとめた。Bの多くは第1章に織り込んでいる。そこに収まり切れなかったものに光をあて、新たな視点からAを軸に捉え直し編集したのが、本章である。

精神代謝労働論、情報化／消費化社会論などは、いずれも難問である。それらとの苦闘を通して、物資と精神、自然と社会の統合的把握、精神代謝、情報化への考察を深めることができたのではと感じている。

第３章
AI 時代の伝統工芸と知的職人

1　はじめに

工業化が進むなか、生産性が低く、規格化しづらい工芸は淘汰されていく。一方、工業化もまた、大量廃棄や環境破壊などの問題を生み、行き詰まりを見せている。こうした状況下で、世界的に工芸の価値を再評価する動きが出てきている。

工芸とは、「実用性と美的価値とを兼ね備えた工作物をつくること」である。人間の創造性の原点にあるのは、手仕事である。自らの手でより美しいものをつくりだしたい、という原始的な欲求である。それに応えるのが工芸である。工芸は、美意識を持った創造的活動に他ならない。

実用性と美意識を兼ね備えた工芸や工芸的思考には、現代産業が希求する創造や革新のヒントが隠されている。日本は工芸大国であり、可能性を秘めているとみられる。

小学４年の孫が愛用する「人生ゲーム」には、多くの職業が登場する。デザイナー、エンジニア、科学者、医師、タレント、アスリート、教師等々。「工芸職人」もその１つで、しかも高所得の花形職業としてランクインしている。よく耳にする工芸職人の苦境とは対照的である。未来を先取りしているのかもしれない。

現代の名著、古典として誉れ高い柳宗悦 [1942]『工芸文化』は、工芸職人について深く論じている。工芸から美術が分化した近代のあり方に警鐘を鳴らし、生活を軸にした再結合、総合化を提唱する。工芸における無形の「型」の重要性、不自由さが工芸美を生み出す構図に注目している。

柳宗悦の先駆的業績、さらにその半世紀前の W. モリスのデザイン論などと比較しつつ、「型」を有形と無形の両視点から捉え直し、定義し直したのが、十名直喜 [2008] [*118] である。本書は、わが現代産業論、ものづくり経済学の起点をなす。工芸職人論は、重要な位置にあるといえる。

十数年のブランクを超え、現代的な視点から捉え直したのが、「現代産業における工芸職人」(『ACADEMIA』No.188、2022年10月)である。本章は、さらにAI時代と知的職人論の視点から編集したものである。

2　ものづくりと現代産業

2.1　工芸職人からの視座　―技術と芸術の融合

十名[2008]は、新たな「型」論の視点から、陶磁器産業（瀬戸ノベルティ）にアプローチし、技術・技能、文化・芸術にまたがる包括的な視点から捉え直す。

鉄鋼産業研究から陶磁器産業研究へのシフトは、グローバル産業・大企業論から地域密着型産業・中小企業論へのシフトである。資源・技術・技能・労働の視点から、「型」論を媒介に文化・地域にまたがる包括的な視点へのシフトでもある。

瀬戸ノベルティの生産における「工芸職人」として注目したのが、原型師（および絵付職人）である。2次元の簡単なデザインを基に、表情・しぐさや欧米文化、造形バランス、製造コストなど全体、細部をイメージしながら、3次元の原型につくりあげる。技能・技術、芸術・文化の粋が、原型に込められているのである。

2.2　有形と無形の包括的「型」論から現代産業論の体系化へ

瀬戸の工芸職人研究を通して、「型」論への洞察を深めていく。「有形」と「無形」を統合し、さらに技術と文化の両側面から、「型」を包括的に捉え直し、さらに社会科学的に定義し直す。「型」とは、「人間の知恵や技を一定の基準（規範）に洗練化した手段や方式およびその意味であり、有形と無形からなる。」

「型」の定義は、技術や技能の再定義を促し、さらにものづくりの独自な定義へと展開する。「ものづくり」を、「有形」と「無形」の視点から、独自に定義する。

「ものづくり」とは、「人間生活に有用な秩序と形あるものをつくりだすことであり、何をつくるかを構想設計し（無形）、形あるもの（有形）に具体化する営み」である。

大企業・グローバル産業と中小企業・地域密着型産業を比較分析し、「型」産業として捉え直すことにより、新たな複眼的視点から「産業」に光をあてる。それが、現代産業論の体系化につながるのである。

「型」論の視点を織り込み、ものづくり経済学、現代産業論への理論化・体系化を図った3冊は、1990年代の「鉄鋼3部作」に対し、「産業3部作」と呼んでいる[＊119]。

3　工芸と美術

3.1　工芸文化論の創造　―柳宗悦に学ぶ

わが国において、工芸という独自な分野を切り拓き、学術的、政策的な光をあてたのは、柳宗悦である。彼の工芸文化論を集約的に示すのが、柳宗悦 [1942]『工芸文化』[＊120]である。

近世、美術がもてはやされる一方で、工芸は軽視され無視される時代が続いた。そこにメスを入れたのが、柳宗悦である。生活から遊離する美術に警鐘を鳴らし、生活に交わる美の大切さ、美と生活の結合、美術文化から工芸文化への進展を訴えたのである。

「見る」と「用いる」という視点から美術と工芸にアプローチし、「見る美術」、「用いる工芸」として捉え直す。「美のためにつくられる」美術に対し、「実用のための作品」が工芸である[＊121]。

かつて、一切の造形芸術は工芸であった。醜いものをつくり出しえなかった時代といえる。それに対置されるのは、美しいものをつくり難くなった近世である。

古くは、Artのいう言葉の中に美術というような概念はなく、技芸という意に過ぎなかった。Craftすなわち「工芸」は、9Cの文献に出てくる。造形的作物は、いつも技芸というような意味の言葉で呼ばれ、工芸のみならず絵画、彫刻などすべてこれに包含された。それに従事する者は、ArtとCraftを元とする各種呼称に区別なく、すべて「工人」だったのである。

和語漢語においても、古くは美術と工芸との明確な差別はなかった。美術という言葉は、古い文献には中国、朝鮮、日本を通じてどこにもない。一方、工芸は古くから中国で用いられ、絵画などをも含む全般的な技芸の意であった。

日本語では、絵師とか画工という場合、今日言うような個人作家を意味したのではなく、「師」とか「工」は1つの技に達し秀でた者をいう。「工匠」というと、今や工芸美術の大家の意に解されやすいが、「匠」の字は元来、大工の意に用いられ、これが後に広く工人の意にも転じた。「巧」は、「工」と意味が近く、「上手ないとなみ」を指す。「芸」は、才能、わざである。「術」もわざ、てわざ、みち、手立て等である。

これらの字句は、英語のSkill、Art、Craftなどと同一の意味である。英語のArtは、Armと語源が同じで、Skillすなわち「技」「匠」の義である。日本語でも、「腕利き」「腕前」という[*123]。

3.2 美術と工芸の分化 ―悲劇を超え総合へ

ところが今は誰もが、Arts and Crafts、「美術と工芸」という言葉を用い、Crafts（工芸）をArts（美術）から区別するに至っている。

Artistic（美術的）、Artistically（美術的に）といった形容詞、副詞が英語に現れたのは、18世紀半ば以降のこととみられる。英語のFine Art等、美術という言葉が現れたのは18世紀末で、それが現在の「美術」の意に一般に解されるようになったのは19世紀以降のことである。

美術と工芸が対照的に区別されるようになるのは、W.モリス他が1888年に初めてThe Arts and Crafts Exhibition Societyなる言葉を用いたことに起因する[*123]。

美術の発生は、「1つの反逆であり、開拓」、「美の歴史における大きな動乱であり革命」であった。以来、「造形の美は天才の双肩に委ねられ」ていくのである[*124]。

美術と工芸の分化は、1つの発展であるとともに、多くの悲劇を伴った。「美のための美術」は崇高なものとされる一方、「用のための工芸」は卑俗なもの、不純なものとされたのである。こうした社会的差別は、美術家と職人の対立を醸し出し、職人たちへの侮蔑を招いた。職人たちの社会的地位を低め、貧窮をもたらし、彼らの仕事も精気を欠くに至る。

柳は、W. モリスを批判する一方で、「美術と工芸との分割は、通らねばならない歴史的過程」とみなす。「分化」は、「一面の退歩」としながらも、「総合への準備」として捉え直すのである*[125]。

4　手仕事と美・創造性―手工芸と機械工芸

4.1　手仕事の良さと日本

柳宗悦 [1948]『手仕事の日本』は、1940 年前後の日本各地の手仕事を観察し、手仕事の良さ、大切さを示したものである。「良い仕事は手仕事から生まれる」と柳は言う。手仕事の全国地図を文章で書いたのが、同書である。消えゆく手仕事の記述には、復興への願いも込められているとみられる*[126]。

機械化は、働く人からとかく悦びを奪ってしまいがちである。人間が機械に使われてしまうためである。

一方、人間の手には信頼すべき性質が宿っていて、手仕事には悦びが伴ったり新しいものを創る力が現れたりする。多くの場合、民族的な特色が濃く現れてきて、品物が手堅く親切につくられ、自由と責任とが保たれる。

日本は、「手仕事に恵まれた国」、「手の国」といえる。しかし、「手の技が大切なもの」という認識は行き渡らず、手仕事などは時代とともに取り残されたものだという考えが強まっている、と柳は嘆息する*[127]。その状況が加速するのは、戦後とくに高度成長以降のことである。

手が機械と異なる点は、何か。手がいつも直接に心とつながれていることである。手はただ動くのではなく、いつも奥に心が控えていて、これがものを創らせたり、働きに悦びを与えたり、また道徳を守らせたりする。これこそが、品物に美しい性質を与える原因であると思われる。手仕事は一面、「心の仕事」でもある*[128]。

手仕事が日本にとって、どんなに大切なものか。この力が衰えたら、日本人は特色の乏しい暮らしをしなければならなくなる。手仕事こそは日本を守っている大きな力の1つだという[*129]。

柳宗悦は、日常の道具の美しさを指摘した最初の人物、といえる。美に輝く日常の道具を、民衆的工芸の意から「民芸」となづけた。これは新しい美の発見であり、新しい美の理論の創造であった。民芸の思想こそ、近代日本が生んだ普遍性を持つ数少ない思想の1つといえる[*130]。

4.2　商業主義的な機械化の弊害と機械工芸の未来

商業主義的な機械化の弊害について、柳は厳しく指弾する。

「今日まで機械は、企業家の商業主義に禍された。利のために用が犠牲になることがどんなに多いことか。」「この商業主義がまた道徳性を希薄にさせる大きな原因となるのは遺憾である。工人たちの労働はしばしば苦痛を意味し、作品に責任感をもたない結果をもたらすことはその例があまりにも多い。」[*131]

ここで注目すべき点は、著者が機械の出現に対して決して否定的でなく、その是正を提言していることである。一方では、機械への過信を戒めつつ、他方では機械工芸の本来の良さ、「機械から来る独自の美」を引き出そうとする。「手工が良く示し得ない美を表現すべき」、「機械は独自の工芸を創造しなければならぬ」。機械は必然に美しいものを生むまでに高められねばならない、という[*132]。

柳[1942]は、手工芸、機械工芸が共有する本来的工芸に光をあて、そこに内在する3つの大きな性質に注目する。1つは実用性（生活性）、2つは社会性（民衆性）、3つは道徳性（人道性）である[*133]。この視点は、SDGsなど21世紀の産業・経営思想に他ならず、その先駆性は注目される。

5　伝統的職人と工芸職人

5.1　職人への注目と新たな眼差し

職人への評価と関心が高まってきている。かつて、職人は3K労働の代名詞とみなされ、身体を張り、額に汗しての肉体労働は、事務・管理労働に比べて一段低いものとされ卑下される傾向がみられた。そうした社会の評価が根本的に変わったわけではない。しかし、小学生の「将来なりたい仕事」では職人が上位に登場し、サラリーマンの引退後には自分の手業一本で生きる職人にあこがれる男性も増えている。そこには、現代の労働で希薄になっているもの、身体を張っての仕事や熟練技能、達成感、誇りや働き甲斐など、を希求する声の高まりが反映されている。

なぜ今、職人が注目され、産業や労働のあり方の中で職人が欠かせない存在として位置づけられることが少なくないのであろうか。

そこには、かつての職人がもっていた良さ、すなわち成果が目に見えやすい、消費者との交流もしやすい、仕事と腕への自負と責任感、やり甲斐、自主裁量の大きさなどへの希求があるとみられる。さらに、一方における現実にみる疎外の深さ、他方における技術や諸関係の進展が提供する可能性や機会の広がり、それらをめぐる葛藤。そうした諸要因が絡み合って、現代的な職人への関心を高めているといえよう。

5.2　伝統的職人の世界

かつての徒弟制度的な職人の世界は、パターナリズム（庇護と干渉）の支配する世界でもあった。ある意味では没論理的で非人間的な側面をはらむ 3K 労働の世界であったといえる。他方、徒弟制度などには、現代に失われた教育方法なども含まれている。躾と学び欲求、技能なども含めて、住み込み共同生活といった共有体験の「場」を通して学んでいく。

現代においても不可欠とみられる匠の技には、明示化できない暗黙知の世界が多分に含まれている。暗黙知という非言語的な知は、共有体験によってしか伝承できないし学べないといわれる。こうした技を育み伝える「場」が重要な役割を担ってきた。

そこで前提とされている共有体験とは、何か。現実空間における「場」において、face to face の関係のなかで五感を通して積み重ねられるものである。仕事や生活などを共にする濃密な労働・生活空間という直接的な「場」での関係性が、暗黙の前提となっている。

しかし、共有体験のあり方や「場」は、今や大きく変容しつつある。

5.3 工芸にみる「不自由さ」と「美しさ」―「型」が織りなす自然と人間の合わせ技

工芸において、無形の「型」は、芸を深め、美を創り出す上で重要な役割をなす。

柳によれば、「芸は型に生きる。型に則っていよいよ芸は深まる。」[*134]「型」に則ることにより、個性がかくされ、間接にされる。そして、この間接性が美を与えるのである。間接美が自然に下ろす根は深い。

工芸は、「不自由芸術」とも呼ばれる。紺絣にみる模様のずれは、仕事の不自由さから来る。この不自由さが、ものを美しくする。紺がかえって絣らしくなる。独自な美を切り拓くのである。人間が間接になると、工芸では美が冴える。人間が静まるときこそ、美しさが増すのである[*135]。

つくり手が、種々の囚われを脱し「無心」状態になると、内在する美の発見、発掘へとつながる。「美しさ」とは何か、「つくる」とは何かが、あらためて問われている。

6 伝統工芸における現代職人像

6.1 伝統工芸にみる苦境と再生への創意的試み[*136]

経済産業省が指定する「伝統工芸品」は、西陣織や九谷焼など全国に237品目ある。伝統工芸士は、伝統的工芸品産業の維持・発展を図るべく1974年に誕生した制度である。「伝統的工芸品産業の振興に関する法律」（伝産法）第24条に基づいて、伝統的工芸品産業振興協会（伝産協会）が資格認定を行う。12年以上の実務経験を有し、原則産地内に居住する者が対象とされる。高い技術を持つ現代の工芸職人といえる。

伝産協会によると、全体の生産額は1983年度の5405億円をピークに減少傾向が続く。直近2017年度は927億円と、83年度の17%の水準まで落ちた。

市場の縮小に比例して、従事者も減少する。中核をなす伝統工芸士は、22年2月時点で3623人と、5年前に比べて12%（479人）減った。

品目別では142品目（3月に指定された岐阜和傘を除く）で、減少がみられる。1品目当たりの平均伝統工芸士数は、土佐和紙（高知）が9人からゼロになるなど、2.6人減少の15.4人になった。

一方、伝統工芸士が増加した事例も、50品目みられる。全国の生産額や従業者数では一貫して減少傾向が続くなか、山梨県の甲州印伝や福井県の越前刃物などは新市場の開拓を進めた結果、売り上げが増え時代を担う職人も育ってきた。

地域の産業・文化を紡いできた伝統工芸が従来の「枠」を脱し、有名ブランドとのコラボを図るなど、魅力の再発信に取り組み始めている。

鹿革に漆で小桜などの模様をつける甲州印伝は、伝統工芸士が17年の1人から6人に増えた。30代や40代を含む4人が誕生した印傳屋上原勇七（甲府市）の上原重樹所長は「情報発信や独自の商品開発に取り組んできた成果」と話す。

同社は「時代に合った技法を生かし、伝統工芸ならではの古くて新しい商品を提案する」として、毎年複数の新作を自社開発する。14年にグッチ、17年にアスプレイなどブランドとのコラボにも積極的に取り組んでいる。

21年のキース・ヘリングとのコラボ商品は東京・青山や大阪・心斎橋の直営店などで扱った。20～30代女性に人気を得て今年6月には第3弾を発売した。商品開発は、売り上げ増に寄与するだけでなく、職人が技能を磨く機会にもなる。伝統にはない形状の漆の載せ方など、新しい技術の習得にもつながっている。

福井県の越前刃物は、同業他社との連携で職人を育成し、伝統工芸士が5人増の19人となった。1993年、10社が共同して工房「タケフナイフビレッジ」（越前市）を開設した。職人の世界は「先輩の技を目で見て盗む」イメージが強いが、「職人同士で教え合い、若手が技術を吸収しやすい」場となったことで、さらに若手を呼び込み、20年には工房を増設している。

越前刃物は、86年に米国の展示会に出展するなど、早くから海外に展開してきた。2005年から19年まではドイツの国際見本市に出展してバイヤーの関心を呼び、21年度は生産額も17年度比65%増えた。

名古屋市は、江戸時代に下級武士の内職などから発展した尾張仏具や名古屋桐箪笥などの工房で21年度、1泊2日の後継者育成インターンシップを始めた。21年度は計12人が参加し1人が就職した。

岩手県では、技術習得のスピードアップを狙うプロジェクトも始まっている。南部鉄器を製造・販売するタヤマスタジオ（盛岡市）では、熟練職人のノウハウを搭載した人工知能（AI）を茨城県つくば市のスタートアップと共同開発している。

6.2　京都にみる支援制度と西陣織の創意的挑戦

多くの自治体も、伝統工芸の維持・活性化の支援に取り組んでいる。

京都府は2005年度に伝統産業の振興や技術の継承、人材育成をめざす「京都府伝統と文化のものづくり産業振興条例」を施行した。「西陣織」など国の伝統的工芸品に、独自に認定した「丹後ちりめん」などを加えて、現在は34品目を「京もの指定工芸品」に選定。06年度から若手の職人を対象にした「京もの認定工芸士」制度を続けている。

京都市も独自に選定した74業種を「京都市伝統産業」に指定。それぞれの業種に携わる中堅の職人を対象に「未来の名匠」認定制度を10年度に創設するなど、伝統産業の支援施策は手厚い。

京都市南丹後にある私立の京都伝統工芸大学校で講師を務めるなど、後進の育成に尽力する京都木工芸協同組合の森理事長は「職人というのはなかなか評価されにくい仕事。こうした認定制度は励みになる」という。

京都の西陣織は、1200年の歴史を持つ、高度な技術に裏打ちされた伝統工芸である。市場規模は、この30年で10分の1に激減している。

伝統工芸の世界は、存続の危機が叫ばれることが多く、後継者不足等で厳しい状況が続く。そうしたなか、新たな価値を生み出し、次の時代につなげていこうと世界に挑み続けているのが、1688年創業の京都・西陣織の老舗「細尾」12代目の細尾真孝氏である[*137]。

創造的なことに取り組みたいと考えていた06年、先代がパリのインテリア見本市に出展し、和柄のクッションを出品したのを見て、西陣織を海外で展開するのは面白いと思った。08年、パリで日仏交流150周年を記念した展覧会が開かれる。「日本の感性価値」がテーマで、細尾は琳派の柄の帯を出品する。展覧会は好評で翌年、ニューヨークに巡回した。

会期終了直後に1通のメールが届く。差出人は、世界的な建築家のピーター・マリノである。展覧会で帯を見て、店の内装に使う布の開発を依頼してきた。彼が着目したのは、西陣織の技術と素材であった。和柄でないと海外で勝負できないと信じていたのが固定観念だったと気付かされる。

ただ、問題は布の幅である。織機は、着物や帯のためなので大体32センチ幅となっており、内装には使えない。そこで、西陣織として初の150センチ幅が織れる織機を開発することを決め、1年がかりで完成させた。

西陣には、世界一複雑な構造を織ることができ、さまざまな色を振り分ける技術もある。箔を使った素材もある。織機を作ったことで、見える世界が変わったという。世界のテキスタイル（布）市場に参入し、高級ホテルなどでも使われるようになる。他業種との協業や研究開発も相次いでいる。

7　工芸職人と知的職人にみる創造性

7.1　不自由さが育む創造性―工芸職人と社会人研究者にみる共通の構図

工芸職人にみる不自由さと、それが工芸美を生み出す構図は、現代の知的職人にも通ず。

ものづくりやサービスの現場で働く社会人研究者は、研究の時間や文献など不自由な環境にある。しかし、不自由な環境は、現場情報に溢れ、やり方次第で研究の宝庫にもなる。実業と学術の二刀流、すなわち社会人研究者の道が切り拓かれる。それは、知的職人につながる道でもある。

伝統的職人と現代的職人にみる違いと共通性は何か。変わらぬもの、継承・発展すべきものは何か。

伝統的職人の特長をなすのは、仕事の技能と自律性、道具の所有、仕事のモラルと誇り、社会的分業である。徒弟制、長期間の修行、学びの姿勢、言葉より体得、地域文化に根ざす

一方、現代的職人の世界は、論理や意味づけを重視し、科学的・技術的

な知識や教養に基づいて、仕事の意味や論理を理解する。知的な職人の世界への転換をめざすものといえよう。

7.2　仕事と生活を楽しみ主体的に創造する知的職人

現代的職人の場合、学校教育、知識と言葉、客観化が特徴的で、仕事の機械化、コンピュータ化の真っ只中にある。修業期間の短縮、労働者化、組織への呪縛、仕事のモラルと誇りの劣化がみられる。

現代的職人論が注目される背景には、生産の場における技術と技能の融合があり、技術者的な知識と作業者的な技能を併せ持つ技術&技能者の広範な登場がある。新しい型の職人について語る場合、「システム的熟練」や「デジタル職人」など熟練の変化、創造性などについてもみておく必要があろう。それは、知的職人と呼ぶことができる。

現代の知的職人には、ソフト化・システム化へ対応すべくシステム的熟練が求められ、地域内循環産業の担い手として期待される。伝統文化と生活の分離と再結合、感性・評価能力の劣化と再生、生活建築力が求められる。

ハードの技とソフトの技、専門性と全面性、システム的熟練などを磨いていく。組織のしがらみに縛られず、個の自律性・主体性。仕事を探求し、主体的に楽しむ。

そうした技と思いを生かし、自らの仕事と生活をどう主体的に創造していくか。現代の知的職人に求められている課題といえよう。

8　おわりに

工芸の世界は、ニッチだと言われたり、遠い存在と思われたり、斜陽ともいわれている。しかし、日本は工芸大国である。風土や伝統、歴史を生かした、その土地ならではの工芸が数多くある。世界の人たちが知らない技術や素材、ストーリーもある。チャンスと捉えることが出来よう。

工芸には、自然とのつながりや、長く使い続けられるものの大切さがある。人間の「手」の力などがベースとなった美しさが追求される。それは、工芸や工芸的思考に通じる。

最新技術やアート、デザインなど異なる分野の人たちとの出会いは、伝統工芸の壁を崩し、世界で活躍してビジネスをつないでいく。全国各地で工芸に携わる人や他業種と連携し、活動する。時代を超えて受け継がれてきた美の世界をさらに発展させるため、工芸の世界、職人の技の価値を一体となって発信しようとする試みなども、随所にみられる。

子供たちの憧れの職業が「職人」となる社会になってほしい。伝統には引力があり、がんじがらめになって動けなくなることがある。でも、壊れない強さもある。新しいものをどんどんのみ込んで、それがまた新たな伝統へと進化する。伝統は、無形の「型」に他ならない。伝統を担う工芸の世界は、「型」のダイナミズムも息づいており、もっと進化しうる可能性を秘めている。

工芸は、現代産業を切り拓く力も秘めている。工芸職人から知的職人への進化も、そうした可能性を現実性へと転化させる大きな力になるとみられる。

第４章

経営哲学の探求と創造

―『サステナビリティの経営哲学』出版記念学長対談の視座―

＜目　次＞

1　はじめに

「経営哲学」講義をSBI大学院大学で始めたのは、2020年秋学期のことである。不慣れな分野への初挑戦であったが、追い風もあって1年後に単著書となる。1冊の本は、世に出るや否や、新たな魂が吹き込まれ、著者の思惑を超えて独り歩きし始める。

十名直喜『サステナビリティの経営哲学―渋沢栄一に学ぶ』社会評論社が出版されたのは、2022年1月のことである。出版して1か月余の間に、百通を超える感想やコメントを献本先などからいただく。お礼やリプライなどの返信を通して、新たな次元の交流が始まる。

藤原洋学長（SBI大学院大学）からいただいた45千字に及ぶ長文の「感想」も、その1つである。温かい眼差し、率直なコメントと質問、さらに公開対談の提案まで含まれている。電子メールでの交流を通して、60千字を超える協働の作品へと一気に膨らむ。

公開対談（SBI大学院大学主催）が行われたのは、それから3カ月後、2022年5月7日のことである。対談は、『サステナビリティの経営哲学』をめぐって、評者（藤原）と著者（十名）の問答を軸に構成される。公開で開催し、録画もYou Tubeなどで開示する段取りである。対談者2人にとって、高いハードルへの挑戦となる。大学としても初の試みで、関係者をあげて取り組む。

187ページに及ぶ対談資料の作成、（応答分の）リハーサル、打ち合わせなど種々の準備、当日の本番、終了後にいただいた参加者の感想・コメント等々。著者にとって、実に刺激的で、学びに満ちた数ヵ月であった。

一連のプロセスは、出版をめぐる協働と創造の交響曲であり物語といえる。それらのエキスを編集したのが、本章である。

2　公開対談＆論文に至るプロセス

同書は、2022年1月早々に出版され、個人（180冊）や組織（学会・大学・研究所など）に200冊以上を献本した。それに対して、電子メール（100通以上）、手紙・はがき（40通）で感想やコメントをたくさんいただく。リプライ（応答）にも心がけたところ、コメント＆応答の交流は10万字に上る。これまでの単著書出版の場合に比べて、2倍近い。退職して少しゆとりができコマメに対応したこともあるが、同書への注目もそれだけ高いように感じられる。著者冥利に尽きる。

さらに1月24日には、SBI大学院大学の藤原洋学長から、45千字に上る同書への感想・コメントが届き、公開対談（講座）のご提案までいただく。

藤原コメントへの応答にも力を入れる。電子メールでの対話（藤原コメント&十名リプライ）は、1月末時点で、ワード版6万字、53ページに上る。

公開対談の日時が、2022年5月7日（土）14:00～15:30に決まったのは、2月17日のことである。対談は、オンライン画面に資料をアップし、それに基づいて行う。

画面にアップするパワーポイント資料が、3月14日に藤原学長から届く。ワード版の対話資料を基にして、質問を軸とする対談形式に編集されたものである。

107スライドにまたがる大作である。各章・各節に沿って「ポイントの紹介」、それに基づく「質問」が提示されている。質問は、105項目に上る。各質問は、いずれも興味深く、藤原学長の深い知性、感性、問題意識が反映されている。難問も少なくない。

そこで、各質問に対する応答に取り組む。コンパクトかつリズミカルに応えていくというライブ感覚で文字にしたのが、応答編である。応答の作業は、数日間に及ぶも、実に感慨深いものとなった。応答編の資料は、限られた対談時間（90分）を意識して、簡潔にと分量をセーブするも、22千字になる。応答編のワード版をパワーポイント版（44スライド）に編集する。そのファイルを組み込んだパワポ統合版は、187スライドに及ぶ超大作へと変身する。

そして5月のゴールデンウィークに、学長対談が行われた。公開対談が紡ぎ出した雰囲気や示唆、参加者の感想・コメント（アンケート）などに基づき、論文に編集する。まずは、187スライドのパワポ資料に基づく学長対談を文章化する。105項目のそれぞれについて趣旨説明と質問、応答をピックアップし、論文に編集すると、76千字に及んだ。

大学紀要に投稿するには、紙数制約により、3分の1に圧縮する必要がある。そこで、質問は6割近くカットして45項目に絞り、趣旨説明（105

項目）はすべてカットする。最小に抑えた質問と応答をベースにして、対談のエキスをまとめる。

なお、質問と応答のさわりを紹介する3,4,5は、対談時の「ですます」調のままにしている。臨場感を伝えるためである。それ以外は、通常スタイルの「である」調になっている。

本章は、紀要掲載論文を基に、本書の趣旨に沿って編集したものである。

3　生産・労働・物質代謝論をめぐる対話 —質問（藤原）と応答（十名）

質問＆リプライは、45項目に限定している。本書は3部構成から成っており、部、章ごとに、質問（藤原）と応答（十名）を紹介する。趣旨説明を省略して即、質問に入っているため、背景や趣旨が汲み取りにくい項目もあるのでは、と推察する。質問と応答を通して、行間を読み取っていただければ有難い。」

3.1 「3密」の伝統と新たな創造　—オンラインの功罪

Q1：オンラインの功罪は？

R：オンラインがもたらす現代社会へのインパクトとは何か。それを、光と影の両側面から、見てみましょう。

光の側面は、オンライン交流が促す知の創造にあるとみられます。それは、対面接触による情報交流、知識創造を、補完・代替するとともに、新たな機会と感性による知の創造を促すとみられます。情報交流の新たなプラットフォームは、文化コモンズといえます。

影の側面は、知のプラットフォームという公共空間が、大手ITなど巨大資本によって支配され、巨大な収益（&収奪）源になっていることです。

オンライン下のネット中毒（ゲーム、SNS)、相互監視、さらに視野狭窄・同質化による多様性喪失、偽情報の氾濫など、危惧される面は少なくありません。情報過多によって盲目的になり、AIから推薦され、共感できる同質コンテンツだけに目を向ける傾向もみられます。

多様性を失うのではなく、AI をいかに利用して多様な情報を処理し、冷静な判断を下すか、それも公益のために、が求められています。

3.2　ICT が問い直す生産力・技術・労働・物質代謝論―マルクスの IT 観は？

Q2：十名先生も論理的飛躍があると観ておられるようですが、マルクスが存命だったなら ICT をどう観ると想像されますか？

R：機械は、資本主義の生成・発展において画期的な役割を果たしました。そこに注目したのが、K. マルクス [1867]『資本論』第 1 巻です。A. スミス [1776]『国富論』を「道具の経済学」とみると、『資本論』は「機械の経済学」といえるでしょう。

『資本論』は、機械のもつ画期性に注目し、機械から機械体系、さらに「機械の自動体系」にまで論及しています。

道具と機械の違いは、「機構」(メカニズム)」の有無にあります。「人間の道具」から「1 つの機構の道具」へ転化したのが、機械です。「発達した機械」は、原動機、伝導機構、作業機の 3 要素からなっています。「人間の付き添い」だけで、作業機の運動がすべて行えるようになるのが、「機械の自動体系」としています。

『資本論』は、「自動化」にまで論及しており、「人間の付き添い」領域の深さを示唆している、とみることもできるでしょう。

「人間の付き添い」のコアをなす、観察・判断・指令などの精神労働は、制御機能に属しますが、従来の機械からは分離されています。その一定部分を、プログラムとして組み込んだのが、コンピュータといえます。

コンピュータも「1 つの機械」ですが、制御機能に特化した機械で、物理的運動に特化した従来の機械とは異質なものです。機械とコンピュータの結合は、機械の「機構」に、プログラムによる制御機能を組み込んだものです。そこでの制御機能は、従来機械との分離や再結合を自由に行うことができ、さらに ICT（情報通信技術）により空間を超えて通信を制御するに至っています。それらは、機械を軸とする新たな技術革命といえます。

まさに、機械であって従来の機械を超えるのが、コンピュータ & ICT といえます。

今や問われるのは、ICT にふさわしい社会とそれを担う人間主体の形成です。それは、現代資本主義の枠を超えるもの、いわば社会革命に他なりません。マルクスが存命なら、ICT をより深く洞察し、それにふさわしい社会像をより明確に提示することでしょう。

3.3　生産力至上主義と「無限の自然」仮説を問う

3.3.1　地球環境の保全と道徳経済合一説

Q3：地球環境を破壊せずに自然に働きかけるという人類のモラルが問われているのだと思いますが、これは、十名先生が引用される渋沢栄一の道徳経済合一説と共通する概念とみられますが、どう思われますか？

R：自然と人間、地球環境と社会は、深くつながっています。人間も自然の一部です。道徳は、社会のみならずその器である自然環境にも向けられています。地球環境危機が深刻化する現在、「道徳経済合一」は「道徳（環境）経済合一」を意味するものになっています。

3.3.2　マルクスの「生産力の発展」観と現代の諸問題

Q4：マルクスの「生産力の発展が、自由の拡大、社会発展につながる・・」という点については、必ずしも肯定的に捉えられていないように感じました。その認識で宜しいでしょうか？

R：これは、複眼的に理解する必要があります。「生産力の発展が、自由の拡大、社会発展につながる」という若きマルクスの歴史観は、現代にも通ずるとみられます。ただし、「生産力の発展」とは何を意味するか、が問われています。マルクスの「生産力の発展」観も、不変ではなく、青年期、中年期、老年期と経る中で深まり変化したとみられます。現代の議論には、その点がふまえられていないものも少なくないようです。

「生産力」とは何か、「発展」とは何か、さらに「生産力の発展」とは何かが、今やより深く切実に問われています。地球環境破壊をもたらす今日の状況は、生産力の「発展」とはいえないでしょう。むしろ、生産力の「歪み」、「劣化」という方が当たっていると考えます。

3.3.3 生産および生産力とは何か

Q5：「生産力」とは、社会が存立するための人間の活動力である。その認識で宜しいでしょうか？

R：その通り。生産力とは、社会が存立するための人間の活動力、各種の組織が行う生産の能力です。本来の生産力とは、多様な物質循環を制御し、社会的な物質代謝を持続可能なものにする力のことです。

3.3.4 資源浪費と技術跛行

Q6：「資源浪費と技術跛行」論は先生のいつ頃の研究ですか？　また、現在にはどのように発展させられたのでしょうか？

R：40数年前（33歳）の作品で、資源と技術の視点からメスを入れたものです。資源浪費を促す技術体系の偏向とゆがみに警鐘を鳴らし、その極致に軍事技術があると捉えています。現在にも通じる視点で、むしろより切実に問われるに至っています。

十名直喜［1981］「技術論争　―資源浪費と技術跛行」『講座　現代経済学Ⅴ』青木書店（北条豊のペンネーム）。

3.3.5 技術、ICTをより人間らしいシステムへ

Q7：技術、ICTをどのようなシステムへ転換すればよいのでしょうか？

R：巨大資本＆専制国家が主導する技術、ICTの開発は、倫理・道徳よりも経済・利益が先行する転倒した状況が加速しています。

その極致といえるのが、人間と社会の破壊を目的とする軍事技術、とくに核兵器です。その開発を禁止し、使用を抑制する国際合意が喫緊の課題となっています。

技術、ICTは、人間らしい生活と労働、平和と福祉、協働を促すシステムへと転換することが求められています。

3.3.6 「型」とは何か？

Q8：「型」論における「型」とは例えばどういうものでしょうか？

R：「型」とは、「人間の知恵や技を一定の基準に洗練化した手段や方式

およびその意味」で、有形と無形から成ります。

有形の「型」は、金型、木型、砂型など、ものづくりに広く使用されています。一方、無形の「型」は、伝統・習慣、規範となる形式で、スポーツ・芸能における「型」も含まれています。わが「型」論は、切り離されがちな両者、すなわち有形の「型」と無形の「型」を統合し、包括的な「型」として捉え直したものです。

3.3.7 資本主義≒酸素論、ICT ≒資本主義の酸素論

Q9：先生は、資本主義は酸素のようなものだと考えておられるとお聞きしたのですが、どういうことか少しご説明頂けますでしょうか？

R：資本主義を乗り越えるのは、技術だけでは難しく、技術と社会の両面からの歩みよりが必要と考えています。終焉説に「一部的に同意」と感じられたのですね。技術のもつ可能性、そして人間と社会に内在する危機バネと良心、その両者への期待を、そのように察知されたのでしょう。

小生の見解は、「資本主義≒酸素」論です。酸素は、地球上の生命のエネルギー源ですが、そのままでは有毒物で、生命体の酸化・老化を促します。地球上の生命体は、酸素を細胞に取り込み無害化する被膜＆システムを、10 数億年かけて作り出してきました。

資本主義は、まさに酸素のような存在といえましょう。無限の蓄積衝動はエネルギー源となりますが、人間、社会、地球をも食い尽くしかねません。「資本」を覆う被膜となり、制御するシステムとなるのが、教育、労働、社会保障、独禁法などの諸制度であり、それを担う主体としての人間・組織です。徹底した民主主義改革を経て、ポスト資本主義は可能になるとみられますが、残された時間も少なくなっています。

ICT は、新自由主義の技術的な推進役となり、環境破壊と格差・貧困の媒介役にもなってきました。資本主義の「酸素」的な役割を果たしているといえましょう。それを制御する新たな被膜も必要となっています。

4　イノベーションと仕事・研究・人生をめぐる対話
―質問（藤原）と応答（十名）

4.1　産業イノベーションと環境文化革命

4.1.1　農業革命、工業革命、情報革命の次は何か

Q10：農業革命、工業革命に続く社会では、再び人間が主役になりつつあるということですが、情報革命の次に来るものはどのような革命だとお考えでしょうか？

R：狩猟採集社会から農業社会への転換は農業革命が担い、農業社会から工業社会への転換は工業革命が担いました。工業社会から情報社会への転換は、情報革命として進行中とみられます。地球環境・人間社会の危機が顕在化するなか、情報革命にとどまらず環境文化革命への連続的転換が喫緊の課題になっていると感じています。

農業革命、工業革命、情報革命。それらを総合化して生かすのが、環境文化革命です。

環境文化革命とは何か。人間らしい労働、生産、消費などを包括した自然との物質代謝を持続可能なものにし、「生産力の発展」の本来的姿、21世紀像を創り出していくものです。

農業、工業、サービス業の「高次な総合」・システム化は、『資本論』提示の 21 世紀版に他なりません。

環境文化革命は、川を媒介に山・平野・海の有機的つながりの回復と発展を促し、人間と自然の豊かな関係、人間の文化的な生活の再構築を図るものです。

4.1.2　情報財と資本主義

Q11：十名先生は、経済学の視点から、情報財の資本主義における位置づけはどのようなものであるとお考えでしょうか？

R：情報通信革命をリードされてきた藤原先生にとって、情報通信革命が技術革命に偏った片肺飛行にとどまっているとの指摘は、大変失礼で、受け入れ難いかもと推察します。

一方、情報財は「所有なき財」ゆえ「資本主義に不適合な財」との見方もあり、注目されます。そのような財を、資本主義の枠内に収めようとするのが、現代資本主義です。GAFAのような巨大ITを生み出すなど、地球環境と社会の矛盾を臨界点にまで高めています。

情報財は「超共有」の共産主義に適合する財、との見解もみられます。その是非はともあれ、情報財にふさわしい社会、情報財を活かす社会とは何か、が問われています。

情報、知識、科学的成果、特許、技術、音楽、芸能などの情報財は、本来は人類が共有すべき知的な公共財です。ICTにみる情報のプラットフォームは、知の公共広場とみられます。それらの大半は文化コモンズです。

伝統的コモンズ（入会地など）は、地域共同体の共有から資本による囲い込み・占有へと変わっていきました。文化コモンズは、生成・発展期から巨大資本による囲い込み・占有の洗礼を受けています。それらを制御する被膜（独禁法や労働法などの諸制度）形成が遅れ、現実の速い流れに追いつけないことが、現代資本主義さらには地球と人間の最大の危機・脅威になっています。

伝統的コモンズの再生は、地球環境の保全につながります。文化コモンズの制御は、人間の生命と尊厳の保全につながります。

4.1.3　産業研究を鉄鋼（大企業）から陶磁器（中小企業）へ転換した理由と意義は何か？

Q12：鉄鋼産業を代表とする資本集約型の大企業から陶磁器産業を代表とする中小企業を研究対象にされたのはどういうきっかけや背景があったのでしょうか？

R：製鉄所時代の鉄鋼産業研究は、企業内部にあって、情報開示に制約があり、当事者としてのしがらみも重なり、第3者に徹しきれなかったと反省しています。

大学教員に転じ、製鉄所現場を離れると、（現場≒水中から）陸に上がった河童の如きに。そこで、大学近在の陶磁器産業（現場）に着目し、研究対象にしました。陶磁器など地場産業研究においては、第３者として調査分析し、鉄鋼産業との比較視点から捉え直し、研究成果の開示も積極的に進めました。

さらに、それまでの資源・技術・労働の視点に、新たに芸術・文化の視点を加味したのです。それによって、現代産業を技術と文化の両面から捉え直すことが可能となりました。

4.1.4　ひと・まち・ものづくり経済学とは何か

Q12：「ひと・まち・ものづくり経済学」とは、一言で言うとどういう経済学なのでしょうか？

R：十名［2012］『ひと・まち・ものづくりの経済学』は、ものづくりを軸にして、その視点から、ひとづくり、まちづくりに光をあて、三位一体的に捉える経済学として提示したものです。当初、ものづくり経済学を構想していました。しかし、ものづくりをまちづくり、ひとづくりの視点から調査・分析した論文が揃うなか、その広がりと三位一体的な分析の妙を、同書の構成とネーミングに生かした次第です。

4.1.5　「新しい資本主義」と労使関係改革

Q13：大企業の企業別組合の変革は可能なのでしょうか？

もし難点があるとしたらどこに問題があるのでしょうか？

法制化が必要だとすれば、どのような法制化が必要なのでしょうか？

R：大企業の企業別組合の変革は、大企業の経営変革以上に難しいとみられます。大企業の経営改革は、トップがリーダーシップをもって取り組めば、一気に変革することも可能です。

しかし、企業別労組はそれが至難とみられます。経営主導の労使関係にどっぷりつかり、社会的にも企業内でも「自立」できていません。リーダーシップをとって、自己変革する志も力量も持ち合わせていないとみられます。

彼らの変革を促し後押しする社会的な働きかけが不可欠です。その１つとして提案するのが、労使協議制の法制化です。

労使協議制は、労働組合の団体交渉やストライキの権利と能力を削ぐために、それに代わる仕組みとして、1960年代に大企業で導入されたものです。その後、大企業中心に広がりました。労使協議制は、経営の恣意に委ねたままで、法的に整備されることなく半世紀も停滞しています。団体交渉やストライキはほとんど姿を消し、労使協議制の形骸化も加速しています。今や大企業の経営にとって、労使協議制さえも「無用の長物」と化しつつあるとみられます。

日本の大企業労使にみる「公」の精神・志の低さは、目を覆うばかり。最低限の民主主義的な改革すらなされていません。ここに、日本資本主義の停滞性と後進性が凝縮しているといえます。

労使協議制の法制化は、経営ではなく政治レベルの課題です。政治がイニシアティブをもって、法制化すれば、企業別組合が労働者全体を包括した組織へと変わることを社会的に促すことになり、その過程で企業別組合の社会的「自立性」も高まるでしょう。それだけで、日本社会の雰囲気は一変するかもしれません。

4.1.6 「新しい資本主義」と日本資本主義

Q14：日本が手本にすべき国はあるのでしょうか？　新しい資本主義が必要だとすれば、日本の資本主義は、どのくらい遅れているのでしょうか？

R：ドイツでは、戦後いち早く法制化され、労使が対等に経営や働き方を論じ決めていくシステムが確立しました。ドイツにみる労働生産性の高さ、世界的な信頼性とリーダーシップの高さは、こうした基盤に支えられています。

日本は、ドイツに比べ半世紀以上遅れています。女性の活躍度、労働法制のILO批准率などでは、日本は今や後進国になっています。企業別組合は大企業の正社員限定の「エリート」組織と化し、非正規社員が増えるなか、労働者間の分断・格差は深刻化しています。組織的なしがらみの強さ、働きにくさなどが重石になって、日本の再生・発展の足を引っ張っています。

「新しい資本主義」の提唱は、大切なことです。そのためにも、まずはまともな資本主義にすることです。労使協議制の法制化は、その前段階としてなすべきことです。欧州資本主義に比べて、日本資本主義は社会的には半世紀以上遅れています。それに正面から向き合い、謙虚に反省し、改革の第一歩を踏み出すことが求められています。

渋沢栄一の「対等な労資協調」論を誠実に学び、まずはその実現に着手することです。

それが、日本流「新しい資本主義」への第一歩になるでしょう。総理が英断を下し、労使協議制の法制化を実現すれば、それだけで後世に残る画期的業績となるはずです。

4.2　仕事・研究・人生のロマンとイノベーション

4.2.1　経営哲学における「問いかけ」とは何か？

Q15：あとで詳しくお聞きしますが、経営哲学において、「問いかけ」とは、一言で言うと何なのでしょうか？

R：「経営」は、仕事や人生を含む広い概念です。まずは自らの仕事に目を向け、その意味やあり方、なぜ働くのか、より良い働き方とは何かを考える。それが、「問いかけ」の基本です。仕事と人生の折々に、立ち止まり、問い直すことです。

「問いかけ」は、仕事、人生のあらゆる局面で欠かせないものといえるでしょう。時代の「流行」や「空気」に流されず、必要に応じて立ち止まり、「問いかけ」、深く掘り下げる主体的な営みが、日々求められています。それが、その人なりの独自性を紡ぎ出し、事業へ、イノベーションへとつながる、とみられます。

経営哲学を講義するようになり、これまでの自らのアプローチが経営哲学に通じていることに気づかされた次第です。

4.2.2　「問いかけ」が促す仕事と経営のイノベーション

Q16：「問いかけ」が、社会的大義とのつながりや仕事を哲学する道であり、イノベーションを求めるプロセスということなのでしょうか？

R：その通り！　深く問いかけることは、日々の仕事、経営、研究においても大切なことです。日々哲学することでもあります。熟達すれば、働き、学び、駆け回りつつの多忙下でも可能になるでしょう。仕事における幹と枝、本質と現象を仕分け、「不易」と「流行」を識別する。そのプロセスが、閃きを呼び込むなどイノベーションを促す孵化器にもなるのです。

4.2.3 「学ぶ」「思う」「研究する」の弁証法的関係

Q17：「研究する」は、「学ぶ」と「思う」の良循環、弁証法的な発展とみることができるというのはどういうことでしょうか？

R：「学ぶ」には知る楽しみがあり、「習う」には体得する喜びがあります。

「思う」は、学んだこと体得したことを、社会に適用するなか、その意味を考えることでありプロセスでもあります。その中で、問題点や矛盾に気づき、知識を問い直す。それを意識的に進めることは、「研究する」ことに他なりません。

「学ぶ」は、「思う」ことを通して主体的な知識となります。「思う」は、知識と現実のズレに気づく。「研究する」は、そうしたズレの意味や要因を問い直し探求することです。仕事を究め、さらには発見や発明への道を切り拓きます。

そこには、「学ぶ」「思う」「研究する」の良循環、さらに弁証法的発展がみられます。

4.2.4 「働きつつ学び研究する」（働学研）とは何か、その意義は何か

Q18：「働・学・研」協同の活動とは何か？先生にとってその活動の意義は何でしょうか？

R：「働・学・研」協同の活動とは、「働きつつ学び研究する」ことです。

「働きつつ学び研究する」営みをどう表現するか。それをめぐって、この10数年、試行錯誤を重ねてきました。「働・学・研」融合から「働・学・研」協同へ、さらに略して、「働学研」（どうがくけん）にしたのです。

働学研は、自らの仕事に光をあて深掘りする仕事の理念であり、実践スタイルでもあります。

渋沢栄一の「趣味」論は、自らの仕事に誠実に向き合い主体的に取り組むことが大事で、きっと面白くなり活路も拓ける、と説いたものです。それは、まさに「働きつつ学び研究する」ことに他なりません。渋沢流の表現であったとみられます。

働学研を実践されている方は、少なくないとみられます。その活動を意識化し、交流し、思索やノウハウを深めていくことが、「良い仕事」につながり、イノベーションの孵化を促すでしょう。

身体の運動では、体のどの部位を鍛えているのかを意識すると効果が高まるといわれます。働学研においても同様です。何を学び探求しているのか、その活動の意味は何か。それらを意識して取り組む方が、知的生産性も高まると感じています。

4.2.5 「指導から助言・伴走へ」(社会人育成)、「老化から熟成へ」(生きざま)

Q19：「自発性」を引き出す意味では「指導」よりも「助言」、生き様として「老化」ではなく「熟成」という言葉をどうやって思いつかれたのですか？

R：　社会人研究者には「指導」よりも「助言・伴走」が相応しい。これは、恩師（池上惇）との対話の中で閃いたものです。

「助言・伴走」は、そのやり方やタイミングが重要とみられます。そのヒントになるのが、「啐啄の機」という諺です。啐啄（そったく）の「啐」は「ひな鳥が内側からつついて出ようとする」こと、「啄」は「ついばむ」ことです。雛が育ち、卵から外へ出ようと卵の殻を内からつつく。それを聞いた親鳥が外からつつき返し、殻が破れて、雛が誕生します。内と外のつつきが共鳴し合う絶妙のタイミングがあります。早すぎても遅すぎてもだめなのです。

「熟成」論は、製鉄所時代に育んだものです。スラグ処理において、一定時間をかけてスラグの品質安定化をはかる。それを、「熟成」と呼んでいました。陶磁器産業においても、材料を寝かして安定化させる、品質の

「熟成」が重要です。

「熟成」は、果物においても重要なプロセスです。熟柿などにみられる老化と熟成のプロセスに注目し、その視点から人間の晩年をみつめる。晩年を機能面の老化と文化面の熟成プロセスとして捉え直し、文化的熟成に光をあてたのが、人間の「熟成」論です。

4.2.6 退職後にみる心境・視野・発想の変化 ―退職前との比較視点

Q20：退職後と退職前とでは、変わったものと変わらないものは何ですか？

R：最終講義（2019.1.11）は、生前葬に見立てて行いました。いつ死んでも悔いがないように生きたい、との思いからです。

定年退職後の立ち位置は、昔の「長老」によく似ているとみられます。退職後は、かつての現場から離れ、心身も少し身軽になり、第三者として俯瞰的に見ることができるようになります。専門的な知識やノウハウも身についていて、それを生かすこともできるでしょう。

一方、最前線に立ってフルスピードで走っているのが、現役の在職者です。当事者ゆえに割り切れず、多忙ゆえ立ち止まって考えることも億劫になりがち。そうした境遇の彼らを、第三者の視点から支援できるのが、定年退職者です。現代の長老といえるでしょう。

小生も定年退職後は、納得のいく仕事を大切にし、心身ともより自由な生き方、働き方を心がけています。他者実現支援への比重を高め、その手応えを自己実現に生かすように、務めています。

年金生活に入り、無償労働を軸にするも、無償労働ゆえの難しさも痛感しています。無償サービスの場合、参入・退出の障壁が低く、粘りと一途さに結びつきにくい。

無償サービスを旨とする働学研は、有償サービスの博士課程ゼミよりも、はるかに至難です。

4.2.7 「他者実現」と「自己実現」のダイナミズム

Q21：先生のオリジナル用語＝他者実現を思いつかれた経緯について教

えて頂けますか？

R：「他者実現」の視点は、研究・教育とりわけ社会人博士の育成活動に傾注し、現代産業論において捉え直すなかで、見出したものです。

退職後に博論指導の21年間を総括するなかで、理論化するに至ります。社会人への博論指導を通して、彼ら（＝他者）の自己実現をバックアップする。それこそ、他者実現に他ならない、とみたのです。この「他者実現」論は、本書でもオリジナルなものとして位置づけています。

しかし、出版後に気づいたのは、A.H. マズローの「自己超越」論です。マズローは、5段階の欲求階層の上に、「自己超越」という段階があると、後年に説いています。自己実現探求の深まりは、「求める欲求」から「与える欲求」へのシフト、「他者実現」への支援を促すのです。

より深い自己実現は、他者実現を通して可能になり、自己超越への道につながります。

5　サステナビリティと経営哲学をめぐる対話 ―質問（藤原）と応答（十名）

5.1　サステナビリティの経営と哲学

5.1.1 「経営哲学」講義で先駆的なモデルと思想を取り上げた理由は何か？

Q22：SBI大学院大学の講義の中で、ドラッカー、稲盛和夫、大野耐一、渋沢栄一、A. スミス、K. マルクス、F.W. テイラーという人物を取り上げられた理由についてお聞かせ頂けますか？

R：ドラッカー、稲盛和夫、大野耐一、渋沢栄一、A. スミス、K. マルクス、F.W. テイラー。

上記の7人を主に取り上げたのは、直感によるもの。苦肉の策ともいえます。

「経営哲学」は、筆者にとって新たな分野です。造詣も浅く素人に近い。半年～1年で講義資料をまとめることになるも、時間、力量のいずれも不足していました。

7回の講義（90分/回）では、導入、理論で各1回、最後の総括に1回で、残り4回は各論となります。代表的な経営（者）哲学にふさわしいモデルを取り上げる必要があります。

そこで、代表的なモデルとしてドラッカー、稲盛和夫、大野耐一、渋沢栄一を取り上げました。多少のなじみもあり、手が届きやすい等身大モデルとして、直感で選択したものです。彼らを論ずる上で、歴史的な比較視点から取り上げたのが、A. スミス、K. マルクス、F.W. テイラーなどです。

5.1.2 「脱成長コミュニズム」とは何か

Q23：「脱成長コミュニズム」とはどういう考え方なのか解説して頂けますか？

R：現代資本主義のもとでは、経済成長本位から抜け出すことは至難です。

コモンズとは、「社会的に人々に共有され、管理されるべき富のこと」。大資本主導、専門家まかせでなく、市民が民主的・水平的な共同管理に参加するものです。

その領域を拡張していくことで、資本主義の領域縮小を進めさらに超克をめざす。マルクスのコミュニズムも、そのような意味を含むとみられます。本来の潤沢さが回復されるにつれ、商品化された領域が減少し、それに伴いGDPも減っていく。それが、「脱成長コミュニズム」のシナリオとみられます。

5.1.3 マルクスにみる資本主義研究の歩み

Q24：私は、マルクス経済学を学んだことがないので、知らなかったのですが、資本主義を批判して社会主義、共産主義の提唱者であると誤解されていた気がします。むしろかなり資本主義の本質を未来予測まで含めて研究していた人のように思えますが？

R：マルクスは「資本主義の本質を未来予測まで含めて研究していた人」という理解は、正鵠を射ています。『資本論』は、資本の本質と運動法則を体系的に分析したもので、社会主義・共産主義の書ではありません。

未来予測の際、資本にみる無限の蓄積衝動と乱費が、環境、資源、社会、人間を呑み尽くすことに警鐘を鳴らし、人類の死活的課題としてポスト資本主義のあり方を示唆しています。

マルクスも、渋沢同様、青年期から晩年に至るまで何回か脱皮していきます。青年期の共産党宣言にみる社会変革の思想と理論は、時代を経て検証され深められていくのです。

5.1.4 「疎外からの回復を促すノウハウ」とは何か

Q25：「疎外からの回復を促すノウハウ」とはどういうことを指すのですか？

R：「ノウハウ・物質・エネルギー」における「ノウハウ」とは、科学、技術、芸術など知識・知性の全般を意味します。

現代資本主義のもとで、「ノウハウ」が人間本来の「生産力の発展」に利用されず、人間と自然の物質代謝の深刻な破壊などに使われています。自然・社会との疎外を促すノウハウと化しています。

それらに対峙し、環境破壊と格差社会の抑制と改善を図る知識・知恵・運動は、「疎外からの回復を促すノウハウ」といえましょう。

5.1.5 「開発」「成長」「発展」「持続可能」の関係を問う

Q26：「開発」はより良い状況、「成長」は数値の上昇に特化され、経済成長志向の「発展」は地球社会の危機をもたらしている、と指摘されています。“経済成長志向ではない”「発展」とは？　“持続可能な”「発展」ということなのでしょうが、“持続可能な” は、「続く」という概念はありますが、「発展」という概念ではない気がします。

“経済成長志向ではない”「発展」とはどういうものなのでしょうか？

R：「成長」そのものは、本来望ましいものです。問われているのは、量的側面に偏った捉え方です。人間の熟成にあたるような、質的な「成長」が求められています。質的な成長は、持続可能な「発展」への道を切り拓くでしょう。

持続可能な発展とは、人間と自然の物質代謝にみる種々の歪み（環境破壊や格差・貧困拡大）を是正し、本来的な循環・共生関係へと転じていく営みです。それを促す制度改革や技術開発がもたらす人間らしい生活や文化的な豊かさこそ、質的成長といえるでしょう。

5.1.6　20歳代の資源論から70歳代の経営哲学に至る問題意識とその系譜

Q27：「資源論」についてのこの鋭い洞察は先生の20代の時から始まったとお聞きしていますが、その時から今日に至るまでの問題意識はどういうところにあったのでしょうか？

R：この半世紀、資源論、技術論、鉄鋼産業論、現代産業論、働学研、経営哲学へとシフトしてきました。

資源論研究は、製鉄所で鉄鋼原料管理の仕事を通して、それを深めるべく進めたものです。20歳代に最も力を入れたテーマでもあります。技術論も、製鉄技術部門で技術や技能に触れるなか、触発されたものです。製鉄所の様々な部門、工場で働くことに目を向けた労働論、さらに経営論、それらを体系的に捉える鉄鋼産業論へ。やがて大学に転じてからは、地元の地場産業としての陶磁器産業研究へ、さらに全国各地の地域産業研究へ。そして、複数の産業の研究を媒介にし、それらを理論的につなげるなかで、ものづくり経済学、さらに現代産業論へ展開してきました。

それらは働学研の活動の系譜でもあり、自らの仕事と職場を研究対象とする等身大のアプローチに他なりません。

経営哲学も、講義を通して触発されまとめたもので、その1つといえるでしょう。

5.1.7　地球環境問題への対応をめぐる日本の立ち位置

Q28：地球環境危機に関する日本からの貢献は少ない気がしますが？

R：地球環境危機をめぐる日本の取り組みは、政治、経済、社会のいずれにおいても遅れが目立ちます。世界的な立ち位置における日本の独自性とは何か、が問われています。

日本にとっては、地の利を生かすことが大切だと思います。四方を海に囲まれ、本島と多くの島々に囲まれ、多くの山脈あり川あり平野があります。これは、まさに地球の縮図といえるでしょう。

治山治水の歴史と知恵を生かし、山・平野・海の保全と循環を促す海と森の環境国家として、世界に宣言し率先垂範していく。地球社会のあるべきモデルの創造こそ、日本でしかできない課題といえます。

5.1.8 「人をつなぐ」という富の機能を活かす道とは？

Q29：富に内在する「人をつなぐ」という機能を回復させる道・・・これはとても大切なことだと思いますが、どのような道があり得るのでしょうか？

R：困窮者・貧困者を孤立させない、地域・学校・職場・家庭における「学びあい助け合い」などは、「人をつなぐ」という富の機能といえます。

有償労働と無償労働（ボランティア活動）の相互補完を促す仕組みや文化づくりも、「人をつなぐ」役割を担っています。公的な富につながるコモンズも、その一翼を占めています。伝統的なコモンズの民主的再生、新たな文化的コモンズづくり、さらに両者の融合は、富を活用する道を切り拓くとみられます。

5.1.9 「等身大の視点」とは何か

Q30：ここで「等身大」の視点とは、どういうものなのでしょうか？

R：「等身大」とは、一般的には「人の身の丈と同じ大きさ」「自分の境遇や能力に見合っていること」（『広辞苑』）です。本書では、自らの五感で捉えられる範囲、と定義しています。自らの体験と思索、知識をふまえての意味も含まれています。

「等身大」の視点は、「型」論に基づいており、現代産業論においてもキーワードの1つにしています。自らの仕事や生活を研究対象にして取り組む、「働きつつ学び研究する」活動そのものが、「等身大」といえます。「経営哲学」のアプローチでも、それをふまえています。

5.1.10 経営哲学の新たな3層構造の提示とその背景

Q31：経営哲学の新たな3層構造を提示された背景をご教示頂けますか？

R：小笠原英司氏の経営哲学は、それまでの系譜を総括しわかりやすく提示されたものです。しかし、それでもなお難解です。

そこで、彼の経営哲学を3層構造として整理した上で、よりわかりやすい等身大の視点から捉え直したのが、本書で提示する経営哲学の新たな3層構造です。

経営現場で働く人たち（経営者、管理者、専門家など）が一目見てわかる形で提示したものです。

5.1.11　経営理念の2つの機能と3つ目追加の意味

Q32：3つ目の機能、正に③が大切なことだと共感させて頂きました！先生が③を加味された背景をご教示頂けますでしょうか？

R：経営理念の3つの機能とは、①本質思考に基づく独自性開発の機能、②動機づけによる生産性向上の機能、③社会的共感・貢献の機能、です。

今求められているSDGsやESGの経営は、③社会的共感・貢献を重視・追求する経営、とみることができます。③は、①、②とも深くつながっています。

①と②は、自己実現の領域とみられます。③は、他者実現の領域に入ります。

①と②を深めていくと、③の道に通じるとみられます。

5.2　渋沢栄一の経営哲学と日本資本主義像

5.2.1　渋沢栄一論を探求する理由は何か？

Q33：モデルとしてだけではなく、「渋沢学」のレベルに達するまで深く先生が渋沢栄一を研究される理由は何でしょうか？

R：本学紀要の特集テーマ「サステナビリティ」に沿って、「経営哲学」講義をまとめるなかで、その歴史的な具現者として、渋沢栄一に注目し捉え直したものです。「啐啄の機」に照らしていえば、「経営哲学」講義は、（内的ないわば）雛のつつきにあたります。特集テーマ「サステナビリティ」は、（外的ないわば）親鳥のつつきにあたるといえましょう。それゆえ、紀要論文は両者の協働（「阿吽の呼吸」）の賜物と感じています。

渋沢栄一研究は、入口に立った段階です。彼の人生・仕事哲学には、筆者とも相通じる面が少なくなく、惹きつけられます。青年期の「大きな志」を大切にしたこと、人生で数回脱皮したこと、得意と失意への処し方など。

渋沢栄一論は、他の偉人との比較研究を通して深まり、その魅力も増すと感じています。

5.2.2　士魂商才から道徳経済合一への流れ

Q34：先生が、「士魂商才」から「道徳経済合一」への流れを独自に明示されたきっかけは何だったのでしょうか？

R：武士の精神と商人の才覚を合わせもつのが、「士魂商才」です。

士魂は道徳へ、商才は経済へと広げ、両者を合わせもつ「道徳経済合一」へと展開したのが、渋沢栄一です。その流れは、誰でもすぐにわかることですが、誰も明示していないようです。本書が初かも、と感じています。

ここで重要なのは、士魂と商才は日本の伝統と深くつながっていることです。

行基・空海など宗教指導者の地域開発・経営、石田梅岩（勤勉・商人道）、二宮尊徳（報徳・地域経営）などにみられる勤労・勤勉・地域経営、の思想と政策へとつながっています。日本の伝統的な道徳経済合一の流れが、渋沢栄一の経営哲学に合流したといえるでしょう。

5.2.3　武士道と実業道

Q35：武士道から実業道への考え方は日本人にはピタっと来ますが、欧米人にもピタっと来るのでしょうか？

R：日本の武士道には、士魂だけでなく経営統治の伝統も含まれるとみられます。武田信玄や徳川家康などの治山治水、織田信長や豊臣秀吉などの築城とまちづくり等々。

治山治水や築城、まちづくりなどの技術と技能は、武士階級の統治者にとっても重要な機能でした。実業道の一部は、武士道の土台をなす、とみることができます。

それらの技術と技能は、欧州や中国・朝鮮などでは軽視され、奴隷や庶民のなすべきこととされていました。

騎士道と武士道は、同じとはいえず、むしろその内実は異なる面も少なくないとみられます。

5.2.4 「大きな志」と「小さな志」の関係

Q36：志は大きければ良いと誤解しておりました。先生は、大きな志と小さな志との関係はどうあるべきとお考えでしょうか？

R：人生には、「大きな志」が必要ですが、それを貫き実現していく上で、その折々の「小さな志」も欠かせません。両者は、人生の中長期ビジョンとその折々の目標・実行計画に例えることができるでしょう。いずれも欠かせないとみられます。

「大きな志」は、人生の幹にあたります。大きければ大きいほど良いのですが、地に足を付ける、身の丈に合わせるという視点も大切です。絵に描いた餅にならないためにも。

また、「大きな志」を成し遂げていくには、その折々の「小さな志」も大切です。「小さな志」は、枝葉にあたります。途上で直面する諸課題をこなし、「大きな志」に栄養を与え、より確かなものにしていくものです。

5.2.5 「大きな志」とわが人生

Q37：先生の最初の大きな志はいつ？どんな志だったのでしょうか？

R：「働きつつ学び研究する」理念と生き方を提示したのは、製鉄所での3年目、25歳の時です。日々の仕事に埋没して自分を見失わないため、経済学を研究していきたい。切なる心の叫びであり、決意表明でした。

凡庸極まりない小生にとっても、「働きつつ学び研究する」活動を提唱した25歳の「誓い」は、「大きな志」にあたると感じています。それを、半世紀にわたり続けてこれたのは、奇跡に近いと感じています。それが出来たのは、多くの方の助言や激励などの支援のおかげです。また、わが凡才にもフィットしたものであったのでしょう。

仕事（&職場、産業）を研究対象とし、働きながら学び研究することは、自らの足元を深掘りすることで、等身大の志といえます。しかし、思想的、理論的には、学術界、実業界にとって革命的な思想であり異端でした。等身大の志がもった時代を切り拓く思想的意義にあらためて注目したい。

それを地道に粘り強く半世紀にわたって続けるなか、研究・仕事人生を貫く「大きな志」であったことに、あらためた気づかされた次第です。等身大の挑戦と棚卸しの賜物といえましょう。

自らの仕事や人生を棚卸し（総括）することの意味は、何でしょうか。追想や考察を通して、これまでの人生を生き直すことでもあります。新たな光をあてることにより、再発見することも少なくないでしょう。

5.2.6　渋沢栄一の経済思想にみる「強民富国」と現代の課題

Q38：渋沢栄一の経済思想は、一言でいうと「強民富国」であると指摘されていますが、今日の日本はそうなっていると思われますか？

R：渋沢栄一の「強民富国」は、民衆を軸とする民主主義の経済思想といえます。

「民」の経済力、知力を強くし、官の言いなりにならない民を育てる。自主性と気概を持って経営、仕事に取り組む人材と組織を育てる。渋沢が、その育成の場とみたのが、株式会社です。

現代日本社会における経済格差・貧困の深刻化は、「弱民」化に他なりません。巨大資本本位、経営の官僚化、株主資本主義のもとで、株式会社も大きく変質し、本来的機能を果たしえていません。

働学研は、仕事・研究交流を通して各分野の知的リーダー、率先者いわば「強民」づくりを担っています。本学および藤原学長も、思いを共有する同志といえます。

5.2.7　渋沢栄一の労使協調論にみる先駆性と現代日本への示唆

Q39：十名先生は渋沢栄一の労使協調における先見性はどこにあり、現代に照合すると、法制化など、どうあるべきとお考えでしょうか？

R：渋沢栄一の労使協調論は、「労使は基本的に立場を異にするという二元論」に基づく「労使対等の協調主義」を軸にしています。その先駆性は、今日的意義をもつとみられます。

それは、現代日本において半世紀にわたる経営主導の労使関係（「労使協調」）とは異質なもので、対照的といえます。

戦後日本の大企業では、ストライキ・団交を拒否し労使協議制へと向かい、大企業労組の無力化、労使協議制の恣意化・形骸化が図られてきました。

それは、現代日本企業にみる「労使関係への慢心」といえましょう。労使協議制など経営の恣意に委ねてどうにでもなる！　その慢心こそ、日本企業さらには日本の衰退をもたらしている深部の要因とみられます。

なぜなら、「人こそ資源」だから。それは、かつての日本のスローガンであったはずです。

その資源を生かすのは、「労使対等の協調主義」であり、対等・自由・信頼・相互扶助の中で育まれ発揮されます。

労使協議制の法制化のもつインパクトは、大きなものがあるとみられます。

5.3　サステナビリティへの新たな視座と 21 世紀課題（第 9 章）

5.3.1　知の 3 巨人（スミス、マルクス、渋沢栄一）に光をあてる 21 世紀的意義は何か？

Q40：スミス、マルクス、渋沢栄一という知の 3 巨人を 21 世紀的課題の視点から比較し、新たな視座を学ぼうとされた理由は何でしょうか？

R：渋沢栄一を研究するなか、A. スミス、K. マルクスとの深い関係に気づきました。

スミスと渋沢は、人間観、社会観に共通性がみられます。資本主義生成期における市場、小経営、資本のもつダイナミズムを体感したこと。道徳と経済の両立の思想、徳と志にみる深い共鳴など。

渋沢栄一は、資本主義の発展がもたらす種々の弊害に胸を痛め、その解決に取り組みました。社会福祉事業、労使関係など。その側面は、資本主義の本質と運動法則を解明しポスト資本主義を構想したマルクスと課題を共有しているといえます。

そのことに気づき、3者の比較考察を通して、21世紀日本の処方箋を汲み出す知恵を得ようとしたのです。

スミス、マルクス、渋沢栄一という知の3巨人の比較考察と対話は、拙著のオリジナルとみられます。

渋沢栄一をどのように位置づけ、評価するかが問われています。経営戦略家とみる見方もあり、経営思想家としての評価に驚かれる社会人や研究者もおられます。

渋沢栄一の経営思想、経営哲学を、日本における近世・近代の経営思想、経営哲学の歴史的到達点として捉え直すことが大切ではないかと感じています。石田梅岩、二宮尊徳などの勤労・地域経営などを継承し、欧米の資本主義思想との創造的な結合を図ったという視点です。

それは、スミスやマルクスの経済思想と並ぶ近代日本の経営思想の到達点に他なりません。世界に誇るべき日本の知的資産、古典であり、21世紀の日本の再生に欠かせない知恵や処方箋が詰まっていると感じています。

5.3.2　A.スミスの「見えざる手」と渋沢栄一の「人間の見える手」はどう関係するか？

Q41：スミスの「見えざる手」と渋沢栄一の「人間の見える手」はどう関係するのでしょうか？

R：スミスの「見えざる手」は「他者への共感」にあり、胸中の「公平な観察者」は社会の合理性につながるとみています。

渋沢の「人間の見える手」は、「世間の信任」と自らの倫理コードに基づいており、社会の合理性とつながっています。

渋沢にみる世間の信任と倫理、スミスにみる他者への共感と公平は、「見える」・「見えざる」を超えて深くつながり相互に補完し合い、社会と経済の合理性を支える絆になっているとみられます。

5.3.3　スミスと渋沢の「道徳と経済の関係」にみる共通性と相違性

Q42：スミスと渋沢栄一の道徳と経済の関係についての共通点と相違点

は、一言で言うと何でしょうか？

R：A. スミスの体系は、モラル、政治・法、経済の３つの世界に基づいています。仁愛、正義、慎慮の３つの徳において、大黒柱は「正義の徳」であり、「仁愛の徳」は室内装飾にあたります。

一方、渋沢栄一の「志」においては、大黒柱は「大きな志」であり、「小さな志」は飾りにあたります。

スミスは「徳への道と富への道」の両立を説き、渋沢栄一は道徳経済合一、義利両全を説いています。

両者を比較すると、スミスにみる「徳への道と富への道」の両立は、渋沢にみる「道徳経済合一」に相当します。

スミスにあっては正義が仁愛に優先します。渋沢にあっては、民が栄えての国であり、「公」は「私」に優先します。

スミスの「共感」「公平」、渋沢の「信任」「倫理」は、かなり近い関係にあるとみられます。

5.3.4 「新しい資本主義」とは何か？

Q43：岸田総理が「新しい資本主義」とおっしゃっておられますが、十名先生から見てどのような新しい資本主義が考えられるのでしょうか？

R：「成長」とは何か、「分配」とは何か。原点に立ち返り、問い直し定義し直すことが、出発点になるでしょう。「新しい資本主義」とは何かについても、問い直し、掘り下げ、定義し直す必要があります。一見、迂遠に見えますが、確かな道、知的資産としても未来につながる道とみられます。

「新しい資本主義」の提唱は、大切なことです。そのためにも、まずはまともな資本主義にすることです。労使協議制の法制化は前段階としてなすべきことだと思います。欧州資本主義に比べて、日本資本主義は社会的には半世紀以上遅れているとみられます。それに正面から向き合い、謙虚に反省し、改革の第一歩を踏み出す。

それが、日本流「新しい資本主義」への第一歩になるでしょう。総理が英断を下し、労使協議制の法制化を実現すれば、それだけで後世に残る輝く業績となるでしょう。

「新しい資本主義」は、「自助・共助・公助」の協働とバランスが大切です。学びあい助け合い育ちあう地域、社会づくりが基本になります。

「新しい資本主義」は、渋沢栄一が追求した大衆資本主義さらに福祉資本主義とつながるはず。自助をふまえつつも共助・公助を育んでいく社会経済づくりが求められています。

「自助・共助・公助」は、上杉鷹山の「自助・共助・扶助（公助）」が原点とみられます。防災対策の3要素となるなど、日々の生活においても欠かせない3要素となっています。

自助は基本ですが、それを強調し一方的に追求してきたのが、半世紀にわたる新自由主義です。その思想・政策・文化は、人々を孤立・分断させてきました。

「自助・共助・公助」の本来像と精神は、21世紀日本の再生に欠かせないでしょう。

5.3.5　ドラッカーとマルクスに何を学ぶか？

Q44：20世紀の二大思想家にドラッカーとマルクスをあげる人が多いのでお聞きしますが、ソ連崩壊、ベルリンの壁崩壊後に、この2人から学べることはどんなことがあるのでしょうか？

R：社会主義体制の崩壊は、マルクス主義という権威の堤防の決壊を意味したとみられます。マルクス経済学のみならず、マルクス主義の衰退へと一気に転じました。

そして、近代経済学が主流になり、新自由主義の経済学や思想が先導役となって、情報通信技術を駆使する金融資本が、緩められた法・規制の網をくぐり、自在にグローバル展開する時代が到来したのです。爾来現在に至る30年余は、地球環境と格差・分断が極限的に深刻化するプロセスでもありました。

その反省が、経済界もふくめ地球的規模で巻き起こっているのが、現在といえます。その反省は、資本主義の本質と運動を解明した『資本論』の再評価にもつながっているとみられます。

ドラッカーとマルクスは、20世紀にもっとも影響を与えた2大思想家といわれています。

マルクス『資本論』は、資本主義を根底から問い直し、資本の本質と総運動を解明しています。マルクスは資本の本質と運動法則を発見し、ドラッカーはマネジメントを発見するも、2大思想家をめぐる評価は、時代とともに変容がみられます。

ドラッカーは、『資本論』を社会主義革命の書とみなし、マルクス＝マルクス主義＝ナチズムとみなして批判しています。社会主義体制崩壊を機に、マルクス主義の権威が失墜するなか、マルクス批判が世界的にみられました。

マルクスへの批判は数多くみられますが、ドラッカーへの批判が少ないのは、現代における「知性の貧困」といえるかもしれません。

ドラッカーの経営理論、経営哲学を信奉する経営者、勤労者は、日本でも数多くみられます。ベルリンの壁が崩壊するずっと前から、マルクスを大きく上回っていたとみられます。小生自身、彼の魅力の虜になっているひとりといえましょう。

ビジネスの世界では圧倒的な評価・支持を受けるも、経営学者（アカデミズム）の世界では軽視される傾向がみられました。規範論としての評価は高いものの、（脱規範の）科学論としては評価が分かれるようです。

ドラッカーの理論と哲学には、自由主義への信奉、共産主義への批判・拒絶はあっても、資本主義の本質への洞察と警戒はかなり弱いとみられます。

なぜ、ドラッカーの経営理論は、地球環境破壊やグローバルな貧困・格差を食い止められなかったのか。むしろ、金融資本主義さらには新自由主義の露払いとなり先導役になったとみることもできるでしょう。それはなぜか。

マルクスが存命なら、次のように評価するかもしれません。ドラッカーは、新自由主義が闊歩するなか、ICT革命と連動しながら資本の水先案内人として機能し、グローバル金融資本の支配と格差拡大・環境破壊を地球規模で深刻化させる一役を担った、と。

ドラッカー理論には、知識・情報・科学・組織とは何かの、根底的な「問いかけ」が弱い。資本の機能性追求に特化し、マイナス（社会性）側面の軽視などもみられます。

ドラッカーの経営哲学には、資本とは何かという本質的な問い、いわば資本の哲学が抜け落ちているといえましょう。マルクスを拒否し『資本論』から学ばなかったことが、資本の本質を見抜けなかったことにつながったとみられます。

それは、現代人類の大きな不幸といわねばなりません。学ぶこと、学びあうことの大切さを痛感する次第です。

5.3.6　21世紀のコモンズとは何か？

Q45：最後に、私も関わっているデジタル政策に誰一人として取り残されないデジタル社会を実現するためのデータ駆動社会の基本概念としてDFFT（Data Free Flow with Trust）が定着しつつありますが、現代の「コモンズ」とは何なのでしょうか？

R：現代におけるコモンズとは何か、どのような倫理とルールが必要なのか、信頼と相互扶助を促す文化と制度とは何か、が問われています。

コモンズとは、「社会的に人々に共有され、管理されるべき富のこと」。

伝統的コモンズ（入会地など）では、地域資源の共有と享受が図られてきました。

「コモンズの悲劇」は、共有地モラルの劣化が乱獲を招くなかで起こったものです。共有地の保全と活用の両立が課題として提示されています。

一方、新しいコモン思想と文化コモンズ（情報プラットフォームも含まれる）が登場しています。情報通信に関わる種々のプラットフォームは、情報コモンズとしての側面を有していますが、巨大IT資本の支配下にあって自由・平等・公正などが絶えず脅かされています。それらを、「公」の領域として整備することも、重要な課題となっています。

いずれのコモンズにおいても、大資本主導、専門家まかせから、市民による民主的・水平的な共同管理へシフトすることが求められています。

さらに、伝統コモンズと文化コモンズの創造的・民主的融合が課題となっています。

6　公開対談へのコメントと課題

6.1　公開対談の時間配分と反省

公開対談において、一番心配していたのは、時間的な制約である。187スライドにわたるパワーポイント資料、105項目に及ぶ紹介・質問、そして質問へのリプライを、90分でこなせるのか。

公開対談に入ると、この心配は現実化する。第1部と第2部を一部省略しながら何とか済ませた時点で、すでに60分をオーバーしている。第3部は、第1部と第2部を合わせた分量である。第3部は、半分近くを省略せざるを得なかった。

対談に入る前と終了後のアナウンス（総合司会、5分ずつ計10分）も、90分には織り込まれていなかった。

結局、対談時間は（当初の90分が105分へと）15分の延長となる。それでも、参加者のほとんどは最後までご参加いただき、名残を惜しむ風情も漂うなか、幕を閉じる。

6.2　参加者の感想・コメントにみる手応えと課題

藤原学長との二人三脚の公開対談は、SBI大学院大学としても初の挑戦とのこと。何とかやり遂げたことへの安ど感と深い感謝の念が沸き起こる。

一方、準備した105項目の紹介・質問＆リプライは、時間的な制約からかなり割愛せざるを得なかった。それに伴う不完全燃焼感もある。参加者がそれらをどう感じ評価されたのか、気がかりでもあった。

そうした心配を吹き飛ばしてくれたのが、終了後にいただいた電子メールでのコメントである。そのうちの2本を紹介したい。

「入念な準備の下で行われた対談、90分超、引き込まれました。「十名ワールド」が対談の中で余すところなく展開され、また、簡潔明瞭な十名先生のリプライはわかりやすく、練られた回答でありました。

藤原学長は、理科系・工学系・総資本側の人間として、十名先生と対極的な立ち位置におられる方と思われますが、その質問の設定は本質的な部分に切り込まれており、十名先生の従来の論考を浮き彫りにする効果があったと思います。このような魅力的な対談をお聞きするのは初めてのことでありました。

マルクスの現代的意義や新しい資本主義に関する考え方など、改めて学ぶことが多々ございました。参加させていただき本当にありがとうございました。」(熊坂敏彦　2020.5.7)

「学長のご質問と、十名さんのご回答。正確で、的確、また、創意に溢れていて感動しました。学長は、情報学の専門家に相応しく、組織論を基軸として展開されていましたが、これに対して、十名さんは現代産業論で応答され、現代経営哲学の核心に迫る討論内容。

対話の創造性に対しまして、深い感動を覚えました。これから、経営哲学を学ぼうとする各位にとりましても、貴重なご示唆を残されたと思います。

十名さんは、現場を基礎とした鉄鋼産業研究を通じて、現代産業における「フレキシビリティの本質が当面の利益のために、生産を担う人々の人間性を犠牲にしており、これによって、永続的な組織体としての経営理念・経営実態を喪失している」こと。

また、十名さんの第二の人生を通じて、このような現状を改革するには、通常は下請けなどの位置に落とされているが、本来は、「自立した産業としての職人型産業こそが、人間性を尊重しつつ、永続的な組織体としての本質を体現している」とのご発見。

それを基礎とした、空間論としての「まちづくり」への展望。

これらの基礎を踏まえた上での、「道徳・経済合一論」でしたから、非常に、説得力がありました。このような機会をご提供いただいた学長に、心からの敬意を表します。」(池上　惇　2020.5.8)

6.3　アンケートから浮かび上がる参加者の思いと眼差し

募集を初めて数日で、「先着100名」が満杯となる。開催は1か月後、ゴールデンウィーク期間中のこともあり、参加者は73名と期待値より低めである。しかし、熱心な参加者が多く、ほとんどが最後まで参加された。100分にわたり、対談時間を共有できたことが、何よりも有り難い。

アンケートへの回答は51名で、回答率は70%に及んでいる。

参加理由については、回答者全員が「対談内容に興味があった」(51名、100%)とし、「講師に興味があった」(25名、49%)も半数に上る。

感想については、「大変興味深かった」34名(67%)、「興味深かった」14名(27%)で、合わせると「興味深かった」は94%に上る。

個々のコメントにも、A「質疑応答の妙」、B「論点・視点の面白さ」など高い評価、熱い反応、がみられる。その一部を紹介したい。

まず、A「質疑応答の妙」について。「最高に素晴らしい対談でした。十名先生のご慧眼に感服・感銘の至りです。藤原学長の質問も実に的確でした」。「ICTの権威である藤原先生と経営哲学の十名先生の異なる視点が大変興味深かったです」。「藤原学長の質問ポイントの広さ深さが書籍の言いたい事を大変よく表していると感じた」等。

次に、B「論点・視点の面白さ」について。「「ICTとは資本主義の酸素」という説に興味あり。生産力至上主義と「無限の自然」仮説について特にGDP数値には負の側面すなわちマイナスもプラスに加算される。労使関係、などなど、盛り多く十名先生の説を拝聴しました。」

「現代の資本主義が抱えている問題点の本質を明確にご教示頂き、新たに気付いた部分と、日頃感じていた事が言語化される痛快さの両方を受け取りました。」

「政策論、経営論、個人の生き方にまで通じる実に刺激的な対話を誠にありがとうございました。自身も研さんを積んで参ります。」等。

一方、対談時間が「足りなかった」という回答も55%を占め、「内容の絞りと掘り下げ」なども提案されている。

7　おわりに

公開対談は、①ポイント紹介、②質問、③応答の３つの柱から構成される。その基軸をなすのが、②質問である。メール対話を公開対談へと飛翔させたのも、105 点に及ぶ「質問」に他ならない。

本質を突いた的確な質問が、同書でクローズアップしたい著者の勘所を見事に引き出す。質問とリプライの掛け合わせの妙が、本書を超えて新たな世界を紡ぎ出しているといえよう。

なお、対談での「リプライ」は、「当意即妙」を心がけたものである。それゆえ、じっくりと深掘りできていないという限界も合わせ持つ。突っ込み出すときりがないほどの論点を内包している、と感じている。

本章では、①ポイント紹介はすべて割愛し、105 項目に及ぶ②質問＆③応答も 45 項目に絞っている。その他の 60 項目は、紹介したいものも少なくないが、紙数の制約から割愛せざるを得なかった。別の機会に、新たな視点から掬い上げることができればと思っている。

＜付記＞

このような珠玉の機会を与えていただいた藤原洋学長およびＳＢＩ大学院大学関係者各位に、心よりお礼申し上げたい。

第5章

中世・近代日本の謎に切り込むフリーメイソン論

― 山根幸三『フリーメイソンと日本』の書評を通して ―

1 はじめに

著者の外山晴一氏（ペンネーム：山根幸三）は、1970年に京都大学経済学部卒、池上ゼミの1年先輩である。ゼミのリーダー、自由・民主・平等に燃える論客だった。

若くして家業の金物卸問屋を引き継ぎ、今では園芸、レジャー用品、住宅機器の問屋と製造工場、自社製品の販売会社、建築施工メンテナンス会社などからなる外山産業グループに発展している。地元でも有数の企業グループを率い経営トップとして激務にありながら、地元同人誌の『越後文学』に同人として寄稿されるなど、研究と執筆を続けられてこられた。

同書は、そうした「働きつつ学び研究する」活動の結晶とみられる。地元のロータリークラブでの講演や反響を機に文章化され、『越後文学』への20回を超える寄稿文を編集されたのが、本書である。

掌編小説は『越後文学』の2008年5月号からの4回分、本文は2017年5月号～2021年8月号の18回分からなる。最後の「解説（池上惇）」も味わい深い。第2版では、さらに洗練化され、魅力が増している。

同書の書評会は、2/18第42回働学研の第2部として開催された。本書評は、そこでの発表＆議論をふまえ、まとめたものである。

2 『フリーメイソンと日本』の構成

同書の第2版（2023年2月）は、はじめに、序章、2部6章（18節）、掌編小説、解説、あとがき、から構成される。初版に比して、構成が一新されている。

初版（2022年10月）では、「序章、2部6章」を構成する19項目が、小見出しのまま横一直線に並んでいた。論旨そのものは、分かりやすく面白い。しかし、構成としてみると混然一体の感もあり、本文の良さが生かしきれていないように感じられた。

2/18月の書評会を準備する際、第2版の話もお聞きし、折角の機会ゆえ本の構成（目次）を見直すように勧めた。そして19項目が、序章､2部・6章・18節へと衣替えしたのが、下記の目次である。本としての骨組みが明確になり、論旨がよりわかりやすくなり、読みやすくなっている。

＜目　次＞

3　本書の概要とポイント

「フリーメイソン」（free-mason：自由な石工）は、聞きなれない言葉である。評者も同書で初めて知る。古代・中世では石工職人のギルドを指し、近代ではブルジョア革命の担い手の秘密結社のことである。近代フリーメイソンは、つくる際に古代フリーメイソンの秘密主義と組織内の固い団結・自由・平等を真似て、名前もフリーメイソンとしたが、両者は全く関係ない。

日本の戦国時代、明治維新、さらに日本資本主義成立に大きな影響を及ぼし、現代の日本社会にも深く関わっている。「フリーメイソン」論の視点から、日本の政治経済変革期の謎に迫り深部を切りさばく筆致は、実に読み応えがある。

まえがきは、同書の作成と出版の由来を示す。著者の小説的推論をベースに、2008年、2017年～2021年にかけ『越後文学』に寄稿した作品が基になっている。

序章は、明治5年の鉄道開設、そして近代化をリードした「お雇い外国人」の一挙来日の不思議と謎に光をあてる。実に興味津々の出だしである。

第1部は、1～2章から成る。第1章では欧米における、古代フリーメイソンと近代フリーメイソンの成り立ち、第2章は米国および欧州における近代フリーメイソンの変遷が、描かれている。

第2部は、3～6章からなり、本書のメイン・ディッシュにあたる。フリーメイソンの視点から、日本の中世から近世、近代へと至るプロセスを分析したものである。

第3章は、戦国時代における日本の石工と築城石垣に注目する。安土城の画期性とカトリック宣教師が果たした技術的役割の考察が興味深い。

第4章は、江戸時代の幕末、ペリー来航を機に近代フリーメイソンとの正面からの出会い、欧米列強のフリーメイソンが次々と来日し、日本を植民地化しようとする種々の画策、国内の激動をあぶりだす。

第5章は、幕末から明治維新期における日本を取り巻く内外情勢をふまえ、フリーメイソンが与えた影響を俯瞰する。とりわけ、徳川慶喜が果たした画期的役割に光をあて、「明治維新の功労者で、そのシナリオライター」と評価する。

第6章は、戦前および戦後日本におけるフリーメイソンが果たした役割を明らかにする。渋沢栄一の福祉事業や人道主義的行動に、フリーメイソン思想の影響を読み取る。戦後においても、GHQによる日本の占領政策では、フリーメイソンが憲法草案などをリードしたことに注目する。

掌編小説は、米国の鉱山技師ベンジャミン・スミス・ライマンをモデルして、来日後の学校教育、地質調査、夕張炭鉱の発見、新潟での石油探索などの活動を取り上げ、日本人女性との悲恋を軸に小説風に描いたものである。

解説（池上惇）は、近代化をめぐる2つの道の視点から、本書の意義を俯瞰し、明治維新の再評価に光をあてる。帝国主義と植民地政策の先導役、平和と人道主義の担い手というフリーメイソンがもつ二面性は、日本近代化の2つの道にもつながる。地租改正による重税を軸とする帝国主義への道に、人道主義を活かす尊徳仕法を対置する。

あとがきは、著者の半世紀、その仕事、経営、研究、社会活動を紹介し、同書の成り立ちを明らかにする。非人道的な帝国主義的思想と人道主義的思想の両面から、近代フリーメイソンの思想と活動を総括している。

4　同書の特徴と成果

4.1　フリーメイソン視点から中世日本の社会経済の歴史的変容をグローバルに描く

同書は、読み物としても面白いが、社会科学的な分析と推論が魅力的である。後者に注目してコメントしたい。

1つは、古代フリーメイソンの原義をふまえつつ多様な側面に光をあて、欧米と日本の東西視点から日本の社会・経済・文化の歴史的変容をグローバルに描き出したことである。

「フリーメイソン」の「フリー」の原義は、社会的および組織的な両面からの自由を意味する。社会的には、移動の自由、納税免除をはじめ、権力者から与えられていたさまざまな特権による「自由」である。石工の集団組織においても、身分や人種、宗教による差別から自由で、自ら体得した知識・技能で渡り合うことができた。自由な境遇にあった石工を「自由な（free）石工（mason）」、つまり「フリーメイソン（free-mason）」というようになった。権力に庇護された「自由」、社会的特権を守るために秘密結社を組織し、欧州を股にかけて活動する。

石工のギルドに基づく古代フリーメイソン。自由・平等・友愛を掲げ秘密結社をつくりブルジョワ革命をめざす近代フリーメイソン。本書は、両者を区別した上で、フリーメイソンの歴史的変遷を欧米および日本にまたがるグローバルな視点から描き出す。

戦国時代における築城石垣技術の飛躍的発展、そこにフリーメイソンとしての宣教師が果たした役割（日本の石工に技術や知識を伝授）の考察は、実に興味深い。

フランシスコ・ザビエルをはじめ当時の一流の宣教師が中世の日本に来たのは、イエズス会の命令によるが、そこに古代フリーメイソンの組織が大きく関与しているという。来日の宣教師や日本のキリシタンたちは、その後、厳しい試練、豊臣秀吉の追放令さらには徳川政権の禁教・弾圧余儀なくされる。

中世のイエズス会と来日宣教師、迫害と隠れキリシタンをめぐっては、濱田信夫 [2022.12]『迫害された宗教的マイノリティの歴史―隠れユダヤ教徒と隠れキリシタン』（芙蓉書房）も東西文明の視点から論究しており、両書の比較分析が待たれる。

4.2　近代フリーメイソンの視点から明治維新および日本資本主義成立の謎に切り込む

2つは、明治維新および日本資本主義成立の謎に、近代フリーメイソン論という新たな視座から切り込み、これまでにない多様な諸相を描き出したことである。

明治維新は不思議なことだらけと言って、この不思議にフリーメイソンの視点から切り込んでいる。

「鉄道だけでなく…兵制、税制、学制、郵便、医療はじめ、ありとあらゆる近代的な国家システムが、堰を切ったように一挙に作られている。これらの近代化は、欧米から多くの「お雇い外国人」によってなされた。明治になってすぐに数千人、明治30年頃までには1万人近い「お雇い外国人」が来ている」。この手際のよい招聘の背景には、フリーメイソンの組織があったという推論が、本書のテーマとなっている。

4.3　半世紀の経営を通して熟成された若き情熱と研究心

3つは、自由・平等・民主・友愛に燃えた学生時代の情熱が、半世紀にわたる経営と研究を通して熟成され、深い味わいを醸し出していることである。

それは、フリーメイソンへの複眼的な評価に結実している。封建制度を倒すというフリーメイソンの思想は、非人道的な帝国主義的思想と人道主義的思想の2つに分岐し、複雑な展開を見せるのである。この点を明示したことは、貴重である。

5　本書をめぐる論点と課題

5.1　日本資本主義の近代化をめぐる2つの道

同書は、歴史的な仮説や推論を提示し、日本の社会・経済・政治の歴史的画期に大胆に切り込む労作であるが。検討すべき論点も少なくない。

1つは、明治維新を起点とする資本主義の成立、近代化をめぐる2つの道についてである。2つの道を提示したことは、本書の成果であるが、それに伴う論点も浮かび上がらせている。

第1の道は、明治新政府が推進した道、植民地化を避けるため富国強兵を図った道である。国家主導で産業革命を起こし、近代化を進め、地租改正により重税を課し、巨大地主と小作人への分岐、産業予備軍の創出、資本主義の育成を図り、軍事国家への道をひた走った。

明治6（1983）年の地租改正は、不作でも土地の所有面積に税がかかるなど、農民には幕府時代よりひどい税制で、国民皆兵も課した。多大なる国民の犠牲のもと、明治政府は外国からのすべての借金を返済し、植民地化を避け、国家としての自立を果たす。しかし、欧米列強に対抗しての軍国主義、帝国主義化のさらなる推進は、日本資本主義と国家の壊滅的な破たんを余儀なくさせる。

第2の道は、お雇い外国人の多くが持っていた「国際主義や自由、平等、人権などのフリーメイソン思想」に学び、それを採り入れた日本資本主義づくりである。それを推進した1人が、渋沢栄一である。渋沢は、民の財と知性を富ます「強民富国」を掲げ、産業・企業の育成を進めるとともに、福祉と教育事業にも力を注ぎ、公益資本主義の育成にも尽力した。しかし、財閥資本主義、帝国主義への道を止めることはできず、日本資本主義の行く末を案じつつ、満州事変勃発の1931年、91歳の生涯を閉じる（十名直喜[2022.1]『サステナビリティの経営哲学―渋沢栄一に学ぶ』社会評論社）。

「解説（池上惇）」は、二宮尊徳の仕法を活かすという道もあったことを示唆する。地租改正に基づく重税・富国強兵の道に対抗するもう1つの道である。「フリーメイソンの真の姿を明治維新の際に、もしも発見できたとすれば」という「if」の形で問いかけている。それは、本書に通底する歴史のロマンとしての未来への問いかけといえよう。

歴史には、いくつかの重大な岐路がある。「もし…ならば」の「if」に、社会科学的にメスを入れることは、理論や政策のシミュレーションとしても重要とみられる。

5.2　徳川慶喜の歴史的評価と渋沢栄一

2つは、徳川慶喜の歴史的評価についてである。慶喜の果たした役割とは何か、どこまでを彼の功績とみなすのか、が問われよう。

「明治維新の最大の功労者で、そのシナリオライターは徳川慶喜」、「慶喜が…維新前から近代日本の青図を描き、人材招聘の準備をしていた」という。

「幕藩体制を廃して、天皇親政の近代日本をつくらないと欧米の植民地になると危惧していた」慶喜が、恭順に徹したために、内戦の拡大と長期化による国の分裂・混乱は抑えられた。植民地化される危機を防いだ最大の功労者といえよう。

お雇い外国人が、明治維新になるや一気にやってきたのも、慶喜の周到なお膳立てによるところが大きいとみられる。しかし、「実行した」のは新政府および在野の多くの人たちである。

「日本資本主義の父」と言われる渋沢栄一も、その1人である。渋沢栄一をこのような逸材に育て上げた人こそ、慶喜である。慶喜の引き立てにより、一橋家の藩財政を担当して当時最先端の大阪で学んだこと、さらにパリ万博へ随行し欧州の見聞に接したことが、渋沢の才能を花開かせたのである。慶喜なくして、渋沢が歴史に登場することはなかったし、日本資本主義のまともな成立も難しかったといえよう。

5.3 「推論」にみる物語性と科学性

3つは、同書の成り立ちと創作手法としての「推論」についてである。同書は、「小説的推論」によるとされる。補論に位置する「掌編小説　お雇い外国人」は、小説そのものである。ただ、同書をフィクションとして片づけるには、あまりにも惜しい。

本論をなす序章〜第2部は、小説的推論にとどまらず社会科学的推論も随所に織り込まれ、大胆な仮説が提示され、論理的な考察（いわば検証）もなされている。

資料の不足を、鋭い問題意識や創意的なアプローチ、半世紀にわたる経営体験や洞察力で補い、歴史の謎や闇に切り込む分析は、極めて興味深いものがある。

ただ、どこまでが先行研究や既存の資料によるもので、どこが同書のオリジナルな分析なのかは、定かとはいえない。適宜、脚注がほしいところである。それが、社会科学的な検証の一助となり説得性を高めることにつながるであろう。

参考文献として、10冊の本を挙げられている。確かな文献はないとされるが、文献解題を付し、同書との関係を示しておくと、よりわかりやすくなり、同書の魅力と説得性も増したのでは、と推察される。

4つは、著者名がペンネームという点についてである。ライフワーク出版ゆえ、少し惜しい気持ちも禁じえない。「同人誌の関係上、ペンネームを使う慣例になっていた」とのこと。ペンネームには様々な事情や思いが込められているとみられる。

「フリーメイソン」論の斬新な視点から、戦国時代、明治維新、日本資本主義成立など日本の変革期の謎に迫り深部を切りさばく筆致は実に読み応えがある。ぜひご一読願いたい。

第6章
挑戦と思いやりが育んだ企業社会論の新地平
—森岡孝二の到達点と課題—

1　はじめに

森岡孝二（以下、敬称略）は、第1級の精力的な社会活動家にして第1級の優れた研究者、まさに両面を兼ね備えて類まれな研究教育者であった。むしろ両者のダイナミックな融合を図ってきた人という方がいいのかもしれない。社会活動での信頼とネットワークが調査・研究にプラスされ、また研究の成果や洞察力が社会活動にもフィードバックされ、社会活動をリードし押し上げていく。社会活動と研究の好循環が実現していた。

冊子『森岡孝二の描いた未来』には、百名を超える人たちが追悼文を寄せている。社会活動に関わる人たちが、全体の2/3近くを占める。政治家、弁護士、新聞社、出版社、社会団体、学会、研究会など多岐にわたる。みずからを社会活動家と呼んだ面目躍如たるものがある[*138]。

企業社会研究と社会運動を一体化した森岡の研究業績と生き様を、筆者に評論できるのか。その資格や能力があるのか。そのような思いと反省もある。ふり返ってみると、彼との出会いが、わが研究人生の扉を開いた。1973年春のことである。若き大学講師・森岡が主宰する大阪二部基礎理論研究会には、20代の労働者や大学院生が集い熱気を帯びていた。そこでの熱く創意的な共同研究活動が母体となって、基礎経済科学研究所へと発展していく。そうした労働者との共同研究活動が企業社会論研究へのマグマとなっていったとみられる。

企業社会論研究において、筆者はその後、現場体験をベースに産業・企業研究を進める。大学に転じてからは工業経済論と技術論を軸に産業システム研究へと展開していく。森岡企業社会論とは異なる経路をたどることになる。

それから四半世紀が過ぎ、27年務めた大学を定年退職するにあたって、

7冊目の本（十名[2019.2]『企業不祥事と日本的経営―品質と働き方のダイナミズム』）を急きょまとめて出版した。21年間勤務した神戸製鋼所の品質不祥事をきっかけに、企業不祥事と日本的経営の内奥にメスを入れたものである。それは、企業社会論の原点に立ち返って捉え直すというものであった。試行錯誤を経て、辿り着いた地点といえる。研究と社会活動が思うように果たせなかったわが非力と不徳、それを深く反省しつつ、森岡企業社会論をふり返る。

2　わが森岡孝二論―現代産業論からの視座

2.1　森岡孝二との出会いが切り拓いた「働・学・研」の人生

下記の小文は、2019年2月23日刊行の森岡孝二先生追悼記念誌『森岡孝二の描いた未来』に寄稿したものである。20代半ばの鉄鋼マンが、研究人生すなわち「働・学・研」融合の生き方を切り拓いた鮮烈な出逢いを記している。わが人生を変えただけでなく、基礎研にとっても「働きつつ学ぶ」理念を打ち出す画期になったとみられる。

「過労死問題の研究と防止活動に尽力された森岡孝二先生のご逝去に、心より哀悼の意を表します。

森岡先生との出会いは、1973年春に遡ります。先生主宰の大阪2部基礎理論研究会（基礎経済科学研究所の前身）に飛び込んだのです。71年に高炉メーカーに入社し、2年経った頃のことです。製鉄所の製銑職場で、労務管理の厳しい目が光る会社の独身寮にて、いかに働き、どう生きるか、必死に模索していました。

独身寮の部屋で初めて紐解いたのが、マルクス『資本論』（第1～3巻）です。10数冊の文庫本にカバーをかけて、一気に読破しました。巨大な高炉や転炉、圧延工場などの労働現場は、まさに『資本論』が描く世界そのものでした。難解な論理も、それほど気になりません。鉄鋼生産現場の最前線に踏み込んだ衝撃の深さが、また70年代初めという時代的雰囲気が、そうした行動に駆り立てたのでしょう。

大阪2部基礎研では、悶々とする思いや問題意識をぶつけました。しっかりと受けとめていただき、熱い議論を交わすなか一気に紡ぎ出されたのが、十名 [1973,74]「大工業理論への一考察―芝田進午氏の所説に触れつつ(上・下)」）です。

小論には、筆者の予想をはるかに超える反響がありました。その後、百本以上の論文を刊行するも、これを超える反響の作品はありません。生産現場の最前線で全身をかけて掴んだ視点と主張は、その拙い表現を超えて、多くの読者のハートに届いたのでしょう。そこでの手応えが、生産現場での研究へと駆り立てていく引き金となりました。

随筆「働きつつ学び研究することの意義と展望」[1973.11] が、最初の論文とともに『経済科学通信』に掲載されました。25 歳の若造が公示した「働・学・研」協同人生への決意表明でした。それが羅針盤となり、21 年間、高炉を擁する製鉄部門にて働き、事務・技術・技能が渾然一体となった現場でのホットな体験や知見に学びつつ研究を進めることができました。

大学に転じて 27 年、定年退職も 1 か月後に迫る 2 月に、7 冊目の単著書（十名 [2019.2]『企業不祥事と日本的経営―品質と働き方のダイナミズム』晃洋書房）を出版しました。品質不正や労働不祥事が噴出するなか、大企業の経営、その品質と労働に深いメスを入れたものです。森岡先生の思いを、少しは汲んだ作品になったのではと思っています。

同書を、森岡孝二先生の墓前に捧げます。」

2.2　産業システム論へのシフトと体系的展開―分岐の経路と背景

2.2.1　企業社会論と産業研究

基礎経済科学研究所編 [1992]『日本型企業社会の構造』は、森岡をはじめ 8 人の執筆者から成る。鉄鋼メーカーから大学へと転じた 1992 年に出版され、第 3 章（十名）のタイトルがそのまま書名になっている。森岡と十名が、企業社会論をベースに最も深く合流した作品であった[*139]。

その後、森岡は過労死をなくす社会活動とセットにして企業社会研究を本格化していった。一方、筆者の場合、企業社会論の視点から鉄鋼産業研究を深め体系化していくが、産業の機能的（技術的）な側面を重視する傾向も強まる。

1冊目の単著書である十名[1993]『日本型フレキシビリティの構造―企業社会と高密度労働システム』は、鉄鋼労働者・研究者の視点から捉えた企業社会論で、鉄鋼産業論を仕上げていく方法論的な序論としてまとめたものである。

2冊目の十名[1996.4]『日本型鉄鋼システム』も、労働と労使関係を軸にしたもので、企業社会論の視点からまとめた鉄鋼産業論といえる。

しかし、その半年後に出版した3冊目の十名[1996.9]『鉄鋼生産システム』は、資源・技術・技能を軸にした技術論的アプローチの鉄鋼産業論になっている。

3冊の出版を機に、鉄鋼産業を軸とするグローバル・大企業研究に一応の区切りをつけ、陶磁器産業をはじめとする中小企業・地場産業研究へと対象をシフトしていく。

4冊目の十名[2008]『現代産業に生きる技』は、「型」論の視点をふまえ技術と文化の両面から地場産業の過去・現在・未来にスポットをあてたものである。

さらに実証研究をふまえつつ、その理論化へと重心を移していく。5冊目の十名[2012]『ひと・まち・ものづくりの経済学』では三位一体の視点からものづくり経済学を提唱し、6冊目の十名[2017]『現代産業論』ではものづくりを軸に現代産業論の体系化を図ったものである[*140]。

2.2.2 企業社会論からの分岐とその背景

わが企業社会論にみる自己体験の呪縛

それにつれて、企業社会論は後景に退いていく。森岡と大きく分岐していくことになったが、その要因は何かが問われよう。

1つは、企業社会論を論じながらも1992年の時点で、深部において大きな違いがみられたことである。森岡は、過労死遺族に寄り添いつつ過労死に至った要因解明に立ち向かった。一方の私は、大企業の理不尽な人事・労務管理や経営に対して自らの体験に基づき考察を深めていく。製鉄所時代に体験した厳しい労務管理と理不尽な処遇に対する憤り、いわば「無念」を、企業社会システムへの批判へと昇華したつもりであった。しかし、自らにこだわった分、利他の心に徹しきれなかったのかもしれない。

企業社会論からの分岐を促す地場産業・中小企業研究へのシフト

2つは、鉄鋼3部作を出版して20数年に及ぶ鉄鋼産業・グローバル大企業研究に区切りをつけ、90年代後半からは、瀬戸の陶磁器産業を中心とする地場産業・中小企業研究へとシフトしていったことである。それは、企業社会論からの分岐を促す触媒となる。

日本的経営論は、ものづくりを軸とするグローバル大企業における生産管理や労使関係の強み、いわば光の側面にスポットをあてたものである。一方、それがもたらす様ざまのひずみにメスを入れたのが日本型企業社会論であった。その光と影の両面を産業システムとして統合的に捉えようとしたのが、鉄鋼3部作である。

しかし、地場産業・中小企業研究においては、苦境下の中小企業・地域をどう支援していくかという問題意識がベースとなる。批判（影の側面）もさることながら、その可能性とくに強み（光の側面）をいかにして見出し高めていくかというアプローチが強まっていく。それに伴い、企業社会論からものづくり経済論さらには現代産業論へシフトしていったのである。

工業経済論および技術論の講義と研究への傾注

3つは、工業経済論および技術論の担当教員として大学に赴任したことである。講義科目の工業経済論と技術論（各4単位）は、わが思いを託す教科書などが見出せなかった。手づくりの講義レジメづくりなど試行錯誤が続き、それに傾注することを余儀なくされた。自らの工業経済論、技術論をどう構築するかという課題と格闘することになる。

それは、鉄鋼産業論だけでは見出し得なかったが、瀬戸をモデルにした陶磁器産業論・地場産業論（十名[2008]）をまとめることにより、転機を迎える。多様な産業の比較分析を通して、ものづくり経済論、現代産業論の体系化への道が切り開かれたのである。そうしたなか、企業社会論の視点は後景に退いていくことになる。

2008年度より、講義科目も一新する。「工業経済論」は「現代産業論」

へ、「技術論」は「ものづくり経済論」へと見直した。前掲書の十名[2012]、十名[2017]はそうした流れの中で、いわば教育と研究の新たな結合のなかから生み出されたものといえる。

4つは、大企業の人事・労務管理と対峙しながら製鉄所で働きつつ研究するスタイルとも関わっていたことである。製鉄所時代は、労働組合活動などの最前線に立つことはなく、後方支援の役割を担っていた。経営側の資料や労働組合の資料を分析し、その本質や方向性を分析し、民主的な政策や対応のあり方を提示するという活動である。そうした分析や提言をまとめ、同人誌を発行して、第一線の活動家や理解者に届ける。同人誌の発行は、年に3回前後で200～500部に達するなど、それなりの影響力を保っていた。そうした研究・政策活動は、私の退職後の数年を含め約20年続いた。

労働組合は経営主導で、人事・労務管理の目が光っていた。目立った活動をすると、飛ばされたりして、経営の深い情報や資料は入手できなくなる。そうした裏方の活動が続くなか、心身の不調も重なり、そうしたスタイルから抜け出ることが至難になる。大学に転じ、さらに四半世紀が過ぎて定年退職を迎えるなか、そうした殻からようやく脱しようとしている。

2.2.3　分岐点に立ち戻って捉え直す

退職直前に出版した7冊目の十名[2019]『企業不祥事と日本的経営』は、企業社会論の原点に立ち返り現代産業論の視点をふまえて、退職直前に急きょまとめたものである。

背中を押したのは、2017年秋に発覚した（わが仕事と研究の故郷）神戸製鋼所の品質不祥事である。その直後に出版した十名[2017]『現代産業論』において事前に洞察できなかったことへの深い反省が基調にある。悔恨をバネに、日本的経営の光と影にアプローチした1冊目の原点に立ち返り、ものづくり大企業に続出する品質不祥事に焦点をあてメスを入れ処方箋を提示したものである。

「あとがき」での森岡への追悼文が、本章の起点になっている。

森岡の生き様・働き様を偲びつつ、感謝を込めて、わが半世紀のささやかな挑戦をまとめたのが、十名[2020]『人生のロマンと挑戦―「働・学・研」協同の理念と生き方』である[*141]。

3　企業社会論の立ち位置と体系的展開―森岡孝二にみる研究の原点と転機

3.1　研究の原点と転機―企業社会論の体系的展開20年

3.1.1　主要な単著書出版と社会活動

図表6-1　森岡孝二の研究（単著書出版）と社会活動（主な役職）

[1979.11]『独占資本主義の解明―予備的研究』新評論
[1982.10]『独占資本主義分析と独占理論』青木書店
・1986.6～1992.7　基礎経済科学研究所理事長
[1987.7]『独占資本主義の解明―予備的研究　増補新版』新評論
[1995.1]『企業中心社会の時間構造―生活摩擦の経済学』青木書店
・1996.2～2014.8　株主オンブズマン代表
・1998.4～2001.3　経済理論学会代表幹事
[2000.9]『日本経済の選択―企業のあり方を問う』桜井書店
[2005.8]『働き過ぎの時代』岩波新書
・2006.9～2013.7　働き方ネット大阪会長
[2009.5]『貧困化するホワイトカラー』ちくま新書
・2010.3～2018.8　大阪過労死問題連絡会会長
[2011.11]『就職とは何か―＜まともな働き方＞の条件』岩波書店
[2013.8]『過労死は何を告発しているか―現代日本の企業と労働』岩波書店
・2013.7～2018.8　NPO法人働き方ASU-NET代表理事
[2014.3]『教職みちくさ道中記』桜井書店
・2014.10～2018.8　過労死等防止対策推進全国センター代表幹事
・2014.5～2018.6　過労死防止学会代表幹事

[2015.10]『雇用身分社会』岩波新書
[2019]『雇用身分社会の出現と労働時間―過労死を生む現代日本の病巣』桜井書店

備考：筆者作成。

森岡孝二の研究（単著書出版）と社会活動（主な役職：網掛け）の推移、全体像のエキスを示したのが、図表1である。

森岡孝二の社会経済研究は、[1979.11]『独占資本主義の解明』新評論）を起点に、12冊の単著書に凝縮して示されている*142。

森岡および基礎研の原点を示すのが、森岡[1969]「経済学研究のあり方と民主主義的共同研究体制」『経済論叢』である。大学院生時代の論文であるが、共同研究や集団研究の重要性、労働や生活の現場に根ざした研究姿勢の大切さを強調しており、その後の研究活動の方向性と姿勢を示唆している。

独占資本主義論から企業社会論へのシフトは、[1995.1]『企業中心社会の時間構造―生活摩擦の経済学』青木書店（4冊目）においてである。そこには、森岡企業社会論の原型というか骨組みが提示されている。

それを起点に、10年後に出版された[2005.8]『働きすぎの時代』岩波新書（6冊目）は、本人も得心の作品とされる。それを機に森岡社会論は全開となり、単著書として相次いで出版され、第2クルーの10年を締め括る[2015.10]『雇用身分社会』岩波新書（11冊目）は、雇用問題に踏み込んで体系的に深めたもので、森岡企業社会論の集大成にあたる。

3.1.2　大病が研究シフトの転機に

森岡にみる理論研究から理論・実証研究へのシフトは、理論研究の中に胚胎していたとみられる。その背中を押したのは、40歳代前半の大病（2度にわたる心臓手術と長い入院・療養体験）であり、研究・社会活動の大きな転機になったとみられる。彼自身も、そのように述懐している。「自分自身の入院・手術体験をとおして、日本人の働きすぎと健康問題に強い関心

をもちはじめた。」(森岡[1995])

大病を契機とする働きすぎと健康問題への関心は、被災者家族との交流を通して過労死の実態と向き合うなか一気に燃え広がっていく。「過労死被災者の家族から聞く過労死職場の労働実態は…想像をはるかにこえるものであった」。その衝撃が、超長時間労働の実態解明へと駆り立てていくことになる。

3.2　理論・研究と現場・実践の創造的融合

3.2.1　労働時間分析にみる深い示唆と働きすぎシンドロームのみごとな俯瞰図

労働時間分析を基礎にして現代社会における格差と働きすぎシンドロームのみごとな俯瞰図を描いたことは、森岡企業社会論の注目すべき成果である。

労働時間についての分析と情報に関しても示唆は数多い。今では通説になっている長時間労働とパート労働の普及による労働時間の「二極分化」の指摘も、100時間もの残業も可能にする三六協定の例外事項の発掘も、森岡の功績とされている。

2005年の岩波新書『働きすぎの時代』では、グローバル化、情報化、あくなき消費志向、フリーターの増加（対極に現れる正社員の過重労働）の4点をあげ、高度資本主義化の働きすぎの傾向に関する「みごとな俯瞰図」（熊沢誠）を描いている。

3.2.2　研究と社会実践の創造的融合とそのダイナミズム

森岡の社会的な活動は、労働研究と深く結びつき相互にフィードバックし合いながらダイナミックに展開された点に、大きな特徴がある。

彼の「すごいところ」は、運動隊に参加しリーダーシップを発揮しながら、精力的に調査・研究・出版活動を推進したことであり、社会活動と研究の両面を追究しダイナミックな好循環を実現したことである。

3.2.3 温かい心、冷静な頭脳、熱い闘争心

なぜ、それが出来たのか。彼の温かく寛容な人柄、いわば人間力によるところが大きい。それが熱い闘争心、リーダーシップと結びつき、研究力を深め磨き運動を広げていくおおきな力になったとみられる。そのような類の指摘も、追悼記念誌の随所に見られる。

研究と社会活動において、多くの関係者を惹きつけ結びつけて、大きな力に変えていったのは、彼の類まれなる人間力、すなわち「視野の広い寛容で謙虚な人柄」であり「崇高な人格」(池上惇) であった。

「最大の貢献は、晩年における過労死等防止対策推進法の制定運動と、過労死防止学会の設立にリーダーシップを発揮したことだった。それらの行動に過労死家族の会、過労死弁護団、産業医、そして多くの研究者の協力を組織することができたのは、森岡さんの、多少意見の異なる他人をけっして頭ごなしに批判せず、それぞれの立場の長所を汲みとって評価することに努めるという、視野の広い寛容で謙虚な人柄のゆえであった。」(熊沢誠)

「森岡さんがもっとも光彩を放ったのは、過労死問題をはじめとする多くの労働運動や市民運動の指導者としてであろう。」(西谷 敏)

4 森岡企業社会論の風土と画期

4.1 3冊の単著書にみる森岡企業社会論の画期

森岡孝二の著作は、単著書、共編著書、翻訳書、論文、書評、コラム、随筆など多岐にわたる。その全体像を把握するのは簡単ではない。

そこで、12冊の単著書に注目したい。彼の研究成果のエキスが、そこに体系的に集約されているとみられるからである。とくに、森岡企業社会論という視点からみると、3冊の単著書が注目される。彼の社会経済研究のエポックが、そこに凝縮されているとみられる。

3冊目の [1995.1]『企業中心社会の時間構造─生活摩擦の経済学』青木書店では、森岡企業社会論の骨組みと全体像が体系的かつ先駆的に示されている。得心がゆく本が書けたと述懐するのが、[2005.8]『働き過ぎの時代』

岩波新書である。「ようやく自分なりに得心がゆく本が書けたように思う」(森岡 [2005]、216)

さらに、11 冊目の [2015.10]『雇用身分社会』岩波新書では、研究対象が大きく広がりより包括的に雇用と働き方を分析している。「本書の特色は、歴史的視野から変化のなかの日本の労働社会の全体像を、「雇用身分制」をキーワードに概観したことにある。」(森岡 [2015]237)

4.2　森岡孝二＆企業社会論を生み出した歴史・風土・実践

森岡孝二の研究と社会活動、生きざまを生み出した研究風土と本人の主体的条件について、総括的にみてみたい。

「基礎理論と現場の結合」という研究の原点（基礎研の理念的なあり方と方向性）を、20 歳代に提示する。そして、自ら試行錯誤しながら基礎研という場をベースにして組織的に実践しリードしてきたことである。

大阪二部基礎研に 20 代半ばの筆者が参加した 1973 年春は、彼の 20 代終わりのことである。彼の温かく深い感性と示唆が、わが最初の論文と随筆を掘り起こしたともいえる。彼との出会いなくしては、社会人研究者としての筆者、「働きつつ学ぶ」という標語、いずれの誕生も難しかったであろう。少なくとも、ずっと遅れたに違いない。

経済理論を中心とする 40 歳代前半までの彼の研究においても、現場との結合の大切さを意識していた。労働者研究者の育成と彼らとの共同研究を重視し、率先してリードし実践してきたことが、重要である。

過労死研究を起点とする企業社会論への研究シフトは、現場に依拠し理論を検証し磨くというそれまでの研究姿勢の延長線上にあり、そのより本格的なシフトと展開であったといえよう。森岡企業社会論は、基礎研という風土が生み出した産物、類まれなる傑作であったといえる。

5　おわりに
基礎研運動と企業社会変革運動にみる「働・学・研」協同の理論と実践

橋本義夫の「ふだん記」（自分史）運動は、庶民主導の「自分史」運動の新地平を切り拓いた*[143]。

1968年は、「ふだん記」創刊号が出版された年であるが、経済学基礎理論研究所（基礎経済科学研究所の前身、略称「基礎研」）が設立された年でもある。

1975年に、名称が基礎経済科学研究所（現行）に変更された。「働きつつ学ぶ」を理念に掲げ、夜間通信研究科（基礎研大学院）も開設されて労働者研究者の育成に乗り出す。その後、人間発達の経済学を提唱・発展させ、労働者研究者を育ててきた。機関誌・学術誌としての『経済科学通信』も、150号に達している。それらは、基礎研の独自性として注目される。

そうした基礎研運動をリードしてきた森岡孝二は、2018年8月に74歳で帰らぬ人となる。基礎研の理念や目的を自ら実践し、研究と社会活動のいずれにおいても大輪の花を咲かせた。企業社会研究の第1人者にして第1級の精力的な社会活動家であり、両面を兼ね備えた類まれな研究教育者であった。両者のダイナミックな融合を図ってきた人であり、「働・学・研」協同の体現者に他ならない。社会活動での信頼とネットワークが調査・研究にプラスされ、また研究の成果や洞察力が社会活動にもフィードバックされ、社会活動をリードし押し上げていく。まさに、社会活動と研究の比類なき良循環を創り出した。

森岡の社会的な活動は、株主オンブズマンに始まり、ブラック企業の告発、その後とくに過労死問題の取り組みにおいて、過労死防止法の制定や過労死防止学会の立ち上げなどで大きな力を発揮する。自らNPO法人（働き方ASU-NET）を組織して理事長となるなど、社会問題と深く関わり、関係者（被害者や家族・遺族、弁護士など）とともに運動の渦中に飛び込み、問題解決に尽力してきた。「心臓に障害を抱えつつの獅子奮迅の人生」（中谷武雄）であった。

研究と社会活動の両面において、多くの関係者を惹きつけ結びつけて、大きな力に変えていったのは、彼の類まれなる人間力、すなわち「視野の広い寛容で謙虚な人柄」であり「崇高な人格」であったといえる。

森岡の研究活動、社会活動は、基礎研運動の類まれなる成果であり、歴史的な結晶といえる。これを、１人で引き継ぐのは至難であり、１人に委ねることはできないとみられる。彼に体現された研究力や組織力、活動力、すなわち企業社会論、温かい心、社会的な闘争心、リーダーシップなどを、基礎研の文化的な資産として大切にし、より豊かに育てていくことである。それを貫くことが、基礎研の未来を切り拓くことになるであろう。

補論2
2022年度 労務理論学会特別賞の授賞とお礼

1 授賞理由 （労務理論学会特別賞選考委員会）＊144

【受賞作品】十名直喜『企業不祥事と日本的経営－品質と働き方のダイナミズム－』晃洋書房、2019年。

本書は、昨今、社会問題化している大企業において続出した「企業不祥事」としての品質不正と三種の神器からなる「日本的経営」での「働き方」とのダイナミックな関係性を歴史的に解明し、品質と働き方との「好循環」から「悪循環」への転換を分析し、そしてその「悪循環」から「好循環」へのシステム転換を提案する労作である。意欲的かつ学術的にも有益である。

本書は、日本の高品質もたらしたデミング・システムを取り込んでいった「職場の組織と管理の分析」、そしてそれを支える「人事労務管理と労使関係の分析」を歴史的に展開する。

日本の高品質を支えてきた管理システムは、デミング・サイクルを応用したQC活動およびTQCとし、それを推進した「働き方」の管理として「能力主義管理」(職能資格制度と人事評価)、それを可能にさせ普及させた労使協調主義に基づく労使関係とであるとする。

ここでの「働き方」での「職務内容」、「勤務地」、「労働時間」という3つの無限定性が、高度成長期ではＱＣ（ＴＱＣ）を機能させ、グローバル化とバブル崩壊以後は、逆にＱＣ（ＴＱＣ）を衰退化させ、同時に効率性と利益を優先させる企業経営に歯止めをかけない品質不正（企業不祥事）を生んだとし、ここからの脱出は、「無限観から有限観へのパラダイム転換」、無限定な働き方を抑制することであると指摘している。

本書は、企業不祥事の原因を経営風土や企業倫理から究明するのではなく、日本の経営システムの現場の仕組みから分析している。そこでは、現場作業における検査と修正を通して徹底させる「品質管理」と、職務が限定的でなく、仕事が重なり合い、互いに協力なしには進まない日本の働き方（職務の無限定・柔軟性）とを、働かせ方としての「能力主義管理」（職能資格制度）が繋ぎ合わせているとした。この「発見」は20年間鉄鋼メーカーに勤務していた著者の卓越した観察力の成せる業である。

ただし、能力主義管理の役割を強調するあまりに、日本の高品質は能力主義があったからこそ実現したのだという誤解を生みかねない。企業経営側が「品質と働き方」を３つの無限定性を伴う能力主義管理として包摂したとの著者の意図が伝わっていないようにみえる。さらに、1980年代のアメリカがこの日本の品質管理の重要性を学んで開発した「シックス・シグマ」に触れているが、深堀する必要がある。それにより、アメリカが開発したデミング・システムがなぜアメリカで普及することなく、日本で花開き、それがなぜ衰退したのかをよりクリアに分析できたのではないか。

本書の書評は、経済社会学会、基礎経済科学研究所、財政学研究会、産業学会、経済理論学会など、多様な学会誌に掲載されている。多様な専門領域から注目され、話題を集め、議論が深められている。

本書は、「働きつつ学び研究する」というロマンと挑戦（『人生のロマンと挑戦——「働・学・研」協同の理念と生き方』社会評論社、2020年）のもと、強烈で刺激的な問題提起となった最初の単著『日本型フレキシビリティの構造』（法律文化社、1993年）から約30年間のご自身の研究成果を盛り込んだ集大成である。

以上のことから、本著作は特別賞に相応しい著作であると結論する。本書の問題提起を会員が重く受けとめて、深めていくことを期待したい。

2　受賞のお礼　（十名直喜）

この度は、『企業不祥事と日本的経営　—品質と働き方のダイナミズム』（晃洋書房、2019年）に、労務理論学会特別賞を賜り、心より感謝申し上げます。

第33回全国大会には現地参加できず、受賞式もオンライン参加となり、誠に申し訳ございませんでした。

2018年に特別賞を授与された故・森岡孝二先生は、私の第２の恩師にあたります。1973 年、彼と出会い、記念碑となる最初の論文と随筆を執筆・刊行して、早や半世紀。彼のすばらしい研究業績・社会活動の足元にも及びませんが、節目の 50 周年に師弟ともども特別賞が授与されたことに、深い縁を感じています。心より感謝申し上げます。

本書は、品質管理と働き方の視点から、企業不祥事と日本的経営の構造的関係にメスを入れた類を見ない作品です。21 年間勤務した神戸製鋼所の品質不祥事発覚を機に一気にまとめ、最終講義の柱にし、名古屋学院大学の定年退職直前に出版したものです。

本書の出版が縁になり、SBI 大学院大学に招かれ 2020 年より「経営哲学」講義を担当しています。他大学にもないマイナー科目のはずが、百人を超える受講生が集い、熱い交流の場となっています。

定年退職後の 2019 年 7 月に立ち上げた働学研（博論・本つくり）研究会は、百人を超える大学人＆社会人研究者の研鑽・交流の場となっています。社会人研究者の単著書出版が相次ぎ、社会人博士も複数送り出しています。

本受賞を励みに、社会人研究者への研究支援や定年退職後のさらなる探求と挑戦に邁進したく思っています。どうか今後ともご指導ご鞭撻を賜りますよう、お願い申し上げます。

第Ⅱ部
学びと生き方のリフォーム
―「生活・学び」編

第Ⅱ部（「生活・学び」編）は、身近な生活、仕事、学びにフォーカスして、人間らしさとは何かを主体的・経験的な視点から述べる。

第Ⅱ部は、2編・5章・2補論からなる。半世紀を超える働きつつ学び研究する活動と交流を通して、さらに定年退職後における座り過ぎ生活と住まいのリフォームを通して、学びと生き方を考察する。

Ⅱ-1「生活」編は、立ち生活の実践と住まいのリフォームを通して、人間の五感に基づく体験と学び、思索の大切さに光を当て、AIの進化がその基盤を揺るがす問題に対峙するのが、である。

Ⅱ-2「学び」編は、半世紀を超える「働きつつ学び研究する」実践に光を当て、理念・理論・ノウハウを学び直し社会の視点から捉え直し提示する。

図表 部2 第Ⅱ部の構成

第Ⅱ部　学びと生き方のリフォーム　—「生活・学び」編
　Ⅱ-1 「生活」編
第7章　座り過ぎ生活を問い直す
　　　　—「立って読み書く」実践と思索を踏まえて
第8章　住まいのリフォーム物語
　　　　—Quality of Life と終活への視座

　Ⅱ-2 「学び」編
第9章　学びあい育ちあいの理論と政策
　　　　—「働学研」半世紀の挑戦と教訓を踏まえて
補論3　コロナ禍の再挑戦3年半の記録　—2020年6月～2023年12月
第10章 「働く人たちの論文作成・研究支援ガイド版」に向けて
　　　　—「働きつつ学び研究する」意義と展望
第11　学び直し社会の文化的創造　—半世紀の挑戦と贈り物
補論4　ライフワーク出版に至る「守・破・離」プロセスと「啐啄の機」

第7章
座り過ぎ生活を問い直す
―「立って読み書く」実践と思索をふまえて―

1　はじめに

「立つ」ことは、人間であることの土台をなす。まっすぐに立って（足と脊椎を垂直に立て）、足（後肢のみ）で歩く。すなわち直立二足歩行は、人間のみ可能な行動とされる[*145]。

「直立位」は人類の第1の基準とされ、「直立位」の獲得は人類の進化過程における決定的な段階とされる。向井雅明［2012］『考える足』は、序章の表題を「人間は足で考える」としている。「私は足で考える」（ジャック・ラカン）に啓発され、「人間は考える葦である」（パスカル）になぞらえたという[*146]。

人間の足は、「立つ」、「歩く」、「考える」という活動と深くかかわる。「アイデアは足から出る」（泉真也）、「歩いていないと思索できない」（ルソー）[*147]。歩くことが好きだったモンテニューも「足で考えた」[*148]という。いずれも、「立つ」ということが起点をなし、「歩く」ことで弾みをつけ思いをめぐらし、「考える」へと展開する。

「立つ」から「座る」へとライフスタイルが大きく変わるなか、「座り過ぎ」生活の弊害も顕在化し、「立つ」「座る」のあり方、バランスが問われるに至っている。

本章は、「座り過ぎ」生活の反省をふまえ、「立つ」を起点とする「読む」、「書く」の三位一体論を、自らの体験をふまえ提示する。哲学者たちは、「足で考える」という。本章が提示する「立って読み書く」は、「足と手で考える」といえるかもしれない。

「立って読み書く」ようになって、5年になる。いろいろ試行錯誤を経て、定年退職を機に、自宅で立ち机の利用を本格化し、現在に至っている。すぐに飽きて放り出すに違いないという妻の見立ては、外れたようである。

座り志向から立ち志向への仕事と生活の基軸シフトは、まさにライフスタイルの転換である。自らの身体を賭けての社会実験であり、新たな挑戦といえよう。立ち机での仕事（「立って読み書く」活動）は1日の1/3以上、それを含む立ち生活は1日の半分強を占める。

日々の「立って読み書く」活動を通して、「立つ」「座る」ことの意味と技、それが身体に及ぼす様々な影響などについて、折に触れ意識し、考える機会となっている。

手記として最初にまとめたのは2020年8月で、3年半前に遡る。その後の体験で、新たに発見したことや体得したノウハウも少なくない。それらを加筆し編集した本章は、5年間の体験をふり返り、どのような意味を持つのかを考察したものである。

この間、自宅のリフォームを行い（2021.5）、書斎の環境も一新するなか、論文作成、働学研（博論・本つくり）研究会の月例会、「経営哲学」講義、学会誌編集など、各種の「仕事」を立ち机でこなしている。単著書2冊の出版や学会賞[*149]も、立ち机が仲立ちしてくれた。

本章を通して、「立って読み書く」5年間の体験と思索をふり返り、「座り過ぎ」といわれる現代社会、日々の生活と仕事のあり方について考えてみたい。

2 「立つ」「座る」の技術と文化

2.1 3つの静的な基本活動（「立つ」「座る」「寝る」）への視座

歩く、走る、座る、立つ、寝る。これら5つは、生活における基本的な身体活動である。日常的な行為であるが、しっかりした姿勢で一定時間続けるのは、いずれも簡単ではない。それができるのは、習慣の賜物であり、体得した技によるものといえる。

人の姿勢は、立位（立った姿勢）、座位（座った姿勢）、臥位（寝た姿勢）の3つに大別される[*150]。これらは、静的な姿勢といえる。「立つ」、「座る」、「寝る」が静的な活動であるのに対し、「歩く」「走る」は動的な活動である。

ここでは、「立つ」、「座る」、「寝る」という3つの静的活動に注目する。『広辞苑』(第7版)での説明をみてみよう。

まず現代生活のベースになっている「座る」はどうか。「すわる(座る・坐る・据わる)」は、「①腰を折り曲げて席に落ち着く」「②位置・場所などを占める」「③落ち着いて動かない」「④印判がおされる」「⑤静止・安定する」など(『広辞苑』第7版)。

姿勢を正して座った状態で精神統一(瞑想)を行うのが、座禅(坐禅)である。禅宗の基本的な修行法として、広く知られている。

「座る」ことは、文化であり技であり、構えの基本をなす。座ることが多い現代、椅子生活においても「上虚下実」の自然体を身体感覚の技にしていくことが求められている[*151]。

次に、「寝る」については、「①ねむる」「②横になる」「③同衾する」「④病床に臥す」「⑤麹が成熟するのを待つ」「⑥資本や製品が回転しない。市場の活気がない」などを意味する(『広辞苑』第7版)。

「寝る」は、すべての活動の源といえる。「寝る子は育つ」「寝て花やろ」「果報は寝て待て」など、「寝る」ことの効用を説く格言も少なくない。「立つ」「座る」「歩く」「考える」という日常の活動も、「寝る」ことでリフレッシュされ、可能となる。「寝る」という意味、技も、奥行きが深いとみられる。

一方、「立つ」は、上記5つの基本活動のなかでも、『広辞苑』における説明が際立って多く多岐にわたる。「立つ」は9種類の意味に大別される。「①事物が情報に動いてはっきりと姿を現す」「②物事があらわになる」「⑤物が一定の場所にたてに真っすぐになって在る」「⑦事物が立派になりたつ」「⑧物事が保たれた末に無くなっていく」等々。さらに、それぞれが細目からなる。

小論における「立つ」にあたるのは、「⑤」のなかの「5-1 足などでからだが真っすぐ支えられている」とみられる。

「立つ」にまつわる故事、表現も多い。「志を立てる」、「身を立てる」、「立つより返事」、「立つ鳥跡を濁さず」、「立居振舞」、「立って居るものは親でも使え」、「立てば歩めの親心」など。また、「立つ」「歩く」「座る」の

3点揃ったのが、「立てば芍薬　座れば牡丹　歩く姿は百合の花」。

「立つ」に関わる説明が多岐にわたり、故事なども少なくないのは、「立つ」が生活、仕事、学びの起点となり、原点をなすからであろう。

すべての動作の基本は、直立能力である。「立つ」ことは技である。しっかりと地に足をつけ、大地とのつながりが腰と肚につながるように立つ。それが、自然体と呼ばれる立ち方である。それから遊離するのが、現代人の立ち方である。足の裏の重心がかかと寄りになり、「ふんぞり返り」傾向がみられるという[*152]。

2.2　立ち机を愛用した作家たち

定年退職後、自宅の書斎に立ち机を入れ、「立って読み書く」ようになった。そのことを、研究会などで紹介すると、いろんな反応もあって面白い。「ゲーテも立ち机で書いていた」（池上惇）と聞いたのは、2019年12月のことである。立ち机での仕事も板についた頃のことである。ドイツの文豪ゲーテ（Johann Wolfgang von Goethe：1749-1832）の立ち仕事に興味を持ち、調べていく中で、ゲーテの作品や評論などを数冊読む。

ゲーテが暮らしていた家は現在、博物館として一般公開されている。『ファウスト』を完成させた立ち机もそのまま残されているという。ゲーテは、立ったまま仕事をするのが好きだったようで、座りたがる若者を戒めている。多くの著作を立ち机で考えたり書いたりした。読書や日記を書くときに使った机、詩や小説を書くときに使った机、がそれぞれある。82歳の生涯を閉じるまで、ゲーテの旺盛な執筆と飽くなき探究心は衰えることがなかった。長寿の秘訣といわれている習慣の1つに「立ち机」での執筆がある。

ヘミングウェイも立ち机を愛用した。『老人と海』を書く際に、立ってタイプライターを叩く写真は有名とのこと。SF作家の藤井太洋氏が、「心の玉手箱」で紹介している[*153]。

指揮者の朝比奈隆は生前、「座って指揮をするようならば引退だ」、「立つことは自分の仕事である」と話していたという[*154]。

外山滋比古[2019]は、95歳にして「人前での話は立ってする。腰をおろすようにとすすめられても従ったことはない」という。また、「書くものに独特な迫力がある」歴史学者の弁では、「うちでは机に椅子はない。立って本を読み、立って原稿を書く。そのために机を特別に作ってある。立った方が仕事にはりがある」という。それらをふまえ、外山は「話をするのに立つ方がよいのなら、ものを書くのだってしゃんとしているのが良いのは道理である」、「老いて、立つ。また、よからずや」と述べている[*155]。

3　人生の節目と立ち机のインパクト

3.1　立ち机を研究室に導入　―その趣旨と経緯

座り過ぎ生活が良くないことは、60歳代後半になると、筆者もいろいろと感じるようになる。立ち仕事の機会を増やすべく、工夫を重ねる。座り机の上に台を置いて高くし、その上にパソコンや本をおいて、「立って読み書く」スタイルを試行する。

2016年7月（68歳）、立ち机を研究室に入れた。デスクトップのパソコンは座り机に置いたままで、その脇に立ち机を配置する。

立ち机を研究室に入れたのは、2つの理由からである。1つは、居眠りを防ぐため。本などを読んでいると、すぐに眠くなる。「居眠り症候群」といえよう。何とかしたいと思い、研究室でも書斎でも立って本を読むなど、居眠りを防ぐ工夫をしていた。立ち机は、こうした積年の課題に応えようとしたものである。

2つは、健康促進のため。座りすぎに警鐘を鳴らす記事を新聞やインターネットで読み、座りすぎを抑えることの必要性を痛感する。

そこで、居眠りと座りすぎを防ぐ対策として立ち机に注目し、ネット注文で購入する。立ち机のサイズは幅100cm、奥行き60cm、高さ103cmで、（昇降式などもない）シンプルなものである。

当時、立ち机にパソコンを置くという発想はなかった。座り机のデスクトップと向き合い、座ったまま「読み書く」時間が圧倒的に長い。

立ち机を導入しても、研究室では座り仕事がメインのスタイルは変わらなかった。ただし、立ち机を出来るだけ使うように心がけ、本や資料を読むときやノートに手書きするときは立ち机を使っていた。

3.2　書斎での立ち机の本格的利用　―退職後の生活にメリハリと彩り

定年退職に伴い、2019年3月に研究室から退去した際、立ち机を自宅に持ち帰る。名古屋のマンションを引き払う際、大サイズの座り机（食事や読み書き兼用）も持ち返る。

立ち机を自宅の書斎に入れることに、妻は良い顔をしない。すぐに飽きて無用の長物化するとみていたからである。

書斎には、すでに座り机3つと2段ベッド（子ども用）があり、かなりのスペースを占拠していた。そこで、既存の座り机2つを処分し、持ち帰った立ち机と大サイズの座り机を入れる。

書斎では、2019年春より立ち机を本格的に利用するようになる。それに伴い、立ち机が研究や心身に及ぼす影響についての興味と関心も高まっていく。2019年末に、ゲーテも立ち机を使っていたと聞いて、ゲーテへの関心も高まり、ゲーテの人生論や自分史へのアプローチを、十名[2020]『人生のロマンと挑戦』にも急きょ織り込んだ。

座り過ぎへの警鐘は、新聞・雑誌などでも近年よく見かける。そして、立ち仕事、立ち生活の重要性を指摘する声も高まっていた。定年退職を機に、立ち机の利用を軸に立ち仕事、立ち生活へとシフトする。退職後の書斎生活にメリハリと新たな彩りを添えることになった。グッドタイミングだったと感じている。

座り過ぎの弊害、立ち生活・立ち仕事の重要性については、最近の資料からピックアップする。立ち仕事・立ち生活スタイルの大切さを、あらためて考える機会となっている。

貝原益軒は、自らが試み経験し検証できたものを記録し、平易にまとめ養生法を説いた。その姿勢に啓発されてまとめたのが、小論である。

4 「立って読み書く」生活の5年間をふり返る

4.1 定年退職後1年半の立ち机利用にみる光と影

定年退職時（2019.1～3）は、最終講義を始め種々の退職行事、研究室とマンションからの引っ越し、7-8千冊の本の半分近くの処分など、かつてない力仕事やハードな日程であったが、腰痛にならずに乗り越える。

意気軒高のときは、それなりの過労やストレスも対応できるものである。

その直後、退職してからの1年半は、心身に限っても激動の季節であった。そこにメリハリと色を添えたのが、立ち机である。立ち机は、激動の源であったといえるかもしれない。立ち机の本格的な利用によって、それまでの座り生活中心から、立ち生活志向のスタイルへ大きく転換した。

立ち生活志向は、光と影の両面をもたらしたとみられる。

まずプラスの面は、心身の活気や健康増進につながったことがあげられる。退職記念号特集さらに8冊目の本の編集・出版、「経営哲学」講義の資料作成・収録、産業イノベーション論文作成、働学研（博論・本つくり）研究会の展開など、種々の課題に挑戦する力になる。

他方では、そうした過信と頑張り過ぎが、腰痛や帯状疱疹への引き金になったとみられる。

その両面をどう総括し、そこから何を学ぶかが問われている。手記[2020.8]は、立ち机の活用に至る経緯や思いなどについてまとめたものである。

退職前後における身体的な変化には、目を見張るものがある。

1つは、体重6 kg、腹囲6cmの急増である。退職8か月後の健康診断（2019.11.27）で判明し、びっくりする。

腹囲の急増によって、それまでの背広やズボンがほとんど着用できなくなる。ポッコリ腹が気になり、腹筋運動も始める。それが過度になり、2020年3月下旬、10数年ぶりの腰痛を引き起こす。それは、過労とストレスのシグナルでもあった。

2つは、帯状疱疹を発症したことである（2020.4.6）。全治に7週間かかる。

帯状疱疹は、腰痛と心労が引き金になる。2月初旬に8冊目の本を出版するも、コロナ禍が一気に広がるなか、売れ行きや反響などが思わしくない。講義（動画収録）や研究会などの見通しも立たなくなる。

そうした混迷と挫折感が、帯状疱疹を引き起こす深い要因になったと感じている。

4.2 手記後の3年半にみる変化 ―「座り過ぎ」から「立ち過ぎ」へ

4.2.1 蔵書と生活不用品の断捨離に伴う光と影

手記[2020.8]をまとめて3年半、定年退職5年になる。月日の経つ速さ、身辺に起きる変化の大きさに驚いている。

退職時に、やむなく蔵書・資料を大量処分した。取捨選択を間違え、大切な蔵書を手放してしまった悔いが、折に触れ頭をもたげる。

2021年春、自宅リフォームを断行する。亡くなった義母、巣立った子どもたちの持ち物、家具など「不用品」の大量処分に踏み切る。

2つのジャンル（蔵書と生活用品）にまたがる断捨離を、2年ほどの間に行ったことになる。ずいぶん身軽になり、利用空間が広がり、掃除などもしやすくなる。

日々過ごす時間が圧倒的に多い2階の書斎は、「不用品」の処分で広くなり、リフォームによって快適さが増している。

立ち机で仕事をしていると、発想や気分転換も兼ねて室内を歩き回ることも多い。

立ち仕事のメリットとしては、仕事への集中力を高めやすい、運動不足の解消やダイエットに役立つ、姿勢が悪くなりにくい、なども指摘されている[*156]。

4.2.2. 立ち仕事と座り仕事にみる弊害と工夫

なお、「立ち過ぎ」の弊害にも目を向けたい。立ち仕事の人が陥りやすい3つの状態として、次の3点があげられる。1つは体重を支える筋肉の疲労、2つはバランスの崩れ、3つは足の緊張とクッション性の低下である。その結果、足の痛み、むくみ、しびれ、腰痛などを引き起こしやすいという[*157]。

一方、座り仕事の弊害として、足のむくみ、腰への負担、眠りやすいなどが指摘されている。立ち仕事の弊害と共通する項目も少なくない。足のむくみは、血流が悪くなると起きやすい。一方は、座ったまま動かないと筋肉が固くなるため。他方は、立ったままで足の筋肉が疲労し硬直するため、である[*158]。「立つ」「座る」のいずれも、「やり過ぎ」は良くない。

「立ち過ぎ」という問題に直面したのは、立ち机にシフトして2～3年経った頃である。2021～22年にかけて、起床時に良く見舞われたのが、腰のこわばりや足のけいれんである。日々8時間を超える立ち机での仕事が常態となっていたので、その影響かもしれない。

そこで、起床時や早朝時の運動に一工夫入れる。すると、ほぼ解決に至り、立ち机の良さをいっそう感じるようになる。座椅子を傍に置いて、一息入れる、気分転換などで腰を下ろすことも心がけている。立ち仕事と座位生活の適度なバランスが大切である。

5　立ち生活へのシフトと心身の変化

5.1　健康診断値20数年の推移　―定年退職後の変容

「表1　健康診断値の推移（十名直喜）」は、20数年の経緯を概観したものである。それをみると、わが身体の特徴と傾向が浮かび上がる。

定年退職頃まで10数年、体重と腹囲は比較的に安定して推移してきた。2006年に早朝ジョギングを始めると、体重は1～2年で2～3kgダウン（52～53kg→50kg）する。50歳代後半のことである。その後、60歳代半ばまでは、体重50kg、腹囲74～5cm前後をキープする。67～70歳になると、腹囲76～7cmに少しアップするも、退職年度の健康診断（2018.6.12）でも、それをキープしていた。

一方、50歳代の終盤から、コレステロールと腎機能に黄信号が点灯していた。対策といえば、毎朝1時間前後の運動を続けて来たことである。

そのおかげもあってか、週ごと単身赴任生活が四半世紀以上続くなか、心身の健康を維持し仕事にも全力疾走して、定年退職を迎える。71歳直前のことである。

5.2　定年退職後にみる体形の激変とその要因

定年退職後には、健康診断を2回（2019.11、2023.10）受けている。退職直後、体重、腹囲の急上昇に見舞われる。

人間ドック（2019.11.27）では、体重56 kg、腹囲82 cmにアップする。体重6 kg、腹囲5～6 cmもアップしたのである。

2018年6月から19年11月の1年半に何が起こったのか、急増の要因は何かが問われよう。

その1年半は、退職前の9カ月（座り机）と退職後の9カ月（立ち机）に大別できる。その中間点にあたる移行期（2019年2～3月）において、体重と腹囲がどの水準なのかは、測定できていない。

定かではないが、立ち生活が本格化するや、腹囲のアップが加速したようで、非常勤として毎週の出校時にズボンが入らず苦労する。

2019年5月の日誌には、「体重と腹筋」のタイトルでのメモがみられ[*159]。これが、手がかりになりそうである。

日誌より、2019年5月中旬には、人間ドック値に近い体形になっていたと推察される。立ち机での仕事を本格化して2か月ほど経った頃のことである。

退職前後に起きた急激な体形の変化については、下記の諸要因が考えられる。①定年退職に伴う種々の行事や手続きを精一杯こなしクリアしたことによる安ど感。②自宅での妻の手料理（3度の食事）による栄養アップ。③毎週単身赴任がなくなったことによるストレスからの解放。そして④立ち机の本格利用。この4点が相乗的に作用したとみられる。

それまでの「座り過ぎ」生活からの転換、立ち机の本格的な利用が、わが身体に及ぼした影響をどう見るか。あらためて問われよう。

中高年になっても太ることなく、50 kg前後であった。胃腸が弱く、食べたものの吸収も良くないためとみられる。座り生活が長いため、早朝運動や徒歩通勤の効果も、かなり減殺していたとみられる。

退職後、自宅生活が主体となり、食事の量・質も単身赴任時に比べ大きく改善する。さらに立ち生活へのシフトが、足腰の血行を良くし、胃腸の働きが活発化して栄養の吸収を良くしたとみられる。「立って読み書く」

図表 7-1　健康診断値の推移（十名直喜）

	身長 (cm)	体重 (kg)	腹囲 (cm)	血圧 最高/最低	コレステロール		腎機能(mg/dl)		備考
					LDL mg/dl		BUN 8〜22	CRE 0.6〜1.10	
1996	162.9	49.0		100/64	60/119				99/00英国留学
2001	162.5	52.5		110/68			20		
2002	162.4	53.0		120/70			21		back-sloping
2003	162.3	53.0		112/68			19		
2004	162.0	52.0					15		
2005	161.7	52.5			109		15		
2006	161.3	51.0			107		22		ジョギング
2007	161.2	49.0			119		27		(06 足むくみ)
2008	161.2	51.6	74.5	116/70	130		27		
2009	161.2	51.0	74.8	126/66	131		23		(咳)
2010	160.6	49.5	73.1	118/70	104		24		(咳)
2011	160.8	49.9	73.8	107/69	126				
2012	160.6	49.8	74.0	91/61	122		27.0	1.03	
2013	159.9	49.2	74.5	105/62	117				
2014	160.1	47.6	73.0	111/67	96		20.4	1.05	
2015	159.9	50.2	77.0	112/64	126		22.0	0.99	(60肩)
2016	159.9	50.4	76.5	113/65	144		22.4	0.94	heavy walking
2017	159.7	49.9	76.0	114/67	137		21.0	1.10	
2018	159.8	50.0	76.0	102/60	142		23.9	1.08	
2019	160.5	56.3	82.0	127/76	148		19.0	1.00	腹筋
2020									(帯状疱疹)
2023	159.1	55.6	85.7	128/63	138		19.9	1.03	白内障手術、補聴器

備考：筆者作成。

スタイルは、研究教育に伴う精神的ストレスを和らげ発散させるのに役立つ。

体形の急激な変化は、それらの複合的な要因によるとみられる。体感的には、立ち机の利用に伴う「立ち生活」へのシフトが大きい。

体形変化にびっくりして早朝運動に励むも、時すでに遅し。増加傾向は止められず、2021 ～ 2022 年頃、体重 57 ～ 58 kg、腹囲 88cm になる。起床時に腰のこわばり、足のけいれんなども頻発する。

そこで、2022 年 11 月以降、早朝運動などに新たな工夫を織り込む。すると、起床時の不具合もなくなり、腰痛体重は 55 ～ 56 kg、腹囲 85cm 台で安定して推移している。

5.3 立ち生活がもたらす精神的影響 —その光と影、教訓

5.3.1 立ち机への手応えと精神的な高揚

2020.1.25の日誌には、単著書出版[*160]直前の精神的な高揚を背景に、「立ち机がもたらした奇跡は、新刊8冊目の出版である」と書いている。

その第2部[*161]に収めた論文の執筆を促したのが、退職記念号[*162]である。その「特集」編集に、2019年6～10月にかけて傾注する。そこでの拙稿の手応え、さらに第1部となる「働き学ぶロマン」の草稿が20数年ぶりに見つかる。ワード編集を機に、2019年10月下旬から12月に一気に出版原稿に仕上げた。その手応えを、下記のように記している。

「すべて、立ち机の集中力、粘りがうみだしたものといえよう。立ち仕事は、わが「研究が立つ」契機になるかもしれない。8冊目にして「立つ」。そういえるようにしたい。」

2020.2.17の日誌では、「睡眠時のマスク着用、ヘビーウォーキング、立ち机」の3点セットが心身の健康に大きな力になっているとしている。

5.3.2 過労・精神的ショックへと転じるプロセス

それから、1か月半～2か月後の2020.3.27の日誌には、「2～3月期の反省」として、4つの精神的なショックを記している[*163]。8冊目の出版、株価、「経営哲学」講義収録などが、コロナ禍によって翻弄される状況、それにともなうストレス、などが記されている。

5.3.3 帯状疱疹（後神経痛）の発症

ストレスが高まりつつも無理を重ねるなか、2020年4月6日、帯状疱疹に気づく。その2-3日前から、右脚大腿部の皮膚がひりひりして不思議に思っていた。その時に発症していたのである。右脚大腿部に赤い疱疹が斑点のように現れたのは、4月6日のことである。

帯状疱疹は、帯状疱疹後神経痛へと連動し、4～5月にかけて右側腹部の痛みからの回復に7週間余を要した。疲労とストレスによる免疫力の低

下によるものであるが、それをもたらした要因は何か。一番大きかったのは、8冊目の本の反響の低さ、いわば出版ショックとみられる。

10数年ぶりの腰痛とそれへの対応のまずさも、体力面での低下と発症の引き金になる。腹筋強化に向けて、力を入れたのが「上体起こし」運動である。そのやり過ぎが、腰痛につながったと感じている。出版に伴う精神的なショックと腰痛に伴う体調の低下が大きかったとみられる。何事も、「過ぎたるは及ばざるが如し」である。

5.3.4　リハビリと体力増進の試み

帯状疱疹後神経痛の発症とリハビリは、立ち机などで高まっていた体力の自信も打ち砕いた。原点に立ち返り、より深く見直すしかない。

2020年5月下旬から、腹筋・背筋などのリハビリを始める。腰に負荷がかかりすぎる「上体起こし」は止め、負担のより少ないやり方に切りかえる。じっと（L字型）キープし腹筋・背筋を鍛える運動である。毎朝、室内で腹筋、腰割り・脚上げ膝肘付け運動などを約20分行う。3か月近く続けることにより、腹筋・背筋は、腰痛発症前よりも強化され、腰痛からも解放される。

しかし、腹部の出っ張りは一向に直らない。そこで、8月17日にネット検索により腹の出過ぎ対策を探る。そこから、72歳でも無理なく出来て効果も高そうな運動をいくつか選択し、L字型と組み合わせて、毎朝取り組む。体の調子はさらに良くなるも、腹の出っ張りに目立った改善はみられない（2020.9）。

5.4　「立って読み書く」活動の意味と課題
―古典と近年の研究を手がかりにして

立ち机の本格的利用が、体重と腹囲の急増や精神状況などに少なくない影響を及ぼしたとみられるが、他の要因も含め、そのメカニズムは定かではない。いずれにしても、立ち机は、わがシニアライフにおいて心身に深い影響を与えており、今後とも与えるとみられる。

定年退職以降、立ち机の本格利用に伴い、立ち時間は運動・家事を含め、

1日の半分ほど占めるとみられる。早朝運動および家事（風呂洗い、掃除、草抜き、買い物など）に2-3時間、立ち机での「立ち読み書く」活動に8時間余。その他も含め、立ち時間が大幅に増している。カロリー消費からみると、フルマラソンを年間20回以上走ったことになるという。にもかかわらず、腹囲はアップしたまま。ポッコリ腹がへこむ気配もみられない。

立ち時間の大幅アップによって、胃腸や足腰が大いに鍛えられたはずである。それによって、栄養の吸収がよくなり、骨や筋肉も増えて強化されたとみられる。退職後は、毎週単身赴任という心身のストレスから解放されたことも大きい。立ち時間を1日3時間確保すると、フルマラソンを1年間に10回完走するのと同程度のカロリー消費効果があり、肥満防止などにもいいとのこと。

人間ドックから9か月すぎた2020年9月、体重は56 kg前後で安定している。ふり返れば、退職前後の1年半（2018.6～2019.11）は特別な期間であったとみられる。その間に何が起こったのであろうか。今なお尽きせぬ謎であり、テーマといえる。

定年退職を機に始めた「立って読み書く」生活は、それまでの座り生活中心から立ち生活中心への転換を促し、座り過ぎ症候群からの脱却を加速させている。それは、身体的な変化にとどまらず、精神面や研究教育活動などにも深い影響を及ぼしているとみられる。

それが持つ意味は何か。近年の調査研究にみる座り過ぎへの警鐘を手がかりに、古典にも立ち返り、多面的な視点から考えてみたい。

6 「座り過ぎ」への警鐘と立ち生活の勧め —近年の調査とメッセージをふまえて

6.1 「座りがちなライフスタイル」がはらむ認知症リスク

近年、「座り過ぎ」の傾向とその弊害への警鐘が、新聞やネットなどでよく見かける。立ち机の導入と本格的な利用に至ったのも、それらに啓発されてのことである。

「座りがちなライフスタイル」がはらむリスクにいち早く警鐘を鳴らし

た書としてV. フォーテネイス[2008]『認知症にならないための決定的予防法』[*164]があげられる。

アルツハイマー患者のライフスタイルに共通する特徴として、下記の3つをあげる[*165]。

1　不十分な睡眠（18時間任務や、夜中にも呼び出しがかかる仕事）

2　予測のできないストレス（救急処置室や法廷からの呼び出し…）

3　時間がなく、座りがちなライフスタイル（仕事に熱中するあまり…）

それらに共通するのが、「ストレスが多く、睡眠不足で、座りがちなライフスタイル」である。それが、若年性のアルツハイマー病を引き起こしやすい要因とみなしている[*166]。

近年の新聞やインターネット記事によると、立ち生活時間の長さは、ガンの発症、病死、死亡などのリスクとも深く関わるようである。

6.2　座り過ぎが高める死亡リスク

「座り過ぎ」による死亡は、世界保健機構世界によると年間200万人に上り、喫煙500万人以上、飲酒300万人以上に次ぐ死亡リスクの3大要因となっている[*167]。1日の座位時間による死亡リスクの比較調査によると、いずれの調査でも座位時間と死亡リスクに高い相関関係がみられる。

図表7-2　余暇の座位時間と死亡リスク（「死因別）の関係

＊死因別の死亡リスクは、座位3時間未満を基準（1.00）とする
3～5時間、6時間以上の数値

総死亡：1.07、1.19。
肝臓疾患：—、1.80。自殺：—、1.66
神経筋疾患：—、1.58。神経障害：1.16、1.54
腎臓病：—、1.43。嚥下性肺炎：1.30、1.41
慢性閉塞性肺疾患：1.16、1.38。
パーキンソン病　：—、1.37。
消化性潰瘍などの消化器疾患：—、1.31。アルツハイマー病：—、1.18。
がん：1.06、1.11

出所：大西淳子「座りすぎの死亡リスク上昇、14の疾患で確認」。

現代人は1日の約60%を座って過ごすとされる。22万人を対象とする3年間調査（2012年、シドニー大学のエイドリアン・バウマン教授ら）によると、1日11時間以上座っている人は6時間未満と比べ、どれだけ運動していようがいまいが、3年以内に死亡するリスクが40%も高い。8-11時間に比べても、15%高い[*168]。

1日6時間座っている人は、3時間未満の人に比べて、死亡リスクが女性34%、男性17%高い[*169]。

余暇時間だけを見ても、同様の傾向がみられる。表7-2は、21年間の追跡調査（登録して1年以降の総死亡と22の死因による死亡）に基づき、余暇に座っている時間と「死因別の死亡リスク」との関係を示したものである。3時間未満（1.00）を基準にして、3～5時間、6時間以上の各比率を表す。1日6時間以上座っている人は、6時間以上では、多くの要因において死亡リスクが顕著に高くなっている。総死亡リスクも、3時間未満に比べ1.19倍高い[*170]。

なお、座り過ぎると死亡リスクが高まる詳細なメカニズムはまだわかっていない[*171]。座り時間と死亡リスクの関係数値は、WHOが推奨する1日30分以上、週5回の運動を実施しても相殺できないという[*172]。ただし、毎日わずかずつでも運動すれば、死亡リスクは低くなる傾向がある[*173]。

6.3　座り過ぎが高めるガン発症リスク

座り過ぎはガンの発症率を高める傾向があるという調査結果が、世界各国で出てきている。

米国の大規模な疫学調査によると、1日6時間を座って過ごす女性は、座る時間が3時間未満の女性に比べて、ガンの発症が多い。とくに、乳がん、卵巣、多発性骨髄腫のリスクが高くなる。

4万人近い対象者を追跡したノルウェーの調査でも、8時間以上座っている男性は、8時間未満の人よりも22%、前立腺がんが多くみられる。40以上の観察研究のデータを総合的に分析した結果でも、長時間の座ったままの仕事は、大腸がん、子宮内膜がん、肺がんを増やす傾向がみられる[*174]。

日本でも、仕事中に長時間座っていると、発がんが増えるという研究結果が出ている。国立がん研究センターの研究グループは、50 ～ 74 歳の約 3 万 3000 人を追跡調査した結果、座ったまま仕事をすることが多い男性ではすい臓がん、女性では肺がんが有意に増加することが確認されている[＊175]。

「がんの場合、座っている時間が長いほどがんの罹患リスクが高くなる。顕著なのは大腸がんと乳がんで、大腸がんは 30%、乳がんは 17% も罹患リスクが上がる」(岡浩一郎）という[＊176]。

6.4 「座り過ぎ」がもたらす心身への影響とそのメカニズム

なぜ座りすぎがよくないのか、そのメカニズムの解明が始まったのは、つい最近のことである。「座ると、脂肪の燃焼に関係する酵素の働きが、止まってしまう」(ミズリー大学コロンビア校のマーク・ハミルトン教授)。

筋肉には、リポタンパク質リパーゼ（LPL）と呼ばれる、脂肪燃焼に関わる酵素がある。座っている間は、筋肉の収縮がなくなる。その結果、脂肪を燃焼する酵素が働かなくなってしまい、病気になりやすくなるという[＊177]。

「座りすぎ」と「運動不足」は別の問題と考えた方がよい、との指摘もみられる。運動をしても、座っている時間が長いと、がんが増え、死亡率も高くなるというデータがある。長時間、脚を動かさずに同じ姿勢のままでいること自体が健康に良くない可能性もある[＊178]。

座って筋肉がほとんど動かない間、「第 2 の心臓」と言われるふくらはぎの活動は停止状態に陥る。すると、下半身に下りた血液を心臓に押し戻すポンプの動きが停止することになり、全身に酸素や栄養を送る血流が滞ってしまう。その状態が長引くほど、血栓ができやすくなる。

問題は、ふくらはぎだけではない。太ももには、人体で最も大きい大腿四頭筋という筋肉がある。この筋肉を動かす度合はエネルギー代謝の善し悪しを左右する。「太ももの筋肉が活動停止状態に陥ると、糖の代謝に関わる機能や脂肪を分解する酵素の活性が低下し、肥満や糖尿病になりやすくなる。」(岡浩一郎）[＊179]。

オーストラリアなどの研究では、日本人が平日に座っている時間は 1 日 7 時間と、調査対象の 20 か国中、最長となっている。テレワークが広がるなか、問題はさらに深刻とみられる[＊180]。

明治安田厚生事業団体力医学研究所の調査（2018年）によると、1日9時間以上座っている成人は、7時間未満と比べて糖尿病をわずらう可能性が2.5倍高い。メンタルヘルスにも影響する。1日12時間以上座っている人は、6時間未満の人と比べて、抑うつや心理的ストレスなどを抱える人が3倍近く多い[*181]。

6.5　座り過ぎ生活への警鐘と処方箋

欧米諸国で、座りすぎが問題視されるようになったのは2000年以降のことである。

オーストラリアは官民一体となり、国民病と化した肥満と糖尿病の解消に向け、テレビのCMで「脱・座りすぎキャンペーン」の動画を流して警鐘を鳴らした。

イギリスは世界一早く、2011年に座りすぎのガイドラインを作成し、「就業時間中」に少なくとも2時間、理想は4時間座っている時間を減らして、立ったり、歩いたりする低強度の活動に充てるべきである」と勧告した[*182]。

米国でも座ったままの健康リスクが知られるようになり、シリコンバレーの大企業を中心に「スタンディングデスク」が増えている[*183]。

大阪大学の研究チームは、デスクワークの男性はそれ以外の仕事の男性よりも、腎臓病のサインとされる「タンパク尿」を発症するリスクが1.35倍高い、という研究結果を発表した。デスクワークの人は意識して立ち上がる、ことを勧めている[*184]。

日本企業でも、立ち姿勢を取り入れて働き方を変えようと昇降机を導入し、効率面、健康面で効果を上げている事例が見られる[*185]。

人間の体は立つことを前提につくられており、座った状態を維持することは体にとって負担になる。立ったり歩いたり姿勢を維持したりといった日常の動作を支える筋肉は、大腿にある「大腿四頭筋」、尻にある「大殿筋」、腹にある「腹筋群」、背中の「背筋群」である。これらの筋肉は、重力に対して立位の姿勢を維持する動きをする。

こうした筋肉は、年を重ねると衰えやすい。これらの加齢の影響を受けやすい筋肉をしっかりと鍛えることが大切である。「週5日、1日3時間立つ時間を確保すれば、年に10回フルマラソンを走ると同じくらいのカロリー消費量を得られる」(英ユニヴァーシティカレッジ・ロンドンのマイク・ルーシモア)。

1週間に5日、1日3時間立ったまま過ごすことで、1日9時間座ったまま過ごした場合に比べ、糖尿病のリスクが12%、心臓病のリスクが47%、低下するという[*186]。

7 貝原益軒 [1713] に学ぶ養生思想と「立つ」「座る」論

7.1 貝原益軒の思想と研究手法

貝原益軒 [1630-1714] は、平均寿命が40歳を下回る江戸時代に80歳代半ばまで生き、大著の多くも晩年に執筆・出版されるなど、精力的な活動を全うした。

貝原益軒 [1713]『養生訓』[*187] は、亡くなる2年前 (83歳) に執筆し、その翌年に出版された。80歳代に至るまでの経験値をふまえて書き綴られている。それゆえ、重厚さと説得力に富み、味わい深い。真摯・誠実な人柄、養生に対する熱意と真剣さ、啓蒙の精神が、本書に貫かれ、脈打つ。ベストセラーになり、300年以上にわたりロングセラーとして今も読み継がれている。

思想家・津田左右吉 [1873-1961] は、早くから益軒の著作の大部分が和文からなることに注目し、その啓蒙的態度を高く評価している。こうした益軒の思想をもっともよくとり入れているのが、この『養生訓』にほかならない。

益軒は80歳前後から、庶民向けに漢字と仮名の交じった和文で書いた「訓もの」の実学書を次々出版する。『家訓』(日常生活の教え)、『和俗童子』(子どもの教育法)、『五常訓』(道徳倫理の教え) から『養生訓』まで、その数は10種にのぼる。

一方で、80歳のときに『大和本草』16巻を完成させる。これは、中国の李時珍が著した薬学研究書『本草綱目』の日本版にあたる。元禄時代に世界の先進的な成果を鋭く吸収していたことが読み取れる[*188]。

益軒は、生まれつき身体が弱かったことから、医学や薬学などの治療に関心をもち、実践し深めていくうちに、「養生」という思想に辿り着く。書物だけに囚われず、自分の足で歩き、眼で見、手で触り、口にすることで確かめるという実証主義を貫いた。何ごとも実験を経て記述することに徹する。自らが試み、経験したことでなければ記録しなかった。そして、みずからが経験し検証できたものは、どんなことでもこれを平易に書きとどめ、多くの人に実践できる養生法を説いたのである[*189]。

益軒は、「人間はなぜ養生をし、長生きしなければならないのか」という根本問題から考え、「人間の尊厳性」ゆえにあると説く[*190]。

『養生訓』には、健康法だけでなく、人としてどう生きるべきか、どうあるべきかが書かれている。身体の「養生」だけでなく、心の「養生」も説いているところに、同書の魅力がある。高齢者の過ごし方についても説いており、日々を楽しむことの大切さを強調している。

7.2 「立つ」「座る」の大切さとあり方

『養生訓』の特徴は、基本的な日常行動について、その心がけとあり方を随所に説いていることである。

座る、立つ、歩くなどの基本活動の大切さとあり方が、折に触れて語られている。健康書に溢れる現代においても、日常の基本活動についてこれだけ丁寧かつ体系的に示されている本は、ほとんど見当たらない。

養生の基本は、「勤めるべきことをよくつとめて、身体を動かし、気をめぐらすこと」にある。「毎日少しずつ身体を動かして運動するのがよい」。「心を静かにして身体を動かすこと」だという[*191]。「つねに身体を動かしていると、気力と血液とがよく循環し、食物も胸に滞らない」からである[*192]。

立つ、座るという行動の大切さも説く。「立ったり座ったりする動作をいとわず、…できるかぎり自分の体を動かすようにしなければならない。」[*193]

7.3 「立つ」「座る」、「静」「動」にみる「やり過ぎ」への警鐘

一方、静と動の「やり過ぎ」にも警鐘を鳴らす。「静かにしすぎるとふさがり、動きすぎれば疲れる。動も静も度をすごすといけない」[*194]。

立ちすぎ、歩きすぎ、座りすぎ、さらに遊びすぎも、身体と精神に悪影響を及ぼし、よくないという。

「長時間歩き、長いあいだ座り、立ち、語りつづけてはいけない」。これは、「長時間の動きで気がへる」から。また「長いあいだ遊び暮らす」のもよくない。「気がふさがって循環しない」から[*195]。

座り過ぎへの警鐘は、他にも随所にみられる。「同じ場所に長く座っていてはいけない」、「長く安座し、身を動かさないと、元気が循環しないで、食欲がなくなり病気になる。」[*196]

「眠りすぎ」にも注意を促す。「長時間眠ることや座ることをさけ」るべし、という[*197]。

さらに、「食後すぐに横になることと昼寝とはもっともいけない。夜でも飲食の消化しないうちに早く寝ると、気がふさがって病になる」。「日の長い時節でも昼寝はいけない」という[*198]。

近年はむしろ、短時間の昼寝の効用を説く書が多い。「昼の 10 分の仮眠は、夜の 1 時間に相当」という[*199]。

眠りすぎに対しては、現代の健康書も警鐘を鳴らしている。米国ガン学会が 40 ～ 70 歳代の男女、約 100 万人を対象にまとめた医学調査によると、睡眠時間を 1 日 10 時間以上とる人は、7 時間以下の人に比べて、心臓発作に襲われる確率が 2 倍、心臓麻痺では 3.5 倍に上るという[*200]。

必要とされる睡眠時間は、年齢や国などによって異なり、加齢に伴い減少する傾向がみられる[*201]。

寝すぎだけでなく、寝不足もリスクを高める。九州大学が福岡県久山町で行った成人の疫学調査によると、1 日の睡眠時間が 5 ～ 7 時間未満の人々に比べ、5 時間未満の認知症リスクは 2.6 倍、10 時間以上の人も 2.2 倍に上った。寝不足、寝すぎのいずれも良くないようである[*202]。

貝原益軒が随所で触れる「やり過ぎ」は、誰もが陥りやすい習性といえる。「過ぎたるは猶及ばざるが如し」（語源は『論語』）は、中庸の大切さを説いたものとされる。「及ばざるは過ぎたるより勝れり」という遺訓（徳川家康）もある[*203]。「過不足なく偏りのない」徳は、『論語』でも「中庸」と評され、修得者が少ないといわれる。

バランスを取ることの大切さと難しさを説いたもので、日々立ち返るべき座標軸といえよう。

過少・過剰の偏りと適正化は、個人の生き方にとどまらず、社会・経済の各分野にまたがる切実な課題となっている[*204]。

8　生活・仕事スタイルの転換が切り拓く人生への視座

8.1 「座り過ぎ」から「立って読み書く」スタイルへのシフトと探求

研究室および自宅書斎のパソコンは、ノートパソコンを使っていた。それを、デスクトップパソコンに切り替えたのは、60歳前後の頃（？）と記憶している。近眼に加えて老眼が進み、ノートパソコンが見づらく感じるようになったからである。

いずれもパソコンは、座り机に置いていた。パソコンで論文やレジメなどをまとめていると、数時間があっという間に過ぎる。その間、座りっぱなしである。仕事をすればするほど、座位時間が長くなる傾向にあった。

座り過ぎの弊害の一方で、立ち仕事や立ち生活が心身に良いことは、以前から気づいていたことである。

座り机では、書いているときはともかく、本や資料などを読んでいると眠気を催すことも少なくない。そうした場合、立ったまま本を読むこともしばしば試みる。

「腰痛は、研究者の職業病のようなもの」と言う大学教員もいるなど、座り仕事の宿命病のようにみられていた感がする。一方、大学の講義は近年、座ってする教員が増えているようである。高齢化に加え、パワーポイントの利用によるとみられる。

筆者の場合、大学の講義は立ってするものと思い、28年間貫き通した。学会・研究会での発表なども、立って行う。座ったままでは、声が隅々まで通らないし、リズムも出ないからである。退職後における立ち机へのシフトは、そうしたスタンスをより本格化したものである。

退職後の1年半、立ち机での仕事を軸に立ち生活中心へシフトするなど、退職後の新たな挑戦の1つになっている。その経緯をふり返るとともに、立ちスタイルのより深い意味や、心身に及ぼす影響は何かについて、考えることも増えている。

これまで、体重と腹囲の急増は、立ち机へのシフトと軌を一にしているとイメージしていた。しかし、本章をまとめるなかで、必ずしもそれだけではなく、より多元的な要因が絡んでいることに気づく。自らの人体変化の不思議を感じている。

立ち机へのシフトがもたらす心身への影響は、実に多面的とみられる。

体重と腹囲の急増に焦点を絞っても、簡単ではない。それの光と影は何か。なぜ短期間に起こったのか。なぜその後は安定的に推移しているのか。

ポッコリ腹の克服に向けての早朝運動にみる種々の試み、その失敗と改善のプロセスも注目される。

立ち机の利用と考察、さらに本章の作成を通して、心身の健康を深く考察する機会が増えている。心身活性化の知恵やノウハウを蓄積していければと思っている。

立ち仕事がもたらす精神的な影響はより大きいと感じている。それは老いがもたらす劣化と熟成にどのようなインパクトをもたらすのか。ここまでは、精神的な側面にまで深く切り込めてはいない。次節以降で、そのテーマについて考えてみたい。

8.2　晩節を照らす趣味と仕事への視座

8.2.1　晴耕・雨読にみる「立ち・座り」、義務・趣味

趣味は戸外と室内の2種類を持つのが良いと伝え聞く。その典型とみられ、よく引き合いに出されるのが、「晴耕・雨読」である。

それを仕事にあてはめれば、「立ち仕事」と「座り仕事」、あるいは「義務の仕事」と「趣味の仕事」、そうした2種類を持つのがお勧め、といえるかもしれない。

晴耕・雨読、立ち・座り、義務・趣味、いずれも対照が際立つ。その2つの要素をうまく組み合わせることで、機能と効用が高まる。

8.2.2　機能の劣化を遅らせる工夫と鍛錬

人生100年時代の高齢期に目を向けると、「熟成」と「劣化」という対照的な2つの要素が浮かび上がる。これをどう上手に組み合わせるか。シニア層に提示される晩年の大仕事とみられる。

機能の側面から見ると、目、耳、喉、足腰など、身体の機能劣化が進む。記憶力や計算力などの流動性知能においても劣化が進む。長期的な傾向としては避けがたいが、種々の工夫や鍛錬で、その速度を遅らせることは出来る。座り過ぎ生活の是正、「立って読み書く」活動も、その一助になるとみられる。

8.2.3 晩節を照らす大業 ―文化的熟成力を生かす

機能的な劣化のスピードを遅らせることは、文化的熟成への大きなチャンスとなる。人生において、また社会的にも、大きな意味を持つとみられる。

機能的な劣化とともに進むのが、文化的な熟成である。多くの生活体験、学び、仕事などを経て、洞察力がより高まる。第一線から退く、あるいは引退することにより、しがらみを超えて、より公平かつ達観した判断ができるようになる。

機能的な劣化を遅らせることで、文化的な熟成がより進む。そして、その文化的熟成の力を、社会に役立てることも可能になる。それを、後進への支援として活かすことができれば、と思う。それができるような工夫を凝らしていくのも、晩節を照らす大仕事といえる。

9 おわりに ―楽しみつつ深める人生の創造

9.1 人生と老後を楽しむ心得

9.1.1 人生の3楽

貝原益軒[1713]は、「人生の3楽」を説く。人間には3つの楽しみがあるという。「1つは道を行い心得違いをせず、善を楽しむこと。2つは健康で気持ちよく楽しむこと。3つは長生きして長くひさしく楽しむこと」[*205]

慎み、楽しむ　—晩節の心得 1

養生は、長寿を可能にする。「命が長いか短いかは身の強弱によるのではなく、生活を慎むか慎まないかによる」。「福と禍は、慎むか慎まざるにあり」(白楽天）という[*206]。

そして、「大きな幸福」は「道にしたがい楽しんですごす」ことにあるという。「1日の限りない変化」を楽しみ、「四季折々の楽しみ」を味わいつつ「年を多く重ねていけば、その楽しみは長くして、しかも長命になる」。「知者の楽しみ、仁者の寿（いのちなが）き」(『論語』）の如く[*207]。

9.1.3　節度を保つ　—晩節の心得 2

老後に気を付けるべき心得も、説いている。「若いときには慎んで節度を守る」も、「老後になるとかえって多欲になり、怒りやうらみが多くなり」、「晩年になって節度を失うひとが多い」、と警鐘を鳴らす[*208]。脳の老化に伴う感情抑制機能の低下などによることが、近年の研究でも明らかになっている。

益軒は、それへの処方箋として、「みずから慎んで怒りと欲とを我慢」することをあげる。「ひとの過失をもゆるし、とがめてはいけない。怒ったり、うらんだりしてもいけない」という。

養生の中核をなすのは、心の持ち方だという。外邪を「畏れてふせぐ」、内欲を「忍ぶ」。この両者が、互いに支え合ってこそ、養生がうまくできる。それが、長寿と「晩節の節度」を保つことを可能にするという。

80 歳まで生き晩年も旺盛に書き続けた古代ギリシアの哲学者プラトン（BC427 ～ BC347 年）は、年長者の経験値を重んじ、良い生き方を実現するには節度と正義、勇気と知恵という徳が必要であると考えた[*209]。

益軒は、節度を促すのは、寛大と楽しむ姿勢だという。「物事に寛大」になり、子どもや他人を責めず、「いつも楽しんで残った年月を送るがよい」[*210]。

「老後の 1 日は千金に値する」。それゆえ大切にし、じっくりと味わい楽しむべしという。

図表 7-3　人生と老後を楽しむ心得　―貝原益軒『養生訓』に学ぶ

人生の３楽

１つは道を行い心得違いをせず、善を楽しむ。

２つは健康で気持ちよく楽しむ。

３つは長生きして長くひさしく楽しむ。

晩節の心得

１　慎む

「慎むか慎まざるか」は、禍と福、命の長短を左右する。

２　楽しむ

道にしたがいて楽しむ。１日の変化、四季の折々を楽しむ。

３　節度を保つ

老後に、欲、怒り、うらみが多くなり、節度を失う人が多い。

→「みずから慎んで怒りと欲とを我慢」する。

人の過失を許し、とがめない。

節度を促すのは、寛大と楽しむ姿勢

人生の心得　―時間を大切に生かす

「老後は、若いときの 10 倍に相当する速さで月日が過ぎていく」

→１日を 10 日、１月を１年とみなし、

「喜楽し、むだな日を暮らすようなことがあってはならない」

備考：筆者作成。

9.2 「深める人生」の創造と「人生時間の法則」

9.2.1 「体感時間」＝「下り坂の人生」観

益軒は、「老後は若いときの 10 倍に相当する速さで月日が過ぎていく[*211]という。

人生のある時点における時間の心理的長さ、すなわち体感時間は、年齢に反比例する。この仮説を提示したのは、19 世紀仏の哲学者ポール・ジャネ（1823-1899）で、「ジャネの法則」と呼ばれる。１日の体感時間は、１歳

児を1とすると7歳は1/7、70歳は1/70となる[*212]。

益軒の指摘は、「ジャネの法則」にも照応し、興味深い。「体感時間」は、年齢とともに短くなり、10歳代で人生の過半を経過する計算となる。これでいくと、生まれた瞬間が頂上で、その後は「下り坂の人生」となる。

9.2.2 「内省時間」＝「深める人生」への視座

一方、人生を経るとともに高まり深まっていくのが「内省時間」である。内省時間とは、経験を顧み思索するなかで生み出される、人生を味わい深堀する時間である。内省時間」は、年齢とともに深みと味わいを増していく可能性を秘めている。質的に「深める人生」が拓ける。

シニア層の体感時間は、若い人の数倍以上に速く過ぎていくが、内省時間は、人生を経て、人生の熟成が進むごとに、深まっていく。

9.2.3 老若を励ます「人生時間の法則」―深める人生の創造に向けて

この2つの時間、すなわち体感時間と内省時間をかけ合わせて、新たに「人生時間」として捉え直す。すなわち、人生時間＝体感時間×内省時間、である。それは、体感と内省が織りなす総合的な人生時間、に他ならない。これを、「人生時間の法則」として提起する。

体感時間の速まりは、内省時間の深さと多様性で補い、より豊かな人生時間を紡ぎ出すことができる。そのコツを体得すれば、シニア層も若い人と同様に人生を味わうことができよう。

若い人も、シニアの生き方に学び、発達と熟成の複眼的な示唆と勇気を得るであろう。

図表 7-4　深める人生の創造―「人生時間の法則」（十名の提唱）

体感時間にみる下り坂人生

「ジェネの法則」＝体感時間は年齢に反比例する≒貝原益軒の指摘

体感時間：年齢とともに短くなり10歳代で人生の過半を経過する計算

生まれた瞬間が頂点、その後は短くなる一方＝「下り坂人生」

「下り坂人生」から「深める人生」へ

内省時間：経験を顧み思索する、人生を味わい深堀する時間
→年齢とともに深みと味わいを増す。深まりの人生が拓ける可能性

深める人生の創造─「人生時間の法則」

シニア層：体感時間は速まるも、内省時間は人生を経て熟成し深まる
人生時間＝体感時間×内省時間。
体感と内省が織りなす総合的な人生時間

備考：筆者作成

9.2.4　時間を大切に生かす　─人生の心得

益軒は、次のように諭す。1日を10日、1月を1年とみなし「喜楽し、むだな日を暮らすようなことがあってはならない」[＊213]。

老後を楽しむ心得は、若人の琴線にも触れよう。生涯を楽しむ心得にしてほしい。

最新の高齢者研究が示唆するのも、「時間を大切に」という同様のメッセージである[＊214]。

米国の老年学者K. ピレマーは、高齢者1,000人にインタビューを行い、彼らが長い人生経験から学んだ最も重要な教訓は何かを探っている。彼らが大切にしていたのは、欲しいもの、より高収入、より裕福ではない。温かな友情、高貴で大きな目的のための活動への参加、家族とゆったり過ごす充実した時間なのである。

ものではなく、時間とその充実こそが、人生を幸せに導く、と彼らはいう。

300年の時空を超えて、最新研究とも共鳴し合い、現代人の心に響くメッセージである。全うすることは至難であるが、人生を照らす羅針盤として肝に銘じ、心がけたい。

第8章

住まいのリフォーム物語

— Quality of Life と「終活」への新たな視座 —

1 はじめに —仕事・生活・人生のリフォームに向けて

1.1 仕事漬けの半世紀とジプシー生活

青年・壮年期は、有為転変の激しい時期である。生活、仕事、研究などに向き合うも、それらをこなすのに精一杯の日々を送る。住まいの大切さは、肌に感じつつも、なかなか落ち着かず、じっくり考察する機会も少ない。筆者もその例にもれず、壮年・老年期には「(週ごと) 単身赴任」生活が続き、それに拍車をかける。

「仕事漬け人間」と化し、日々の生活は「上の空」であわただしく過ぎていく。青壮年期の製鉄所時代のみならず、大学人に転じても、その構図は変わらない。むしろ、壮老年期を通して加速したといえる。

そのライフスタイルは、高度成長期以降にみる日本人の構図を想起させる。「働きバチ」「仕事中毒」と揶揄され、「24時間働きますか」と急き立てられる。「過労死」、「品質不正」、ドロップアウト等の選択を迫られる人も少なくない。

フルタイマーの「仕事漬け人間」として全力疾走し、71歳直前に定年退職を迎える。半世紀にわたる仕事と研究交流の歩みは、十名直喜 [2020]『人生のロマンと挑戦』にも詳しく紹介している。

大学人時代の27年間、自宅 (明石市)、赴任先の大学とマンション (瀬戸市&名古屋市) を週ごとに往来する「ジプシー生活」に終始する。

1.2 定年退職を機に、生活・仕事スタイルの転換

その流れを逆転させる機会が、定年退職後に巡ってきた。退職後は、自

宅が生活と仕事の主要舞台となる。コロナ禍での外出規制、さらにZoomなどオンラインによる研究・教育交流が、在宅生活の比重を高める。

退職を機に、生活・仕事スタイルの転換に踏み出す。その起点となったのが、座り机から立ち机への転換である。立ち机での立ち仕事を軸に、自宅での生活が新たな彩を持って展開する。そこに光をあてたのが、第7章である。

そうした生活スタイルをより確かなものにしたのが、退職2年後に行った自宅のリフォームである。「仕事漬け人間」から「生活人間」（すなわち「人生を楽しみ活かす人間」）への、自己変革の機会と捉えたのである。本章は、そこに焦点をあてる。

1.3 Quality of Lifeと「終活」への新たな視座

副題は、「Quality of Lifeと「終活」への新たな視座」としている。「Quality of Life」と「終活」という2つのキーワードに注目し、新たな視点から捉え直す。

「Quality of Life」には、「人生と生き方の質を高める」という思いを込めている。「Quality」は、日本語では「品質」と訳されるが、「品質」よりも幅広い意味が含まれている。ものの良し悪しの程度に加えて、高級や上質、すばらしいなどの意味が含まれている[*215]。また「Life」には、生命、人生、生き方、生活など幅広い意味が含まれており（『広辞苑』第7班）、これらをふまえての「Quality of Life」である。

一方、「終活」についても、独自な思いを込めている。「終活」は、「終わりの仕度」とみられがちだが、それでは「活」が生きてこない。視点を逆転させ、もっと前向きに捉え直す。「人生の終盤を活かす生き方」こそ、「終活」にふさわしい。「終活」の新たな定義とて提示したい。

筆者は、定年退職（70歳）を機に、立ち生活へシフトし、2年後に自宅の再リフォームを行った。それらは、老化の進行を遅らせ、生活の質を高めて人生の文化的熟成を促す試みといえる。「人生の終盤を活かす生き方」、いわば前向きの「終活」とみなす。

人生の終盤は、伸縮自在である。人生は、序盤、中盤、終盤に3区分できる。人生 100 年時代を想定し、終盤を 70 歳代からとみなすと、30 年近い人生が拓ける。

1.4　住まいのリフォームから人生のリフォームへ

住まいのリフォームは、進め方の工夫次第で、人生リフォームの妙手になりうる。本章は、定年退職を機に行った自宅のリフォームに注目する。

自宅のリフォーム物語は、人生のリフォーム物語につながる。それは、第 7 章（座り過ぎ論）とは少し波長が異なる。新たな展開といえよう。書きおろしで、第 8 章として直に織り込んだ。

住まいのリフォームを通して、人間の五感に基づく体験と学び、思索の大切さに光を当て、AI の進化がその基盤を揺るがす問題に対峙する。「自宅のリフォーム」を生活の質を高めて人生の文化的熟成を促す「人生のリフォーム」として、「終活」を「人生の終盤を活かす生き方」として提示する。

「リフォーム」というキーワードは、住まいにとどまらず、仕事・生活・人生へと広がる。そして、本書のタイトルへとつながる。

2　仕事漬けから生活重視へのシフト

2.1　仕事本位の生活にみる光と影　―週ごと単身赴任 27 年の反省

21 年間の製鉄所勤務を経て 1992 年、大学へ転じる。退職までの 27 年間、研究・教育での仕事漬け、家族・住まいなど生活面へのしわ寄せ、という「無理」を背負いつつ、走り抜く。

生活面へのしわ寄せは、週ごと単身赴任の生活が続いたことによる。自宅は兵庫県明石市で、働き先の名古屋学院大学は、愛知県にある。瀬戸市の山上で 15 年、2007 年に移転して名古屋市の都心で 12 年、仕事に打ち込む。

自らの研究面では、大学への転身が転機となり、停滞から飛躍へと転じる。数年のうちに、それまで溜まっていた論文を編集して、3 冊の単著書として出版する。それを機に、研究対象を鉄鋼産業・大企業から地場産業・中小企業シフトする。さらに、ものづくり経済学、現代産業論の体系化を図る。

図表 8-1　仕事・生活・人生のリフォーム

仕事漬けの半世紀（20 ～ 60 歳代）

20 ～ 30 歳代：鉄鋼人（会社人間＋研究）。
40 ～ 60 歳代：大学人（週ごと単身赴任）
仕事漬け＋ジプシー生活→自宅はベッドハウス化
→日常生活は「上の空」、「昼行燈」の如し（妻）

70 歳代からの挑戦（定年退職～）

定年退職 2019.3 →生活・仕事の舞台
＝自宅へシフト→生活・仕事スタイルの転換
座り机から立ち机への転換（2019 年）。自宅のリフォーム（2021）

仕事・生活・人生のリフォーム

自宅のリフォーム物語→人生のリフォーム物語へ（本書）
退職を機に、「仕事漬け人間」から
「生活人間」（「人生を楽しみ活かす人間」）へ
「Quality of Life」＝「人生と生き方の質を高める」の明示化
「終活」を捉え直す：「終わりの仕度」から
「人生の終盤を活かす生き方」へ

人生の 3 区分（序盤、中盤、終盤）

→「人生の終盤」は伸縮自在、自由に紡ぎ出す＝人生のリフォーム

備考：筆者作成

生活面に目を転じると、違った光景が浮かび上がる。大震災を経て 1999 年、明石市郊外の中古住宅を購入する。6 人家族の生活も、義母が逝き、子供 3 人も巣立ち、やがて妻との 2 人暮らしとなる。博士後期課程の開設（1999 年）以降は、在宅時間はさらに短くなり、月曜に自宅を出発、土曜に帰宅のサイクルとなる。

博士課程ゼミがにぎわうなか、博論指導に一層力を入れるようになっ

たのも、60歳頃のことである。「働きつつ学び研究する」意義とノウハウ、課題などについての総括、理論化などにも着手する。その後、退職するまでの10年間に、社会人博士10人を送り出す。

自宅での生活は、「ベッドハウス」と化していく。溜まった郵便物や新聞類などを整理し、家事の一部をこなすのに精一杯となる。せっかく帰宅しても、研究・教育への対応に追われる。生活の細部に気が回らず、半ば抜け殻状態と化す。「昼行燈（ひるあんどん）」（妻）と揶揄されたのは、60歳頃のことである。

あわただしく虚ろな筆者を見て、妻も気づかい、支援を工夫する。マンションでの食事の不便、外に出かける時間も惜しいということで、毎週、5日分の食事を鞄に詰めて送り出してくれるのである。そのような生活を10年近く経て、定年退職に至る。

2.2　生活・仕事スタイルのリフォームと学び

退職に伴い、生活・生活の場は単身赴任先から在宅へと大転換する。それを機に、生活・仕事スタイルのリフォームを進める。

住まいにおいて大切なのは、家族がそれぞれ「自分の居場所」をどのように確保しているかである。「自分の居場所」とは、「そこを自分の場所だと思いコントロールする空間」のことである。食事テーブルの席、部屋（あるいはその一角）なども含まれる。「ナワバリ」とも呼ばれる[*216]。

単身赴任時代、わが居場所いわばナワバリは、2階の書斎と1階の書庫であった。退職を機に在宅生活へと転じると、わが管轄範囲（ナワバリ）は2階全体に広がる。

妻が指南役となり、家事について学びつつ、少しずつ守備範囲を広げていく。まずは、70坪の広い庭の手入れを、妻から引き継ぐ。夏場の蚊対策、腰・手のケアも必要で、退職後の最大の関門とみていたが、何とかクリアする。そして、風呂洗い、買い物、庭の草抜きなどが、早朝の定番となる。2階（居間、トイレ、書斎、窓など）の掃除担当となる。

在宅生活において、これまでじっくり向き合わず、気づかず、知らずの点も少なくない。庭では季節の折々に、咲き乱れる草木の花、その変化の妙、それらの知識や美しさも、さほど眼中になかった。「各部屋に生け花が飾られていて、すばらしい」と来訪者に言われて、ハッと気づく。夏場、玄関を入ると、「涼しくヒノキの香りがする」「なぜか落ち着く」。孫に言われて、再認識する。再発見することも少なくない。

2階からの眺望も見応えがある。空、瀬戸内海、島々（淡路島、家島諸島）が、季節・時間・天候によって、色合いが変化するなど、見ていても飽きない。現役時代は、単身赴任生活のあわただしさなどもあり、じっくり眺めることが少なかった。好天時の夕景は、実にすばらしい。絶景の一瞬をスマホで撮影し、子どもや孫に送る。働学研のMLで、紹介することもある。

在宅主体の生活を前向きに転換する画期となったのが、立ち机へのシフトと本格的な利用である。第7章で、その考察を行っている。

もう1つが、自宅のリフォームである。半年余、それに正面から取り組む。そのプロセスは、折々に手記としてまとめていた。それを論文として編集し、本章に織り込む。そこでの体験・思索・考察を通して、住まいのリフォーム論へ、さらに仕事・生活・人生のリフォーム論へと展開する。まずは、起点をなす家について考察する。

3　住まいとの出会いと暮らしの変容

3.1　家づくりは故郷づくり　―ヒノキの太い大黒柱

家は「心の故郷」であり、家づくりは「日々の生活を愉しめる故郷づくり」だという[*217]。心に響くメッセージである。

「建ててから3年後を見てほしい」（ベテラン大工）という[*218]。「ヒノキなどの針葉樹は、切られてから200〜300年頃に20〜30パーセントもその強度を増す」ようである[*219]。

中古で購入した拙宅は、1983-4年ごろに建てられたものである。1階の客間にある大黒柱は、かなり太いヒノキである。ヒノキの匂いも感じられる。「この大黒柱はすばらしい。この家も百年はもつ」（建築業者）とのこと。その言葉に背中を押され、購入を決意する。

3.2　気に入った中古の和風住宅を発見し購入

1977年に結婚して以来20数年、妻の実家に居候し共稼ぎしながら1女2男を育てる。妻の実家に居候の身は、田舎出身の長男ゆえ、厳しい視線を感じる。しかし、会社の厳しい処遇・管理のもと、動くに動けなかった。妻の実家が家族と自らを守る防波堤となる。

製鉄所で働きながら研究を続け1992年、大学に転じる。会社から自由な身になるも、遠距離通勤ゆえ、「週ごと単身赴任」生活の身となる。

1995年の阪神淡路大震災による家へのダメージは、かなり深いものがあったようである。家の劣化が年々顕著になり、建て替えか転居を迫られる。転居をするにしても、いい物件が見つからず、思案する日々が続く。

1999年春、和風の中古住宅が売りに出されているのを、妻が発見する。瀬戸内海から近距離（2㎞前後）の閑静な住宅街に佇む。土地は120坪で、庭も70坪と広く、小さな書庫も建てられる。丘の上にあって見晴らしがよく、2階から瀬戸内海が展望できる。

高校などのオーナーで芦屋在住の富豪が、お客を招く別荘も兼ねて建てたという。90歳台半ばになり、遺産相続を考慮し、契約書に捺印、サインできる最後の機会とみて、ご家族が売却を急いだとみられる。

早速、業者やご家族との交渉を重ねる。価格を手の届くところまで下げてもらい、契約成立にこぎつける。研究教育系という同業で、家を大事にしてもらえるという信頼感などが、追い風になったようである。社会人になって20数年、独身寮、居候、共稼ぎなどで貯めたお金を出し尽くし、夫婦名義の家を持つに至る。

英国留学直前、2～3ヵ月以内という早業である。1999年夏、51歳の決断であった。

3.3　ゆったりした風情と良い見晴らしの家

外観は地味な風情であるが、いろいろ凝った造りが施されている。

北側の道路に面してガレージがあり、東向きの門が大理石でできている。門を入り、庭の石畳を通って、外玄関へ。格子戸をあけると、広い内玄関があり、ホール・廊下が広がる。洋風の広い客間などもあって、落ち着いた雰囲気を醸し出す。

10歳代半ばの孫娘は、大阪の都心から訪れるたびに、「落ち着いてホッとする」とつぶやく。玄関の土間（黒曜石）に続き2段（1段目26cm、2段目14 cm）の框がある。上り框は幅広く、見事なヒノキでできている。それを上ると、ホール・廊下へと続く。

3.4　新たな住まいの感慨と（単身赴任が続く中の）空洞化

ヘミングウェイは、人生を航海に例え、時間という海に家を浮かばせ、どんな航路を歩んでいくのかと問いかける[*220]。2000年8月末に帰国して以来、この家で過ごして20年余。半ば単身赴任が続き、家でゆっくりくつろげない感じであったが、この家が気に入り、年とともに愛着も増していく。

2階（書斎とベランダ）からの展望は、一番のお気に入りである。眼下に瀬戸内海がひろがり、南東に瀬戸内海、南西に家島諸島が佇む。美しい夕日が、家島諸島を浮かび上がらせる。季節、時間、天候により、海の色合いなどが刻々と変わっていく。そうした光景をじっくり眺める余裕がないまま過ぎていく。

名古屋学院大学の定年退職（2019年3月）まで、落ち着かない20数年となる。月曜日に家を発ち、土曜日に帰宅するという週ごと単身赴任生活が続く。帰宅しても、1週間に溜まった郵便物の整理、新聞2紙のチェック・切り抜き、家事などで、2日間は、あっという間に過ぎる。週末に関西での学会・研究会があると、自宅から出かける。名古屋では、研究室など大学で大半を過ごし、マンション生活は寝泊まりの様相を呈していた。

この「新居」20年の間に、義母が逝き、3人の子どもは家を出て新たな家族を築く。いつの間にか、妻と2人だけとなる。仕事の忙しさが増すなか、広い家と庭の管理はほとんど妻任せになる。

玄関、フロア、客間、トイレなどに、生け花がいつも飾られていたが、鑑賞することなく通り過ぎることも多かった。そのすばらしさに気づき、じっくり賞味するようになるのは、定年後のことである。広い庭の管理（草抜き、少々の剪定など）も、定年後に引き受ける。

4　住まいと仕事・生活・人生

4.1　住まいから見る人生模様

大学に入学してから、定年退職後に自宅の再リフォームするまで、住まいはいろいろと変わってきた。「図表8-1　住まいから見る人生模様とその変遷」は、50数年にまたがる人生模様とその変遷を、住まいから見たものである。

前期、中期、後期の3期に区分している。前期は「大学入学・卒業・就職」、中期は「結婚・転身・大震災」、後期は「中古住宅購入・退職・リフォーム」である。前期を10～20歳代の成長・独身期、中期を仕事・家族づくりの激動期、後期を生活・仕事の熟成・リフォーム期と見なすこともできよう。

4.2　20－30歳代の住まいと人生の諸課題への挑戦

図表8-2　住まいから見る人生模様とその変遷

＜前期＞　大学入学・卒業・就職

1967年4月　京都大学経済学部入学、京都市四条近辺（旧郭）に賃貸
同　11月　京大熊野寮に転居（～1971年3月大学卒業）
1971年4月　神戸製鋼入社、独身寮（東加古川）

＜中期＞　結婚・転身・大震災

1977年5月　結婚。転勤のうわさもあり妻の実家（明石市郊外）に居候
同じ仕事・部署のまま転勤もなく、居候が続く
1992年1月　神戸製鋼所退社（43歳）
同　4月　名古屋学院大学へ転身、
瀬戸市のマンション（賃貸・単身赴任）
1995年1月　阪神淡路大震災で住居に被害

＜後期＞　中古住宅購入・退職・リフォーム

1999年8月　中古の一戸建て住宅を購入、リフォームして12月に転居
初のマイホーム（51歳）

2007年1月　名古屋学院大学が都心へ移転、
名古屋市都心のマンション（賃貸）

2021年5-6月　自宅の再リフォーム

備考：筆者作成

大学に入学してから卒業、就職、結婚、転身、そしてマイホームへ転居する。その33年間、住居は変われども、住まいの費用は最小限の生活スタイルで推移する。寮生活10年、結婚後は妻の実家に居候して共稼ぎ22年など。会社の厳しい処遇で身動きできなかったことが、その背景にある。「田舎の長男で、妻の実家に居候」は当時珍しく、会社で揶揄されたこともある。世間の厳しい視線は、会社での厳しい処遇、自らの研究の低迷などと重なり、心身の不調の要因にもなる。その逆風をいかに跳ね返すか。30歳代の挑戦となる。

4.3　マイホームでの生活とライフスタイル

災い転じて福となす。この間、万が一のためにと節約し、貯めてきた資金が、力となる。それを吐き出して、1999年に中古住宅を購入する。即リフォームして移り住み。早くも四半世紀になる。当時は6人家族で、書庫のスペースも欲しい。そこで、郊外で広い庭と土地の中古物件を見つけて購入し、庭の片隅に小さな書庫を建てる。

義母が逝き、子ども3人も巣立って、妻との2人暮らしになる。家の維持・管理、とくに庭の手入れが大変である。定年退職後は、わが担当になる。とくに早朝の約2時間がポイントで、運動と家事（風呂洗い、庭の手入れ、買い出しなど）がリフレッシュタイムにもなっている。そして、妻に背中を押されつつも満を持して取り組んだのが、自宅の再リフォームである。

5　高齢化が促す転居と自宅リフォーム

5.1　高齢化が促す転居（一戸建てからマンションへ）の傾向とその是非

高齢化に伴い、一戸建てからマンションへ引っ越す事例も少なくない。

長女の嫁ぎ先のご両親（70歳代）は、自営業を畳んだのを機に、都心の一戸建てから近くのマンションへ引っ越した。

引っ越し前の一戸建ては、3階建てで、築数十年になり、不要な荷物も一杯あり、幅が狭く急な階段は危険が多く、転げ落ちたこともあるという。転居の際、不要不急の家財は一掃する。マンション生活は身軽になり、便利で、階段もなく便利で満足されているご様子。安全で楽（らく）は良いが、運動不足で足腰が弱る副作用もある。室外の階段を毎日数回上り下りするように勧めたこともある。

60～70歳代で、戸建てからマンションへ引っ越す事例は少なくない。子どもたちが独立して出ていき、部屋が余る。冬が寒い、駅から遠い。広い家の管理や庭の手入れなどの負担感も増して、引越しを促すという。

マンション生活は、冬が温かい、住宅機器の性能が良い、階段の上り下りがなくて楽、断捨離のきっかけにもなるという。ただし、良いことばかりではない。引っ越した後の後悔もみられるようである。下のフロアの住人への配慮が欠かせない。とくに「孫の足音」に注意が必要とのこと。階段の上り下りがなくなると、足腰の衰えも気になるという。

5.2　統計調査にみる一戸建てとリフォームの動向

総務省統計局の2018年「住宅・土地統計調査」によると、全世帯の62.0%が持ち家で、賃貸は38%である。一戸建ては64.2%を占め、持ち家33.3%、賃貸30.9%の内訳となっている。高齢者（65歳以上）のいる世帯では、持ち家は82.1%と高い。高齢単身世帯の持ち家も、66.2%に上る[*221]。

高齢になっても、住み慣れた持ち家に長く住み続ける人は多い。その際、人生の節目で住まいのリフォームが課題となる。小論では、一戸建てのリフォームに焦点をあてている。リフォームといっても、A 水回り、B 屋根・外壁、C 内壁・天井・床材、D 室内家具、E その他など、多岐にわたる。

拙宅の場合、中古住宅を購入したこともあって、リフォームの回数は少し多いとみられる。全体にわたるリフォームは、1999年（購入・入居時、51歳）、2021年（定年退職後、73歳）の2回である。

70歳までフルタイマーとして働いたご褒美に、そして退職記念にと、1カ月余の世界旅行に出かける方もみえる。拙宅では、そのお金をリフォームに充てる。

高齢期に入ると、リフォームは必要最小限にとどめ、大がかりなリフォームを控える傾向もみられる。もったいない、生活資金にとっておきたい、とのことである。

5.3　リフォーム直前にみる拙宅の状況　―くたびれて「ごみ」の山

1999年7月、明石市郊外の丘の上、閑静な住宅街に佇む中古住宅を購入した。休む間もなく、リフォームの打ち合わせし、その契約も済ませてすぐに、イギリス留学（1年間）に旅立つ。同年12月、家族が引っ越して、早や四半世紀になる。

再リフォーム前の拙宅は、リフォーム20年余を経て、かなりくたびれた状態にあった。開閉が重い戸や窓、畳の一部が踏むとフワフワし床なども心配、2階書斎のエアコンが機能不全、等々枚挙にいとまがない。亡くなった義母、巣立った子ども3人の生活品、その他も、捨てきれないまま、半ばゴミと化す。掃除をするのも大変であった。

5.4　再リフォームへの思い　―妻へのお詫びと感謝

中古をリフォームしたばかりの「新居」に移り住んで20年余、いろいろと不具合が顕在化する。なんとかせねばという思いは、夫婦とも懐いていた。定年退職後、真っ先に妻からプッシュされたのが、再リフォームである。自宅への愛着も深い。

再リフォームして、退職後の人生を味わいたい。そこを足場にして、新たな人生に挑戦したい。そうした思いは募るも、退職直後の2019年は、検討する余裕がなかった。2020年になると、コロナ禍が広がり、それどころでなくなる。2020年半ばから、やっと重い腰を上げて準備を進める。

20年にわたり任せっぱなしであった妻へのお詫びとお礼を込めて、再リフォームに向き合う。家の事情に詳しい妻の意見をふまえつつ、業者との交流・折衝を進めた。再リフォームの半年間は、家族、専門家との話し合い、業者との折衝、工事現場での作業職人との交流など、日ごろでは得難い貴重な体験と学びの機会となり場となる。

5.5　再リフォームの周到な準備と断行

再リフォームを行ったのは、退職2年後の2021年5～6月である。

老後をどう暮らすか、暮らしたいのか。その基盤をなす、一世一代の大事業である。お金もかかる。リフォームにあたっては、構想設計、家族とのすり合わせ、専門家、専門業者への相談など、いろいろと思案した。遠方にいる次男からの助言も力になる。

それらの起点をなすのが、十名直喜[2020.9]「自宅リフォームの構想と課題」である。その骨子をピックアップしたのが、図表8-3である。

「自宅リフォームの構想と課題」を締め括る下記の小文は、再リフォームの原点となり羅針盤となる。

「次のような点を目ざし心がけて、室内の修繕を行いたいと考えている。

1つは、守りのリフォームである。まずは、この間に目立つようになり気になる箇所を修繕したい。

2つは、攻めのリフォームである。これから20年以上、高齢者として元気に暮らせる住まいづくりである。

中古の自宅を購入しリフォームして移り住み、21年になる。2021年にリフォームする際、これからの21年をどう生きるかが問われよう。

攻めのリフォームとは何か。80～90歳代を自宅で元気に過ごすには何が必要で何が大切かをしっかりイメージして、今回のリフォームに織り込むことである。

80～90歳代をどのように描き、どう生きるかが問われている。夫婦ともに死ぬまで元気・現役（自立）を全うしたい。

一方、守りのリフォームという視点から生活設計を問い直すことも大切である。ピックアップした気になる箇所を中心に修繕する方向で進めるこ

とが、守りのリフォームといえる。」(2020 年 9 月)

図表 8-3　自宅リフォームの構想と課題（2020.9）

中古住宅の購入・リフォーム・引っ越しの経緯（1999 年）

和風の中古住宅との出会い。地味だが広く見晴らし良好
中古住宅の購入・リフォーム。旧宅からの引っ越し

中古住宅の住み心地

土地・敷地・庭と家の風情。間取りと家族構成
家の造りと見晴らし・風通し

20 年余を経ての問題点と課題

定年退職後の自宅での生活スタイル
家の構造的・機能的な問題点
リフォーム業者探しと相談。次男からのアドバイス

守りと攻めのリフォームに向けて

守りのリフォーム：気になる箇所の修繕
攻めのリフォーム：80 ～ 90 歳代への配慮・支援

備考：筆者作成

2020 年 9 月～ 21 年 6 月の 10 か月間にわたる自宅リフォームの取り組みは、その折々に覚書としてメモしていた。自宅のリフォームをめぐるわが挑戦の手記である。

この間、準備・折衝を重ねる。専門の関係者や家族との対話などを通して、家の構造や特質、リフォームと老後生活のあり方などを考える得難い機会となる。その折々の手記を編集したのが、「自宅リフォームをめぐる計画・相談・本番」である。

これらの手記には、リフォームを行う上で、貴重な示唆や手掛かりも含まれている。本章の土台をなしており、それがあったから編集する力が湧いた。「生活人間」への自己変革のプロセスの一里塚と言える。

1 カ月余（2021 年 5 ～ 6 月）にわたるリフォームの工事は、自宅で生活しながら自宅内を転々とするジプシー生活のなか、展開する。作業を目の当

たりにしつつ、施工業者との対話も図りながら、進めることができた。大変だったが、至福の時間だったと感じている。

本章は、この半年間の交流と学びに光を当て、リフォーム物語にまとめたものである。

6 仕事・生活・人生のリフォーム

6.1 「住まい」「生き方」「人生」をつなげる物語―リフォームへの視座

本書の主題を「学びと生き方のリフォーム」としている。「リフォーム」とは何かが問われよう。

リフォームとは、一般的には「衣服の仕立て直しや建物の改築・改装」(『広辞苑』)を指す。本章では視野を広げ、広義のリフォーム論として提示する。すなわち、衣服や建物のリフォームにとどまらず、住まいとしてのリフォーム(改築・改装)、さらには仕事・生活・人生のリフォーム(再設計・再挑戦)として捉え直す。

そのようなリフォーム論の視点は、本章の前半にみる住宅のリフォーム論が起点をなしている。

住居は、年月を経るにつれて劣化が進み、家族構成、年齢、価値観なども変化する。それに伴い、必要に応じてつくり替えていく。それが「住まいのリフォーム」である。

その際、自分がどのような事情により、どのような目的でリフォームしたいのかという方針(ポリシー)が、問われる。そして、どのようなリフォームをイメージしているかという全体構想(トータルデザイン)が求められる[*222]。

これからどのように暮らしたいのか、これからの人生をどのように過ごしたいのか、楽しみたいのか。いわば、これからの人生の歩み方、家族のあり方が問われるのである。それが、リフォームへの視座である。住宅のリフォームは、住まいのリフォームへ、人生のリフォームへとつながる。それらを意識的につなげていくことが、創造的かつ主体的な生き方に他ならない。

本章は、自らの生活体験に光をあて、半世紀にわたるライフスタイルへの反省を込めて考察したものである。副題にみる「Quality of Life」と「終活」という2つのキーワードに独自な思いと視点を込めている。それが、人生そして本書の視点や幅を広げ、独自の香りを醸し出す。

6.2 仕事・生活・人生の再リフォームへの挑戦

71歳直前に定年退職を迎え5年、再リフォームを行って3年になる。この間、自らの仕事と生活はささやかとはいえ、激動と波乱に満ちたものであった。

2019年3月の退職を機に、立ち机に切り替え、1日の大半を立ち机で過ごす。退職前に、7冊目の単著書を出版する。2019年7月、働学研（博論・本つくり）研究会を立ち上げる。

2020年2月、8冊目の本を出版するなか、新型コロナが一気に広がる。その矢先、帯状疱疹に罹り、帯状疱疹後神経症を併発して、全治に2カ月近く費やす。SBI大学院大学（客員教授）にて経営哲学担当し、講義を毎年行うようになる。

2021年5月、自宅の再リフォームを行う。2022年1月、9冊目の単著書を出版する。2023年6月、労務理論学会の特別賞を受賞する。2023年6月に両耳の補聴器を調達し、11月に両目の白内障手術を行う。

この4年半、働学研の月例会は50数回となり、発表本数300本、参加者1,100人を超える。社会人博士3人を送り出し、社会人研究者の単著書出版も10冊を超える。多くのドラマが紡ぎだされ、いくつもの奇跡が生み出されている。

まさに、仕事・生活・人生の再リフォームに挑戦した5年間といえよう。

6.3 再リフォーム後に高まるQuality of Life

住まいのリフォーム後、拙宅での暮らしも早や3年になる。再リフォームは、70歳代前半、定年後間もない大決断であった。今、しみじみと思う。リフォームして本当に良かった！　折に触れて、妻ともそう語り合う。

思い切って「不用品」を処分し、屋内の空間が広がる。掃除もしやすくなる。子・孫たち3家族13人が一斉に帰省しても、なんとか受け入れ可になっている。

1階のリビングに床暖房を入れ、冬場がずいぶんマイルドになる。ここで過ごす時間が長い妻も、ご満悦の様子。1、2階のエアコン、網戸などを整備し、夏場も過ごしやすくなる。

四半世紀を超える「単身赴任」生活を終え、定年後は自宅での生活がメインになる。とくに2階の書斎で過ごす時間が飛躍的に増える。

2階の書斎は、息子たちの2段ベッドなども処分し、空間が広がる。立ち机を中心に座り机と併用する。ここで日々、立ち仕事を8時間以上こなす。2階の窓・ベランダからは、淡路島や家島諸島などが展望でき、瀬戸内海の多彩色変化が心身を癒してくれる。

7　対話が促す「住まい・研究・人生のリフォーム物語」

7.1　家づくりとリフォームをめぐる研究交流　―本章の起点

「住まいのリフォーム物語」をまとめて、3人の社会人研究者にお送りして、コメントをいただく。コメントの中に、珠玉の示唆が含まれている。それらへのリプライを通して、住まいと人生を考察する得難い機会となる。

本章の起点となったのは、2023年11月18日第51回働学研での発表資料、渡邊浩明「価格の見える家づくり（上）」である。家づくりをめぐる不透明な工程を価格視点から明示化するシステムを提示する。

それをどう評価するか、思案する。そこで、この分野に造詣が深い広瀬滋氏にコメントをお願いする。広瀬氏は、設計事務所を経営される1級建築士で、建築関係の本も執筆されている。

廣瀬氏の助言を拝見し、2年前に行った自宅リフォームのことを想い起こす。リフォームをめぐる半年余の体験や思い、交流を、その折々にまとめていた。そこで、2年後の感慨を織り込み、「住まいのリフォーム物語」として編集する。それを、広瀬氏に送ってコメントをお願いすると、望外の評価をいただく。「これほどその過程を記録、色々考察作業をされている住い手は少ない。ほとんどおられないと思います。…学究者としての資質が如実に表れていて、ビックリしました。」

その評価に背中を押されて、編集し直したのが、十名直喜「住まいのリフォーム物語　―Quality of Life と「終活」への新たな視座」である。住まいのリフォーム体験をふまえ、家づくり・暮らし視点から仕事・研究・生活の過去・現在・未来を問い直す。

7.2 「住まいのリフォーム物語」の発表と洗練化

「住まいのリフォーム物語」を、2023年12月23日の第53回働学研で発表すると、議論が盛り上がり、貴重な示唆をいただく。「終活」とあるが、むしろ「再出発」の響きあり。70歳代から100歳までの「発達」をどうみるか。日記から自分史への展開、住宅と心の関係、等々。

そこで、発表と議論をふまえて少し整理し、社会人博士2人（濱真理、太田信義）に送り助言をお願いする。

濱氏から早速、貴重なコメントいただく。「住まいのリフォーム物語を書き留めておられるのには、驚き、感心いたしました。住まいをめぐって人との交流が育まれることに、なるほどと気付くものがありました。…いまだ、夜露をしのぐための道具としてしか家を認識しておらず…自らの住宅観を遅まきながら確立させたい」(濱　2023.11.23)。

濱氏の助言をヒントに綴ったのが、7.3である。

7.3　定年退職とリフォームが促す住宅観の転換

「夜露をしのぐための道具」（濱）という住宅観は、筆者も同様に感じていた時期が長くあった。妻の実家に転がり込んでの20数年は、それに近かったといえる。1986年、義父の後押しで、1階ガレージと2階書斎を増築する。それを機に、書斎生活を通して住宅の大切さを体感するようになる。大学に転じ、さらに阪神淡路大震災を経て、1999年に中古住宅を購入する。しかし、「週ごと単身赴任」が20数年続くなか、「新居」生活を味わうゆとりもなかったといえる。

定年退職後はコロナ禍も重なり、自宅での生活時間が大半をなす生活に一転する。そうしたなか、住宅の大切さ、拙宅の良さをしみじみと感じるようになる。1、2階の長い庇、1階の二重ガラス窓は、風雨や夜露などを防いでくれる。先代の行き届いた工夫と配慮を感じる。

わが生活時間の大半を占める2階は、真夏でも照り返しが少なく、風通しが良くて過ごしやすい。2階からの眺めは格別で、時間、日、季節ごとに変化を楽しめる。

2021年春の住宅リフォームで、住み心地良さが増している。子どもや孫たちも、気に入っているようである。孫娘は、玄関を入るや「落ち着く！」、2階から夕日をながめ「すごく感動！」という。住宅リフォーム物語は、こうした体感を通してまとめたものである。

「草抜きに閉口」（濱）とのこと。小生も、同様である。70坪の広い庭の手入れは、長らく妻にほとんど任せきり。漆木にかぶれ、蚊に刺され、草抜きで手を痛める等の苦労も聞いていた。定年後の家事で、最大の関門とみていたのが、庭の草抜きである。年に1回、植木屋に庭木の剪定をしてもらうが、季節の折々には枝木の手入れも欠かせない。

草抜きにもコツがあるとみられる。妻は右手だけでやり、苦労するという。筆者は、左右の手を交互に使う。右手でしばらくやり、疲れてくると左手に変える。それを交互に繰り返すと、疲れも少なく、スピードもアップする。

試行錯誤しながらも何とかこなし、草木との交流、癒しの機会となっている。庭木の草木は、妻の生け花にも愛用され、室内を彩っている。

7.4　等身大で深める大切さと「秘すれば花」の伝統文化

太田氏からも、下記のような熱いメッセージをいただく。

「「住まいのリフォーム物語」についても、少なからず驚きを持って読ませていただきました。ご自分の住環境その歴史について語られる文章は文筆家や建築関係者には少なからず、みられると思います。しかし、それ以外の方々では稀ではないでしょうか。

そして、ここにも先生の研究者としての基本姿勢がみられます。それは、何事に対しても示されるあくなき探求心とエビデンスに基づく論理建て、だと思います。」（太田、2023.11.28）

大学の研究者は、研究の舞台裏、歩みやノウハウなどについて、文章にし、公にすることを控える傾向があるとみられる。ましてや、自らの住環境などは、稀になるのであろう。

「秘すれば花」(世阿弥）は、日本社会の伝統、文化になっている。権威や魅力も、それで保持される面もあるとされる。

筆者の場合、現代産業論における文化的アプローチとして、仕事・学び・研究や生活など way of life を文化と捉え、等身大で捉え直すことの大切さを提起してきた。住まいや健康なども、その重要な一角を占めること言うまでもない。ただ、これまでは、それに目を向け論じる余裕や体験、それに基づく資料も揃っていなかったといえる。第一線から一歩退き、今やっと、その条件が整い出したのである。

7.5　守りと攻めのリフォーム戦略

太田氏の助言は、「守りと攻めのリフォーム戦略」に注目し、それをクローズアップすべしという。

「このリフォーム物語にも「守りと攻めのリフォーム戦略」が提案され、実行されています。「守り」は、気になる箇所の修繕、「攻め」は高齢者（将来の家族設計・家庭生活）として元気に暮らせるリフォーム。簡潔で、分かり易い表現だと思います。」(太田、2023.11.28)

高齢者にとって、「守りと攻めのリフォーム戦略」は、いっそう必要なこととみられる。住まいのリフォームだけでなく、生き方や生活においても「守りと攻め」のバランスが年齢を重ねるにつれ重要性を増す。自宅で快適に暮らせることは、多くの高齢者の願望であり、何物にも代えがたい。リフォームがその手助けになればと思う。

8　おわりに　―人生の宝物を発見し発掘する

住まいのリフォームは、これから増えていくとみられる。住まいのリフォームもさることながら、仕事・生活・人生のリフォームへとつなげてほしい。本章が、そのヒントになればと思う。

「まとめられた資料は、これからリフォームを計画しようと考える方々にとっては、とても参考になる資料だと考えます。その理由は、この資料が主張し提示しているリフォームに対する基本戦略が明確であること。加えて、具体的な戦術も述べられていることです。」(太田、2023.11.28)

「資料としてまとめる」という発想は、たしかに珍しいといえるかもしれない。それを開示するとなると、さらに稀になる。これからリフォームを考えている方にとって、参考になれば嬉しい。

2カ月ぶりに、「住まいのリフォーム物語」と向き合う。「資料編」はできるも、構成や文章は中途のままにしていた。それを整備し洗練化を図る。今回も急きょ、社会人博士3人に貴重な助言をいただき、それを手がかりにして一気に仕上げる。見直し版に対して、3人の評価は高まるなか、下記のコメントなどにも背中を押され、第8章として組み入れる。

「とても読みやすく、イメージしやすい表現で、一気に拝読できました。どのような年齢層であっても、自分ごととして置き換えることができると考えます。仕事の仕方や生活スタイルについて、自らを見直すきっかけ、示唆を与えることができると思います。」(井手、2024.3.2)

住まい・仕事・人生のリフォームを語ることは、「自分史」と見なされ、「自己耽溺」と評されるリスクも少なくなかろう。それにあえて挑戦したのが、第8章である。

なお、「資料編」には、自宅リフォームに向けてその折々(2020年9月〜21年6月)に綴った手記(「自宅リフォームをめぐる計画・相談・本番の手記」)も含まれる。「手記」は、下記の4本からなり、16千字に上る。

「自宅リフォームの構想と課題(2020.9)」

「設計専門家に自宅リフォームの相談(2020.9.20)」

「自宅リフォームの見積もりと選定(2020.11.28)」

「自宅リフォームの本番日誌(2021.4〜5)」

臨場感に富み、リフォームを考える方には示唆に富むとみられる。「補論3」として、第8章の後に織り込んでいたが、個人情報などが含まれ、本のボリュームも嵩張る。思案の末、割愛するに至る。

リフォームの思いと体験をまとめ、それを試みは、家族のつながりを深める力になるであろう。また、研究交流などを通して学びあうことは、貴重な知見を広げる機会になる。それも、他者実現を支援する活動といえる。

むしろ、自己実現へのささやかな一助になるのではと考えている。住まいの視点から、自らの人生をふり返ることは、人生の宝物を再発見し発掘する機会になるかもしれない。それは、人生を文化的に生き直すことを意味する。

そうした試みは、知的な老化を防ぎ、シニアライフをより豊かにすることにつながる一助になるとみられる。

第9章

学びあい育ちあいの理論と政策：

「働学研」半世紀の挑戦と教訓をふまえて

1　はじめに

1.1　働学研の理念と半世紀の歩み

働学研（博論・本つくり）研究会、略称・働学研を2019年7月に立ち上げて、早や3年になる。その歩みは、コロナ禍にも直面するなか、手探り、試行錯誤の連続であった。

そうしたなか続けることができたのは、多くの理解と支援のおかげであり、心より感謝申し上げたい。そして、この半世紀における働学研の挑戦、いろんな試行錯誤、多くの失敗や奇跡が、知恵となり力になっていると感じている。

そこから学ぶべきものは何か。それを考察し、いくつかの教訓や処方箋を明らかにできないか。そのエキスを、研究教育活動にフィードバックしたい。本章は、そのような思いでまとめたものである。

「働学研」半世紀の歩みは、基礎経済科学研究所、略称・基礎研から出発している。「働きつつ学ぶ権利を担う」は、1975年に研究所として発足以来掲げる、基礎研の理念である。そのコアをなす「働きつつ学ぶ」とは何か。半世紀近くを経るなか、あらためて問われている。社会人と大学人が連帯し、学びあい育ちあう。それを通して、生き生きした現実感覚と基礎理論の結合を図り、現場研究と古典研究の結合を通して、生活感覚あふれる経済学を創造していく。そのような道筋と展望を凝縮して、理念として提示したのが、「働きつつ学ぶ」である。

1.2　原点に立ち返り社会人研究者支援のあり方を問い直す

その原点に立ち返り、基礎研さらに市民大学院のあり方を視野に、働学研の直近3年さらに半世紀を捉え直し、今後のあり方について考えたのが、本章に他ならない。

まとめるきっかけになったのは、一般社団法人 文化政策・まちづくり大学校、略称・市民大学院の理事会（2022年2月11日）「学びタイム」での発表である。さらに、第31回働学研月例会（同3月19日）、および基礎研春季研究交流集会（同3月26日）、基礎研「研究教育支援委員会」（仮称、2022年4～7月）での発表と議論からも、貴重な示唆を得ている。

社会人の「働きつつ学び研究する」活動にどのような支援の手を差し伸べ、育ちあい磨き合う環境を創り出すか。今や、多くの関心と期待が寄せられつつある。その息吹に深く応え、より大きく確かなものにすべくまとめたものである。

2 「働学研」の原点と基礎研の3つの柱

2.1 基礎研の出発点における労働者研究者論

2.1.1 労働者研究者像の先駆的な提示

まずは、1970年代初めに立ち戻り、そこを起点にこの半世紀をふり返ってみたい。

1971年春、大学を卒業し、鉄鋼メーカーに入社する。製鉄所に配属され2年が過ぎたばかりの1973年春、大阪で森岡孝二氏（当時、大阪外国語大学講師）が主宰する経済学基礎理論研究会、略称・大阪2部基礎研に参加する。それが、基礎研との最初の出会いであった。研究会での活発な議論は、わが問題意識を掘り起こし、研究意欲に火をつける。1人で悶々と抱えていた種々の疑問やテーマをぶっつけて議論することができたからである。

数ヵ月で最初の論文「大工業理論の一考察（上）」を書き上げ、1973年秋にペンネーム（戸名）で公刊する。また、それとセットで掲載されたのが、小論（エッセー）「働きつつ学び研究することの意義と展望」（無署名）である＊[223]。

小論では、労働者研究者像と育成のあり方について、次のように提起している。半世紀前に提示したものであるが、その労働者研究者像は今も斬新で、21世紀的なあり方を示唆している。

「共同研究を通して、労働者の中に研究者・書き手を育成し、諸産業分野の労働者が自らの手で内在する諸問題を解明し、政策化し、積極的に組織していく力量をも形成する」

2.1.2 「働く」「学ぶ」「研究する」への注目と有機的結合の斬新性：主体的・創造的な「労働」「学習」観への転換

1960～70年代前半の労働・学習観　―上下・一方向的な関係

1960～70年代前半は、「働く」や「社会人」という表現もさることながら、「労働」「労働者」という表現が主流で、学界、実業界のいずれにおいても多かったとみられる。「労働」は、資本家あるいは組織の支配・管理の下で、義務的、強制的に働くというイメージが強い。一方、「働く」は、義務的、被支配的な関係と条件だけでなく、より主体的、自立的に仕事をするという意味も含まれるなど、より広い概念、イメージで捉えることができる。

労働組合や各種団体では当時、学習会がよく開催され、資本論学習会などもよく開催され、「労働」「学習」がキーワードであった。そこでは、「教える」、「学ぶ」の上下的、一方向的な関係が当然とみられた。講師（研究者や上司）が教え、生徒（労働者）は学ぶ。そこでの「学ぶ」は、習得するがメインで、習ったものを身につけ、会社の仕事や組合活動に適用するというスタイルである。

学んだことは正しいとされ、そのことに思いをめぐらすことは是とされない雰囲気も感じられた。そうした傾向への戒めは古くからあり、「学びて思わざれば、すなわち罔く、思いて学ばざれば、すなわち殆うし」（『論語』）にもみられる。

社会人研究者の自立と創造への視座　―「学ぶ」「思う」「研究する」を問い直す

「学び」さらに「思う」とは何か。「学ぶ」ことがどのような意味を持つのか、別の視点から捉え直すことである。さらには根底から問い直す。それは、「研究する」ことに他ならない。「研究する」ことは、大学人（など職業）研究者の専売特許ではない。社会人が、多様な仕事や生活の現場において、諸課題と向き合う日々の営みの中にこそある。「研究する」ことの原点も、そこに伏在するといえよう。

仕事と研究のいずれも駆け出しの25歳にとって、上記のことは理論的に深く理解していたわけではない。直感的に察知したのであろう。そこで提示したのが、「働きつつ学び研究する」（略称・働学研）という理念である。「労働」「学習」を、「働く」「学ぶ」というより主体的なキーワードで捉え直し、さらに両者をつなげ、「研究する」へと発展させる道筋を提示したものである。

その後は、労働者研究者として、また社会人研究者として、自ら率先して実践し試行錯誤しながら先進的なモデルを創造していく。19年後の1992年春、大学に転じてからは、大学人研究者として社会人研究者（とくに博士）の育成に力を注ぐ。それぞれのモデルを創造しつつ、理念を検証し、理論とノウハウを深め磨いていった。

2.2　基礎研の3つの柱への現代的まなざし

2.2.1　基礎研の3つの柱

基礎研は1975年、次の3点を柱にして、基礎経済科学研究所として本格的に再出発した。①現場研究と古典研究の結合、②社会人研究者100人育成、③生活感覚あふれる経済学の創造、である[*224]。すなわち「基礎研の3つの柱」であり、基礎研の原点をなす。

図表9-1　基礎研の3つの柱

① 現場研究と古典研究の結合

② 社会人研究者100人育成

③ 生活感覚あふれる経済学の創造

2.2.2 3本柱からみる基礎研の半世紀と論点

この3本柱からみると、基礎研の半世紀はどうだったのか。多くの先駆的な成果がみられるが、課題も少なくない。

「働きつつ学ぶ」理念の具現化として、3本柱の軸をなすとみられるのが、②すなわち社会人研究者の育成である。基礎研から公刊された本や雑誌には社会人の論文が多数掲載され、十数人の社会人博士を生み出すなど、少なくない成果をあげている。せっかくの宝のはずであるが、実質的に離れていった方も少なくない。それは、なぜか。

社会人研究者が基礎研で活躍できる文化風土とシステムを整備できなかったことも、要因の1つとみられる。「夜間通信研究科」を開講し、100人の参加者を得て、社会人研究者の育成へと舵を切った1975年の理念と意気込みは、どこへ行ったのか。

2.2.3 主体的・創造的な労働者研究者像
―半世紀前の提唱を21世紀に活かす

その2年前の1973年、25歳の筆者が提示したのが、「諸産業分野の労働者が自らの手で内在する諸問題を解明し、政策化し、積極的に組織していく力量」をもつ労働者研究者像である。

それを主体的・創造的に担っていくには、今風に言えば、社会人博士レベルの力量が必要になるであろう。半世紀前に提示した労働者研究者像は、近年における社会人博士の実像にかなり近いとみられる。名古屋学院大学で社会人博士の育成に取り組むなかでも、感じたことである。

基礎研は、どのような社会人研究者の育成をめざしてきたのか。自立した社会人研究者を育てる風土が、どこまで醸成されてきたのかが問われよう。社会人博士の育成は、その埒外にあり、博士は社会人には無理で、大学人の専売特許、との見方も少なくない。そうした雰囲気は、先駆的な社会人研究者・博士にとって、我慢できないものとみられる。

その壁を何とか打破したい。理論と政策を切り拓いていく社会人研究者を育てていきたい。名古屋学院大学大学院の博士課程十名ゼミにおける、21年間の社会人研究者づくりには、そうした思いも込めていたのである。

2.3 「わが働学研」の半世紀をふり返る

2.3.1 4 つの転機と脱皮

働学研の視点からわが半世紀をふり返ると、4 つの転機と脱皮があったと感じている。

1 つは、1973 年春、基礎研（大阪 2 部基礎研）に入り、同年 11 月には初めての大工業論文と働学研論（随筆）を執筆し公刊したことである。当時、大工業論文が注目されたが、ふり返れば（働学研を提唱し、あるべき労働者研究者像を提示した）エッセーにこそ、より大きな意味があったとみられる。この半世紀は、その具現化をめざしての歩みであった、とみることもできる。

その 2 つは、鉄鋼メーカーに勤めながら京都大学大学院経済学研究科にて社会人大学院生として学んだ 5 年間（1987.4 ～ 1992.3）である。鉄鋼メーカーにおいては、それまでの働学研のインフォーマルな活動が、フォーマルな活動に転じるという画期をなすものであった。働学研のノウハウを磨き研究成果を積み上げるなど、社会人研究者として再生し成長を図る機会になる。

基礎研では、なぜそれが出来なかったのかが問われよう。さまざまな状況と水準にある労働者研究者に対して、きめ細かく体系的に研究支援を行うシステムやノウハウを築けなかったことにあるとみられる。その課題は、今も解決できていない。さらに、修士、博士という学位を授与できないという社会的な制約が、吸引力と魅力を大きく減じるなど重石になったとみられる。

3 つは、鉄鋼労働者から大学教員に転じた（1992.4）ことであり、さらに博士後期課程（十名ゼミ）の開設（1999.4）を機に社会人博士の育成に取り組んだことである。博論指導は 21 年に及んだ。

4 つは、名古屋学院大学を定年退職して数ヵ月後（2019.7）に、「働学研」を立ち上げ、大学人と社会人との協働による社会人研究者の育成、そして学びあい育ちあいの活動を行っていることである。

「不易流行」という格言がある。この間、人生の折々に 4 回ばかり遂げてきた転身（「脱皮」）は、「流行」にあたる。その間、一貫して変わらなかったもの（いわば「不易」）が、「働学研」の理念と生き方である。それは、半世紀の歩みを振り返るなかで浮かび上がってきたもので、1本の道、人生の構図といえる。

2.3.2　労働者研究者論から社会人研究者論へのシフト

1990年代には、社会人大学院が各大学に設置されていく。社会人大学院には、労働者、管理者、経営者、主婦、定年退職者など多様な階層の人たちが入学するようになる。彼らをどう呼ぶのが相応しいか、悩むところである。社会人大学院の登場は、多様な年齢・階層の「まなびすと」を、「社会人」と総称する流れを決定的なものにしたとみられる。

小生も、社会人大学院での学びを機に、それまでの労働者研究者論から社会人研究者論へと舵を切る。

2.4　「働きつつ学ぶ」研究者の育成・支援をめぐる理論と実践　：夜間通信研究科、自由大学院での試みと働学研への視線

2.4.1　基礎研における夜間通信研究科の先駆的実践と困難化に至る背景

夜間通信研究科は、1975年に発足し、多くの論文修了生を送り出した。1994年までの20年間における修了論文は80本に上る。しかし、その活動は次第に難しくなり、95年以降はいっそう困難になる。

その理由は、いろいろ考えられる。直接的には、下記にみる外部環境の変化が大きかったとみられる。

1つは、1980年代後半から社会人大学院が各大学に設置されていったことである。とくに、京都大学大学院経済学研究科における設置は基礎研に大きなインパクトを及ぼしたとみられる。夜間通信研究科は、「働きつつ学ぶ」理念の具現化の場であった。その先駆性と独自性が、大きく揺り動かされる状況が出現したのである。

2つは、1989年の「ベルリンの壁」崩壊、1990年のソ連邦の解体である。その衝撃は、社会主義の思想と運動、さらにはマルクス経済学への厳しい視線、批判へと波及する。マルクス『資本論』とレーニン『帝国主義論』の講座を軸とする夜間通信研究科にとって、その衝撃は殊のほか大きかっ

たと推察される。

2.4.2 自由大学院への改称と修了論文「休止」に至る背景

そうしたなか、夜間通信科は2004年に自由大学院へと改称する。既成大学院に設置されていく社会人大学院との差別化を図る一方、修了論文の作成指導を重視するという趣旨である。しかし低迷は打開できず、むしろより深刻化する。修了論文は、2006年1本、2008年1本を最後に出なくなり、休業を余儀なくされる。以降は、読書サークル活動の性格を強めていく[*225]。

論文作成支援を通して社会人研究者を育成するという先駆的な活動が、なぜ続かなかったのか。とくに、自由大学院における論文作成支援がなぜうまく行かず休業を余儀なくされたのか。今日的な視点から、あらためて問わねばなるまい。

この問題提起は極めて重要で、基礎研の理念と政策の核心を突くものとみられる。正面から受けとめ議論するには、勇気と知的謙虚さも欠かせない。「研究教育支援委員会」(22年4～7月)で繰り返し提起するも、真摯に議論されには至らなかった。

基礎研における働学研の理論と実践については、半世紀にわたり様々な視点から論じ提示してきた。鉄鋼労働者として論じていた時には注目されるも、大学教員に転じてからは注目されることが次第に減っていく。さらには、厳しい視線も注がれるようになる。

2.4.3 働学研の理論と実践をめぐる厳しい視線

既成大学院との連携と独自な役割 —博士課程十名ゼミの意義と課題

自由大学院における社会人研究者育成の危機的な状況を鑑みると、博士課程十名ゼミにおける実践をふまえての社会人研究者育成の活動と試み(働学研)は、貴重な実験であったとみられる。

しかしながら、(既成大学院の博士課程という)限られたな世界の特殊な理論と実践として見られ、軽視され、批判されることも少なくなかったようである。

それを痛感するのが、2010 年、2016 年に掲載された『経済科学通信』特集[*226]への反応である。そこで提起したのは、社会人研究者をどう育成するかという基礎研にとって本質をなす論点であり課題である。さらに、既存の大学院（とくに博士課程）教育といかに連携しどのように独自な役割を果たしていくのか、という基礎研の課題をも提示していたのである。

大学院に限定しない学びと交流への希求―それに応える働学研の新たな試み

十名直喜編 [2010]「“働きつつ学ぶ” 現場研究のダイナミズムと秘訣」に対しては、貴重なコメントもいただいている。

『経済科学通信』の「編集後記」では、「博士号の取得をめざすことに重点を置き過ぎだという批判もあるかもしれません」（森本壮亮、同 122 号）との指摘がある。また、“働きつつ学ぶ” シンポジウムに参加された社会人研究者から、「大学院に限定しない学びと研究の現実が交流できる、新たな「働きつつ学び研究する」シンポジウムが開催されることを望みたい」（北川健次、同 123 号）とのコメントも寄せられている。

それらに応えるべく、10 年の歳月を経て（定年後に）立ち上げたのが、働学研（博論・本つくり）研究会である。研究の初心者から達人までが共に、学びあい磨き合う研究会として発展してきている。

十名直喜 [2016]「「働きつつ学ぶ」理念と活動の 21 世紀的視座」は、『経済科学通信』141 号「特集 1 「働・学・研」融合の理念と実践」の巻頭論文として、働学研の理論と実践をコンパクトにまとめたものである[*227]。

社会人博士育成をめぐる文科省戦略の行き詰まりと基礎研の使命

特集 1 の中村浩爾「「働・学・研」融合という理念と実践へのコメント」は、小論に対して次のような批判を示されている。自由大学院校長（大学人博士）から発せられたゆえ、重い意味をもつとみられる。

「この間、政策とされてきた博士号量産路線に無批判的に乗っていいのか」、「博士号や大学でのポストの獲得に対する過大視がある。…そのような戦略の限界はすでに明らかになっている」。

しかし、文科省の戦略の限界は、博士の量産にあるのではなく、むしろその逆とみられる。文科省は笛を吹けど、博士の育成が進まず、国際的に大きく取り残されているところに、日本社会の深刻さがある。論文博士の道をさらに狭くし、課程博士の育成に特化していく動きなどもみられる。それは、社会科学の発展を狭め深い影を落としていく愚策といえよう。

そのような文科省の方向性に警鐘を鳴らし、社会人研究者の育成、さらに社会人博士の輩出を担うことこそ、基礎研が半世紀前に掲げた使命と言えるのではなかろうか。

2.5 現代日本における深刻な博士課程離れとその要因 ―打開に向けて

日本の博士人材は、諸外国に比べて少ない。日本企業におけるブレイクスルーの少なさの一因をなすとみられる。主要国との格差が広がるなか、先行きへの懸念が強まっている。その要因と背景については、十名直喜 [2020]『人生のロマン挑戦』社会評論社において論じている[*228]。本節は、そこから一部抜粋・編集したものである。文科省や企業の新たな動きも、最後に付している。

博士号取得者の比率は、図表 9-2 にみるようにドイツ・英国の 1/3、米国・韓国の半分以下である。欧米諸国や韓国では、増加する傾向もみられる。日本は逆で、10 年間に 2 割ダウンするなどに、低下傾向にある。近年の博士過程離れは深刻で、優秀な人材が研究職をめざさなくなっている。

図表 9-2 主要国における博士号取得者数の推移（人口 100 万人当たり）

年度	日本	米国	ドイツ	フランス	英国	中国	韓国
2006	140	183	299	164	288	25	184
2008	131	205	312	169	286	32	191
2010	131	219	319	174	320	35	213
2012	125	236	333	179	348	37	244
2014	118	253	348	177	353	38	255
2016	118	—	356	170	360	39	271

出所：日本経済新聞 2019.11.14

その理由は何か。1つは、日本企業における博士人材の評価と活用の低さにある。博士課程修了者にみる年齢の高さや専門分野へのこだわり、柔軟性の欠如などが問題とされる。博士の採用が常態化していないため、評価や処遇法が定まらず、ネガティブな面が過度に強調されてきた*[229]。

日本企業が採用時に重視するのは、「専門性」ではなく、「コミュニケーション能力」など人柄である。入社後も「専門性」は評価されにくい。30歳前後の平均年収を比べると学部卒に対し修士・博士の大学院卒は、日本の場合1.25倍である。米国の修士は1.4倍、博士では1.65倍に開く。欧米では、博士課程の学費を免除したり、学生に給与を支給したりすることが珍しくない。高学歴者に高収入で報いるのは世界の常識で、「グローバルの人材評価基準から日本市場は隔絶されている」という。倍以上の年収で外資に転じる博士が後を絶たないのも、国内企業における待遇の低さの裏返しとみられる*[230]。

2つは、大学など安定した研究職への道が狭まってきたことにある。政府の「ポスドク（ポストドクター）1万人計画」(1996年）以来、ポスドクは増えるも任期に限りがあるため、40歳を過ぎても安定した研究職に就けない博士が増えている。

企業に入っても稼げないため、日本では博士号をもつ研究者の75%が大学などに所属する。企業に採用される人材を、大学側が育ててこなかった面もある。米国では、博士の4割が企業で働き、イノベーションの原動力になっている*[231]。

3つは、大学の研究職そのものへの魅力が減ってきていることにある。競争的研究費等の申請、研究・教育業績評価等に係る業務などに忙殺され、じっくり研究できなくなっている。そうした大学教員の実態を間近に見て、魅力も失せるのであろう*[232]。

4つは、大学教員の研究力量や指導力がじっくりと培われず、社会の多様かつ深い課題とのギャップを広げていることにあるとみられる。社会人の研究指導にあたっては、とくに問われる点であ。そのあり方については、本章でもメスを入れている。

すでに、「卓越社会人博士プログラム」制度が打開策の1つとして提案されている。個々の大学と企業が合意・連携して卓越した学生を、企業が社員として採用し、博士過程に進学させ、学位取得後、企業に復帰し職務に専念する。卓越人材には専門力と創造力を、企業にはイノベーションへの布石を、大学教員へは知的刺激をもたらす[*233]、という。しかし、思うように進展していないとみられる。

文部科学省は、2024年3月26日、「博士人材活躍プラン」で2040年に博士号取得者数を2020年度比で約3倍の300人超にし、世界トップ級に引き上げる目標を提示した。大学には教育の質の保証や国際化を求め、企業にも博士人材の活用を促している[*234]。

筆者は、「働・学・研」協同の理念とその実践を通して、社会科学分野（経済学・経営学）における社会人博士の育成を図り、そのノウハウや理論を深め体系化してきた。とくに、社会人研究者の多様な仕事・生活体験を重視し、論文博士として育てていくことにも力を入れている。しかし、社会科学分野では、論文博士や社会人研究者の育成を軽視する傾向もみられ、博士人材減少の要因になっていると推察する。

3　社会人と大学人研究者の「学びあい育ちあい」

3.1　「学びあい育ちあい」の関係とは何か

3.1.1　問われる「学」と「研」の関係とあり方

「働・学・研」論に対して、中村浩爾[2016]は、「「学」の中に「研」が含まれているはずなので、「学」と「研」を区別することで、「学」の意義が損なわれる恐れがある」、との批判もされている。しかし、実態は歴史的にみても、その逆であったとみられる。

夜間通信研究科は「講義中心＝学習中心」であった、との総括も自らされている。それはまさに、「学ぶ」が、「学習」にとどまり、「研究」が「学習」の中に埋没していたことを物語っている。それゆえ、「学」と「研」をまずは意識して区別した上で、両者のダイナミックな関係として捉え直すことが必要となるのである。

十名直喜（1973）は、労働者研究者としての2年余の現場体験と視点から、「学」「研」を区分することの大切さを直感し、「働きつつ学び研究する」というキーワードでもって提示したのである。夜間通信研究科が発足する2年前のこと。その先駆性に、注目してほしい。それは、大学人研究者にはできなかったことである。現場に根ざした労働者研究者にしかできなかった大業、と感じている。

何よりも、その先駆的意義にいち早く気づき、基礎研の理念に具現化された基礎研創始者たちに、心より感謝し敬意を表したい。

3.1.2　タテ型・一方向型の「指導」とそれを超える水平型・双方向型への視座

中村浩爾（2016）は、自由大学院では「ゼミ中心＝共同研究 / 発信」に切り替え「時代に適応してきた」という。にもかかわらず数年後、深刻な低迷と危機に直面するのは、なぜか。その謎を解くカギは、論稿の中にみられる。

彼は、次のように主張する。「自由大学院のゼミの本質は、主として労働者、市民、学生、院生が、研究者の指導の下に、研究能力を養成することにある。…専門的力量の差から必然的に生じることであり、共同研究を進めるにあたって必要な秩序である。」（下線は十名）。

そこでは、「研究者」（＝大学教員）とその他との研究力量の差が、「秩序」として固定的に捉えられている。しかし両者の関係は、そのように固定的な、タテ型・一方向型の関係なのかどうか。そのことが、まず問われねばなるまい。

大学人と社会人の関係は、より柔軟かつ流動的なものであり、「学びあい育ちあう」水平型かつ双方向型の方向がめざされていたはずである。

今日の低迷には、基礎研の原点からの逸脱も大きな一因では、と感じる次第である。

3.2　仕事と生活を研究することの今日的意味―主体性と双方向型の育成

3.2.1　社会人研究者に求められる困難への対峙と乗り越える心構え・秘訣

和田幸子（2021）「書評　十名直喜『人生のロマンと挑戦』[*235]には、珠玉の示唆の内にも、働学研への逡巡がみられる。「仕事と生活を研究対象にする」という小生の生き方や提言に対して、そのような「条件が得られる人は決して多くはないだろう」との疑問を示されているのである。

それに対し十名直喜（2021）は、「それは、困難な時ほど大切なこと」として、次のような社会人研究者のあり方を対置する。

「働きながら苦しみや歓びを直視し、その原因を解明して、自分の独自な生き方や働き方につなげる。そうした地道な営み、日々の努力の積み重ねが、自分の潜在能力を引き出していく。少ない時間を活かして働きつつ研究する職人技も体得していくのである。」

それは、半世紀の「働学研」体験をふまえて、基礎研の原点を問い直し深めたものといえる。

3.2.2　大学人に求められる社会人研究者支援の心構えとノウハウ

それでは、社会人は諸困難にどう向き合うのか、どのような支援が大学人に求められているのか、が問われよう。

社会人は、仕事と生活を見つめ直し研究対象として位置づけ、日々の気づき（疑問、悩み、アイデア）を書きとめ、広げ深めていくことである。大学人は、「指導」という上から目線ではなく、現場の最前線に学びつつ、伴走者として、それを掘り下げていく理論や政策的な助言をしていくことが求められている。

タテ型・一方向型の「指導」を超える秘訣は、大学人、社会人のいずれも、主体性を取り戻す自己変革と粘り強い実践にある、とみられる。

研究者（大学教員など）は、労働者、市民から現場のホットな課題や専門性を、臨場感のなかで学ぶ。労働者や市民は、研究者から古典などの基礎理論を深く学ぶ。そのような学びあい磨き合いの交流を通してこそ、生活感覚あふれる経済学、より広く社会科学の創造が可能になる。基礎研の原点も、そこにあるといえよう。

基礎研の原点にみる先駆性は、半世紀を経た今、さらに輝きを増しているとみられる。それを継承し、21世紀型として新たな視点や工夫を凝らしてダイナミックに展開しているのが、働学研（博論・本つくり）研究会である。

働学研は、発足してから5年近く経ち、質量ともに筆者（主宰者）の想定を超えるめざましい発展を遂げている。

その起点になったのが、京都大学（経済学研究科）における社会人大学院コースである。恩師（池上惇）のご尽力によって設置されたもので、筆者は第1期生として入学し、新たなドラマを紡ぎ出していく。

3.3 「働きつつ学ぶ」理念にみる「学ぶ」観の光と影

十名[1973]は、基礎研において「働きつつ学び研究する」労働者研究者像を初めて示した。自らの仕事、職場、産業を分析し、実態を体系的に解明して、あるべき方向性と政策を提示する、というものである。

そして、基礎研が「働きつつ学ぶ権利を担う」理念を掲げたのは、1975年のことである。

「働きつつ学ぶ」の「学ぶ」には、「研究する」の意味も込められていた。しかし、「研究する」を明示しなかったことは、その後の基礎研に光と影の両面をもたらしたとみられる。

まず光の面とは何か。「働きつつ学ぶ」は、労働者の学び欲求をコンパクトに提示していて、意欲的な労働者が基礎研に参集する上で大きな魅力となり磁場になったとみられる。筆者自身、この理念が現場における研究活動のバックボーンとなり、羅針盤となる。

他方、影の部分はどうか。「学ぶ」の捉え方において、次第に「研究する」が後退し、「学習する」へと傾斜していく。まさに、「働学」と「働学研」のせめぎ合いに他ならない。やがて、「研」が形骸化し、「働学」へと名実ともに収斂していく。それは、「働きつつ学ぶ」理念の空洞化といえよう。

3.4 めざすべき社会人研究者像、大学人研究者像とは何か

3.4.1 労働者研究者から大学人研究者への転身をめぐる複雑な眼差し

筆者は20歳代半ば以降、自ら提示する「あるべき労働者研究者像」の具現化をめざし、試行錯誤しながらトライしてきた。

1987年に社会人大学院に入学し、1992年に大学教員に転じる。それは、

基礎研内の評価を二分する波紋をもたらす。さらに、基礎研内に分化と溝をもたらす契機になったのかもしれない。

1つは、「働きつつ学ぶ」活動の挫折だ！との批判である。面と向かって指弾されたこともある。そうした声を受けとめ、それに恥ずかしくない生き方をしようと肝に銘じる。もう1つは、社会人出身の大学人研究者として新たな成長と活躍の場が広がる、との評価・期待である。

基礎研内では、京大経済学部での社会人大学院コースの設置（1987 年）を機に、先進的な労働者研究者が社会人大学院に挑戦し入学する動きが広がる。彼らの多くが、産業論研究会（大学院池上ゼミ）で研究を深め、博士論文づくりへと向かい、大学教員に転じていく。それを機に、基礎研に距離を置く人も少なくない。

そうした流れは、基礎研内の労働者研究者間に複雑な波紋をひろげ、溝と分化をもたらす要因の1つになったとみられる。それらをふまえ、あるべき社会人研究者像について原点にかえって議論することが求められたが、そうした流れにはならなかったとみられる。

3.4.2 社会人研究者の育成・支援をめぐる基礎研内の葛藤と新た機運

社会人研究者の育成をめぐる 2 つの道と連携の課題

1970 年代後半、たくさんの若い大学人研究者が基礎研に集まってきた。大学院教育に携わる研究者も少なくなかったとみられる。基礎研での労働者研究者育成と大学院での研究者育成という 2 つの道である。

しかし、両者を意識的につなげていく動きにはつながらず、博士課程での博士育成に関わる大学人研究者も当初は少なかったとみられる。

基礎研を支えた主要な研究者はその後、各大学において博士の育成や大学行政に携わるようになる。しかし、基礎研運動と連携していくという動きは広がらなかった。

基礎研と大学院の連携に向けた十名ゼミの挑戦―冷めた目から共感への変化

2010 年の 2 回にわたる「働学研」シンポジウム特集は、多くの基礎研人にとって、「博士課程ゼミ」に特化した風変わりな、意味の少ない提唱、運動と映ったのであろう。

2016年の「働学研」特集も、ほとんど響かなかったとみられる。むしろ、それを批判する動きも顕在化する。働学研を提唱し率先して活動する筆者は、基礎研の異端として批判される。

十名直喜（2020）『人生のロマンと挑戦』は、基礎研運動を起点、原点にした歴史的変遷とドラマを体系的、理論的に提示したものである。しかし、基礎研ではそれを評価する動きは、あまり広がらず、期待外れに終わる。十名直喜（2022）『サステナビリティの経営哲学』も、それと大差ないようである。もちろん、熱く理解し共感される方も少なくない。

そうした出版の積み重ねや活動を通して、冷めた目から共感の目へと、少しずつ変化の兆しもみられる。

そのような変化が感じられるようになったのは、定年退職後のことである。働学研（博論・本つくり）研究会の発足と発展が、きっかけになっているとみられる。出版活動と研究会活動の発展がつながって、点から線へと転じ、変化を促す力になりつつある。藤岡惇[2021]「基礎研50年の歩み」では、「未来を拓く」萌芽的な事例の1つとして拙著の出版や働学研の活動が取り上げられている[*236]。

実は、そうした新たな息吹を先取りする変化は、基礎研内にもっと前から表出していたようである。それに気づいたのは、研究教育支援委員会での議論を通してである。「働きつつ学ぶ権利」から「働きつつ学び研究する権利」へと、基礎経済科学研究所の規約（第2条）が2015年に改正されていたのである（基礎経済科学研究所ホームページ参照）。

3.5　社会人研究者育成論：依存（部品）から自立（統合）への視座

3.5.1　社会人が博士論文を書くことの意義：部品メーカーから統合メーカーへ

社会人研究者の自立的な発展モデル　―櫻井善行氏にみる挑戦の軌跡

社会人研究者としての自立的な発展モデルとして、櫻井善行氏を取り上げてみたい。彼は、2019年3月に名古屋学院大学より博士（経営学）を授与され、その半年後に下記の単著書として出版されている。

櫻井善行[2019.11]『企業福祉と日本的システム　―トヨタと地域社会へ

の21世紀的まなざし』ロゴス

櫻井氏は、2001年に名古屋市立大学経済学研究科博士課程を修了（単位修得）されている。2016年頃、産業システム研究会（博士課程十名ゼミ）に飛び入り参加され、3年間の研鑽を通して博士論文に仕上げられた。当時、すでに20本近い公刊論文があり、それらを編集すれば、博論に出来るかもとみられた。

しかし、それらを体系的に編集することは、簡単ではなかったようである。猿田正樹氏や塩見治人氏など優れた研究者の指導を受け、すでに10冊近くの共著書があった。ただし、それぞれの掲載論文は、パーツとして整えられたものである。それらを並べてみても、パーツの寄せ集めの域を超えることは難しい。各論文（いわば部品）には、視点のずれや重なり、論理の飛躍や相互の矛盾なども、少なくないからである。

それらを貫くキーワードと独自な視点を発掘し、それを軸にして各部品を体系的に組み直す、すなわち独自に再編集することが必要となる。口頭でアドバイスしつつ、全体の目次ができるのを待っていた。しかし、卓越した櫻井氏をもってしても、簡単ではなかったようである。1年以上の試行錯誤が続くなか、しびれを切らして体系的に編集する案などを助言する。

それを機に博論への取り組みが本格化し、さらに1年余かけて仕上がる。博論として申請し、予備審査、本審査を経て博士号が授与されたのは、さらに1年後のことである。

組立メーカー（大学人）と下請部品メーカー（社会人）の構図と創造的破壊

櫻井モデルから、編集者（大学人）と各論執筆者（社会人研究者）の関係とそのあり方が浮かび上がる。自動車産業に例えれば、統合組立メーカーと下請部品メーカーという日本的なタテ型の関係である。各論執筆者は、下請部品メーカーのようなものといえる。各論＝請負部品は出来ても、その域を超えるのは至難である。

なお上記に挙げているのは、親企業に依存する下請け部品メーカーのことで、自立した部品メーカーのことではない。自立した部品メーカーの中には、その技術と経営を極め、世界的なメーカーに飛翔する事例もみられる。

櫻井氏には、それまでの下請部品メーカーから脱して自立型部品メーカーへ、さらに各部品を組み立てる統合メーカーに脱皮するよう、叱咤激励し続けた。やがて、大輪の花を咲かせる。独自のコンセプトを軸にして、20本近い公刊論文（＝部品）を体系的に編集（統合）し、足らざる部分を加味して博士論文に仕上げ、単著書の出版へとつなげていく。

3.5.2 自立した創意的な社会人研究者の育て方 ：現場の諸問題に切り込む最強の武器としての研究力を磨く

基礎研にみる共編著書出版の意義

上記の櫻井モデルから、基礎研＆市民大学院における社会人研究者の育て方についての、得難い教訓をくみ取ることができよう。

基礎研では、森岡孝二氏が大阪第3学科（金融流通協同組合ゼミ）を中心に社会人研究者を組織して共著書を数冊出版されている。中村浩爾氏、和田幸子氏なども、各ゼミを中心に社会人研究者を組織して共著書を出版されている。基礎研編としての『時代はまるで資本論』『時代はさらに資本論』なども、その発展形とみられる。

それらのもつ意義は、基礎研の研究教育活動において極めて大きなものがある。基礎研の認知度を高める上で、貴重な役割を担ってきた。また、大学人、社会人ともども、研究者として育っていく上で、重要なステップになる。

社会人研究者の育成・自立・脱皮を促し支援する意義と課題

一方、社会人研究者の育成という視点からみると、意義とともに課題も見えてくる。

社会人研究者は、大学人の助言・支援を得て部品メーカーとして出発し育ちながら、自らの研究を広げ深めて体系化して、自らが研究・教育推進の担い手として1人立ちし、脱皮していくことが求められる。

それは、先進的な社会人研究者が、後進の社会人を研究者に育てていくためにも必要なプロセスである。それぞれが関わる産業・地域の各分野の諸課題を解明し、新たな理論や政策を提示していく上でも欠かせない。

自立した創意的な社会人研究者を育成する上で、博士論文は貴重な手がかりとなり足掛かりの1つになるとみられる。博士論文は、「大学でのポスト獲得」のため（中村浩爾[2016]）だけではない。社会人研究者が、現場の諸問題に切り込む最強の武器の1つになりうるのである。むしろ、そこにこそ、より大きな意義があるといえよう。

「諸産業分野の労働者が自らの手で内在する諸問題を解明し、政策化し、積極的に組織していく力量」（十名［1973］）の形成こそ、半世紀にわたる核心的課題に他ならない。それは、自らの仕事と生活に向き合い、それを研究対象として日々取り組むなかで培われるものである。

4　社会人大学院における働学研の探求と創造

4.1　京都大学社会人大学院池上ゼミ（修士・博士課程）：1987.4 ～ 1992.3

4.1.1　京大大学院ゼミのやり方を変える
―テキスト方式から自前資料の発表方式へ

京大社会人大学院に入学したのは1987年4月、39歳になる直前である。大企業内で働学研に取り組んで10数年経ち、2つの壁（会社処遇と研究）に阻まれ、弱っていた頃である。

大学院ゼミでは、専門書をテキストにする授業が主流であった。しかし、社会人院生にはなじみにくい。働く現場で日々諸問題に直面し、問題意識は一杯あるも、じっくり考える時間や空間が少ない。そうした切実な課題に光をあて、メスを入れる機会と場が求められていたのである。そこで、産業論研究会（大学院池上ゼミ）で提案したのが、自前の資料を持ち寄り発表する方式である。

4.1.2　社会人博士輩出の成果とノウハウ
―自前資料の発表が促す仕事と研究の活性化

それは、社会人の仕事・生活環境や研究スタイルにフィットしたようである。各位の問題意識や現場情報に光をあて、理論化・政策化へのヒントを見出す。自由・闊達な議論や的確な深い指導が、仕事・研究再生への大きな力になっていく。研究会は、活気に満ち、梁山泊の如き様相を呈する。10数年のうちに10人近い社会人博士を輩出し、課程博士への評価を定着させるに至る。

ここでの成果と手応え、ノウハウは、名古屋学院大学の博士課程十名ゼミにおける研究指導へ継承していく。恩師（池上惇）においても、福井県立大学、京都橘女子大学での社会人研究指導において貴重なモデルになったと推察される。

4.2　名古屋学院大学大学院博士課程十名ゼミ：1999.4 ～ 2020.3

名古屋学院大学での28年間（1992-2019）は、社会人研究者の育成という視点からみると、3つの時期、すなわち前史（1992-98）、および本史（1999-2019）の前半（1999-2009）、後半（2010-2019）に大別できる。

4.2.1　前史（1992 ～ 1998年）　―自己実現から他者実現への道

1992年に、神戸製鋼所を退職し、名古屋学院大学へ転身する。翌93年に1冊目の日本的経営・生産システム論を、96年には2冊目、3冊目の鉄鋼産業論を出版する。94年には1冊目の本で、京都大学より博士（経済学）が授与される。

名学大に赴任しての数年間は、学部教育への適応を進める一方、単著書3冊を出版して製鉄所時代21年間の研究を総括する。実に得難い数年間であったと感じている。これによって労働者研究者としての「自己実現」を図り、その後の博論指導（他者実現）への道が切り拓かれたからである。

4.2.2　博士課程十名ゼミの前半期（1999 ～ 2009年）

鉄鋼3部作が切り開く博士後期課程開設と博論指導

1997年に、名古屋学院大学大学院経済経営研究科が開設され、続いて99年には同研究科に博士後期課程が新設される。

赴任直後の数年間に、単著書3冊（鉄鋼3部作）を出版するなど研究を推進したことは、博士課程教員としての資格づくりにおいても、貴重な機会となる。博士後期課程の開設にも、大きな力となったと伺ったことがある。発足時に丸合教員（博士論文指導担当）として文科省お墨付きで参加したことが、独自の研究支援システムづくりを可能にする。

博士課程十名ゼミにおける博論支援の創意的手法

博士課程十名ゼミ（1999.4 ～ 2020.3）は、隔週・土曜午後に開催する。やがて、参加者や発表が増えるなか、隔週・土曜の午前＆午後へと時間帯を広げて対応していく。

博士課程十名ゼミは、京大大学院で編み出した方式を継承する。自前の作成資料（レジメ、論文、書評など）を持ち寄り、発表し議論するなかで揉んでいく。電子通信技術の発展に伴い、電子メールを活用する機会が広がり、その重要性が増していく。論文ファイルなどを添付して送ってもらい、赤字で添削して送り返す。ゼミ共有メールでも、各種のアドバイスや激励を送るなど、議論の輪を広げる。電子メールは、対話さらに論争の共有空間となり、それを通して、新たな着想、アイデア、コンセプトなどの孵化器となっていく。

対面ゼミと電子通信ゼミを結びつけ、両者の相乗効果を図る。とくに電子メールを通じた研究支援（議論や添削）は、年代を経るごとに重要性を増していく。そこが、十数年前の京大大学院池上ゼミとは大きく異なる点である。

図表 9-3　博士論文作成支援の工夫とノウハウ
（博士課程十名ゼミ 1999 ～ 2019）

京大大学院（池上ゼミ 1987 ～ 91 年）での試み

テキスト方式（従来）→自前の作成資料に基づく発表・議論→活性化・博論へ

博士課程十名ゼミ・前半期（1999 ～ 2009）

博士後期課程開設（「経営政策」1999 年）、退職までの 21 年間ゼミ生在籍。
隔週土曜開催。自前の作成資料（毎回提出）に基づく発表・議論
対面ゼミ＋電子通信ゼミ→相乗効果
電子メールを通じた研究支援（議論＋添削）→重要性が年々高まる

鉄鋼産業・大企業→地場産業・中小企業研究へ：[2008]『現代産業に生きる技』→現代産業論・ものづくり経済学へ

博士論文作成支援の総括・理論化→「働・学・研」融合論として提示（2009）

博士課程十名ゼミ・後半期（2010～2019）

産業システム研究会：ゼミOB、他ゼミ生、他大学教員などに開かれたゼミへ

博論「指導」者から「助言」「支援」者へシフト→難局を切り抜ける

（社会人の多様な仕事・社会体験と知性に学び、伴走し、背中を押す）

博士3人/年の同期化（2012年、15年）。10年で博士10人を送り出す。

退職記念号で十名ゼミ21年を総括（ゼミ生他17人執筆）

備考：筆者作成

研究分野の転換に伴う高い壁と乗り越える原動力

わが研究においても、大きな転機となったのが、十名直喜［2008］『現代産業に生きる技―「型」と創造のダイナミズム』である[*237]。鉄鋼産業・グローバル大企業研究から地場産業・中小企業研究へとシフトを図り、10年余の現場調査・検証・理論化を経て体系化し出版する。多様なものづくり産業、経営研究をふまえ、複眼的な視点から現代産業、ものづくりを捉え直す起点となるのである。

なお、鉄鋼産業から他分野への研究シフトは、かなりのリスクと冒険を伴う。それを危惧する声も少なくない。「A産業・企業出身者はA産業・企業研究に終始する」のが常とみられるからである。筆者にとっても、その壁は高いものがあった。新たな分野での調査・研究論文は40万字近くに達するも、単著書の編集・出版に踏み切れない。「W.モリスのデザイン論が参考になるかも」（池上、2006）の助言を機に、視界の靄が晴れ、一気に仕上げる。

博士論文にも、こうした研究交流や助言が求められる。十名ゼミでも、それを心がけてきた。

博士課程十名ゼミの交流・ノウハウの理論化に着手

なお対面での博論十名ゼミは、活況を呈し議論も弾み、数人の博士を送り出す。そこで得た知見やノウハウを、「働・学・研」融合論としてまとめ定式化して、2009年12月には、博士課程十名ゼミ開設10周年記念のシンポジウムを開催した[*238]。

以上、前半の11年間は、博士課程十名ゼミ（産業システム研究）が船出し、試行錯誤を重ねながら基盤を整備し確立した時期である。学内における博士課程をめぐる存続への懐疑の目、分離化の動きなどを制し、成果を出して発展へと転じる。

十名直喜（2008）を機に、産業システム論としても体系化する。さらに、博論指導の洗練化を進め、その定式化を図り、その理念と理論を、「働・学・研」融合論として内外に開示した。その成果は、後半期に開花していくのである。

4.2.3　博士課程十名ゼミの後半期（2010～2019年）

後半10年に社会人博士10人を輩出　—内外に開かれたゼミの成果

博士課程十名ゼミは、現役ゼミ生やOB、他ゼミ生、他大学の教員や博士課程OBなども参加するなど、産業システム研究会として内外に開かれたゼミへと発展する。

2012、2015年度の2回にわたり、ゼミから3人の社会人博士をほぼ同時輩出する。中堅私学にとって、奇跡的なことといえる。後半の10年間は、ゼミから10人の博士が生まれるなど、成果が花開く時期になった。

前半・後半を含め21年間において、ゼミから14人の博士（課程博士11人、論文博士3人）を送り出す。

「指導」から「助言」「支援」へシフトし、難局に対処

博論指導の負荷が高まり、学部教育や行政などとのバランスや舵取りが難しさを増す。自分の研究にもっと力を入れるように、との助言も周囲からいただく。たしかに、アップアップの状況にあった。「指導する」という上から目線では、対応しきれない。

そこで、社会人ゼミ生の多様な仕事・社会体験と知性に学びつつ、伴走し、タイミングを見計らい背中を押す。「指導する」というよりも、「助言する」「支援する」。自らの姿勢、視線をそのように転換したのである。すると、ずいぶんと荷が軽くなり、いくつかの修羅場も乗り越える。

このやり方を、学部ゼミにも取り入れると、ずいぶん楽になる。若い感性や視点により敏感になり、より多く学べるようになる。

振り返ってみれば、働学研（名学大阪）に全力を傾注したことが、長い目で自らの研究活力の維持とアップをも促したと感じている。

定年退職を機に半世紀を総括

働学研の理念と歩みは、大学の紀要で退職記念号特集として公刊される。『名古屋学院大学論集（十名直喜退職記念号）』[*239] では、博士課程十名ゼミ21年の総括を行う。ゼミの現役院生、博士OB、社会人研究者など17人に、各位の働学研の歩みを寄稿していただいた。筆者の総括論文も、その一翼を担う[*240]。

さらに、その総括をふまえ、製鉄所時代を含む半世紀の歩みとして編集し、単著書として出版する（十名[2020]『人生のロマンと挑戦』）[*241]。

定年退職を機に半世紀を総括できたことが、定年後の働学研への再出発につながったとみられる。

5　定年後の再出発：働学研（博論・本つくり）研究会

5.1　対面式研究会の立ち上げ（2019.7～2020.3）

定年退職直後の2019年度は、名古屋学院大学で特任教授として博論指導と学部講義4科目を担当する。そうしたなか2019年7月に、京都（成徳学舎）で対面式の働学研（博論・本つくり）研究会を立ち上げる。それは、かなりハードかつ冒険ともいえる出発だった。

2019年9月には、社会人博士が誕生する。働学研の第1号であり、博士課程十名ゼミ14人目にあたる。

2020年1月の月例会には、30人近くが参加し、10本近い発表がなされるなど盛り上がる。十名直喜（2020.2）では、働学研の趣旨と抱負を開示した。コロナ禍が広がる直前のことである。しかし、コロナ禍には勝てず、同 3 月の第 9 回目で対面式の月例会を最後に、休会を余儀なくされる。

3 ヶ月の休会を経て、2020 年 7 月よりオンライン式の月例会を再開し、今日に至っている。10 か月にわたる対面式の貴重な積み上げがあったからこそ、オンライン方式への切り替えも可能になったと感じている。

今からふり返ると、2019 年 7 月の立ち上げは、ギリギリのタイミングでもあったとみられる。その 10 か月後には、コロナ禍が広がり、対面式の研究会は継続すら難しくなる。コロナ禍のなか新規に立ち上げるとなると、さらに至難になったとみられる。

働学研は、構想のまま頓挫していた可能性も少なくない。思い立ったが吉日で、先手を打つことの大切さが身に沁みる。

5.2　働学研（博論・本つくり）研究会の趣旨

5.2.1　社会人＆大学人が楽しく真摯に議論し学びあい磨きあう

働学研は、研究の初心者から熟達者に至る社会人研究者の多様なニーズに応え、楽しく真摯に議論できる研究交流の場として、発足した。

働学研にご参加いただき、多彩な仕事・人生現場の息吹を追体験しつつ、学びあい磨き合う場として、活用していただければと願っている。

5.2.2　多様な学び欲求＆研究ニーズ（A ～ E）に応えていく

図表 9-4　働学研参加者にみる多様な学び欲求・研究ニーズ・研究水準

A：これまでの仕事と社会活動、問題意識を深く考察し、論文や随筆にまとめて学術誌などで発表したい

B：これまでまとめてきた論文や随筆を体系的に編集し、足りない部分を加えて、1 冊の本にしたい

C：上記 B を博士論文に仕上げて、申請・審査を経て学位（博士号）を取得したい

D：博士論文を洗練化して学術書として出版したい
E：いずれも成就しているが、さらなる高みをめざしたい

備考：筆者作成

参加者が、自らの仕事や産業、地域、生活などを研究対象とし素材にして、論文やレジメなどをまとめて発表し議論する。それをふまえて、論文などを洗練化していく。発表資料の洗練化にあたっては、事前にまた事後にも電子メールなどで助言や添削などの支援を行う。月例会での発表・議論を軸に、その前後における支援と合わせることが、効果を高める重要なポイントになる。

創造的な仕事・研究人生を、各位が主体的に切り拓いていくという大事業に、伴走し支援するのである。

働学研には図表 9-4 に示すように、多様な学び欲求や研究ニーズをお持ちの方が参加されている。これまでの研究や仕事、生き方をまとめたい(AB)、さらなる高みを極めたい（CDE）など。

参加者は、青・壮・老（20 ～ 90 歳代）にまたがり、社会人、大学人、定年退職者など、研究分野、水準、職業、階層も多岐にわたる。

5.3　博論・本つくりの支援と確かな手応え

まずは、A のような思いを抱かれている方の参加を促し、すそ野を広げていく。そして B へ、さらに博士論文づくりへの支援にも力を入れ、社会人博士の誕生、単著書の出版を図っていく。

近年、在野の社会人研究者の受け皿、すなわち彼らの研究成果を受けとめ洗練化の指導を行ったうえで学位（論文博士）を出すことが、難しくなってきている。本研究会は、近隣大学院とも連携してそうした時代状況を切り拓き、博士論文つくり、博士号の取得、単著書出版などを、社会人研究者が実現できるように支援する研究会である。

2021 年 9 月には、働学研 2 人目となる社会人博士（濱真理）が誕生した。博士課程を経ていない博士であり、その点でも注目される。

一方、本つくりにおいては、図表 9-5 にみるように 2016 年以降、博士

課程十名ゼミ（&定年後の働学研）から、博士論文の単著書出版が毎年続いている。ある出版社の社長によると、「博士論文を出版したいという申し込みは後を絶たないが、出版に値するのは 1 ～ 2 割にすぎない」とのこと。数年前に伺ったことで、さらに厳しさを増しているとみられる。（博士課程十名ゼミ&）働学研では、博論を出版原稿としてさらに洗練化し、学術書さらには物語書としての出版が相次いでいる。いずれにしても、働学研で育まれた社会人の博士論文にみる質の高さを物語るものといえよう。

2022 年夏場には、社会人研究者の単著書 3 冊が相次いで出版された[*242]。いずれも、博士課程を経ていない。大学院を経ずに「独学」でまとめられ、市民大学院さらに働学研において洗練化された作品も複数ある。出版環境が厳しさを増すなか、単著書出版の同期化は奇跡と感じている。

かつて、2012 年度、15 年度には、博士課程十名ゼミから 3 人ずつ社会人博士がほぼ同時期に誕生するという博士誕生同期化が起こったが、2022 年の出版同期化もそれに匹敵する快挙とみられる。

この 3 年という短期間に、なぜそのような奇跡、快挙が起こりつつあるのか。この 3 年間の活動を総括するなかで、それを解くカギ、秘訣を探ってみたい。

図表 9-5　2016 ～ 2022 年における博士論文の単著書出版
（博士課程十名ゼミ＆働学研）

太田信義 [2016]『自動車産業の技術アウトソーシング戦略　―現場視点によるアプローチ』水曜社。
井手芳美 [2017]『経営理念を活かしたグローバル創造経営　―現地に根づく日系企業の挑戦』水曜社。
白　明 [2018]『複合型産業経営と地域創生　―内モンゴルの 6 次産業化への日中比較アプローチ』三恵社。
桜井善行 [2019]『企業福祉と日本的システム　―トヨタと地域社会への 21 世紀的まなざし』ロゴス。
杉山友城 [2020]『地域創生と文化創造　―人口減少時代に求められる地域

経営』晃洋書房。
冨澤公子 [2021]『幸福な老いを生きる ―長寿と生涯発達を支える奄美の地域力』水曜社。
濱 真理 [2022]『市民と行政の協働 ―ごみ紛争から考える地域創造への視座』社会評論社。

備考：筆者作成

6 コロナ禍における働学研の新たな挑戦と課題

6.1 オンライン研究会への転換・発展（2020.6 ～）

Zoom によるオンライン研究会は、2020 年 6 月に書評会などを開催して試運転し、同 7 月の第 10 回働学研よりオンライン月例会として再開する。

筆者は、パソコンの各種機能や運用に疎く、その活用では後塵を拝してきた。オンラインによる開催へと舵を切ったのは、2020 年 6 月。月例会を 2 か月間休止（4、5 月）するなか、危機感に駆られてのことである。わが力量からみると、驚くほどの迅速な対応で、奇跡といえる。オンライン研究会にシフトしても、働学研の趣旨や進め方はこれまでを継承し、発展を図る。

初めての論文作成、博論志向（初歩から仕上げ直前に及ぶ）、本つくり志向（1 冊目から数冊目に及ぶ）など、多様な階層が、研究会に参加し発表・議論する。

1 回でも参加された方は、「会員」とみなし、月例会の開催通知や議事録（成果報告書）、会員の単著書出版など各種の紹介を、アナウンスする。さらに、国際文化政策研究教育学会、基礎経済科学研究所にもアナウンスし、連携を図るようにしている。

この 3 年（2019 ～ 2021 年）にわたる月例会は 35 回、参加者は 600 人を超え、発表本数も 200 本に上る。これまでにご参加いただいた方を「会員」とみなし、各種のお知らせをお送りしている。「会員」は、数名から出発、年ごとに倍加、百名を超える。試行錯誤しながら、参加者および発表者の拡大、運営方法の改善、システム化を図ってきた。その試行錯誤のプロセスは、次節で紹介したい。

6.2　オンライン月例会の運営とシステム化

6.2.1　オンライン月例会の開始と広がり　―1人3役の限界などに直面

オンライン月例会は、2020年7月にスタートし、2021年初め頃までの半年間は、1人で全ての役をこなしていた。発表の働きかけやテーマの相談、資料整備など発表者の組織化、開催通知の発信、成果報告のアナウンス等々。

アナウンスは、働学研（会員）にとどまらず、博士課程十名ゼミ（旧）、国際文化政策研究教育学会、基礎研などにも広げていく。参加の呼びかけは、大学同窓会（京大経済、熊野寮）、名学大、神鋼加古川製鉄所などの知人にも行う。

月例会（3時間余）では、司会、発表資料の画面操作、コメントなどもこなす。当初はオンライン運営に不慣れな人が少なくなく、数本の画面操作も引き受ける。毎回、終えると疲労困憊の状況が続く。

6.2.2　月例会の運営・システムの整備

それを見かねた若い参加者（澤稜介氏）より、「お手伝いしましょう」との声がかかる。まさに、「神の声」である。システム担当として、月例会の画面操作だけでなく会議開催のURL発行などを率先引き受けていただく。

司会についても、3人体制（太田信義氏、濱真理氏、十名）へシフトし、参加者確認も複数で行う。ある参加者から、1人で全てこなすのは無理があるとの指摘を受け、「渡りに船」と即、対処したものである。

会員の増加に対応して、電子メールでの連絡についても整備を図る。CC方式からBCC（Blind Carbon Copy）方式へシフトする。やがて、それも対応が難しくなり、ML（Mailing List）方式にする。ML方式では、会員が自由に投稿できるため、運営の理念やルールの明示が求められる。そこで、「ML運営の理念と要領」を開示するとともに、運営の改善も図ってきた。

コロナ禍をはじめ、いろんな環境変化の中、月例会を3年にわたり続け、毎回、数本の発表、20人前後の参加者を得てきた。ふり返ってみれば「奇跡」のように感じる。

発表を数本（月によっては10本強)、毎月組織するのは、至難の事業である。いろんな方に発表を促し、発表資料の洗練化を支援するなど、綱渡りの連続である。

6.3　月例会における多様な階層への配慮・工夫

月例会には、多様な分野、階層、水準、思想の方が参加されている。

月例会では、議論がヒートアップする。指摘も、多様化・高度化し厳しさを増すことも少なくない。それに伴い、発表へのハードルも知らず知らずに高くなる傾向もみられる。

そうすると、参加や発表の申し込みをためらう雰囲気も一部に出てくる。それをどう打開するか、課題となっている。

働学研事務局から、「オンライン開催に伴う課題を、どう工夫しているのか」について積極的にPRするのがいいのでは、とのアドバイスをいただいている。

「とくに、参加者と事務局との意思疎通の視点からは、開催通知・成果報告の内容とタイミング、その後の参加者からの様々な意見・要望への対応が重要です。

この視点において「働学研」では、各通知に発表の良い点をピックアップし、さらに研究を進めていくための適切な示唆が含まれています。さらに、各通知の発信時期が非常にタイムリーです。

どちらも小さい工夫ですが、発表者の研究継続の意欲向上に直接つながる心配り点としてPRする価値はあるのではないでしょうか。」(太田信義 2022.2.9)

6.4　働学研の原点に立ち返り、発表と議論を楽しむ

2/19第30回働学研のお知らせ（2022.2.5）では、上記の課題により深く

応えるべく、<付記>で次のようなメッセージを発信している。

「月例会の進め方についても、さらなる改善を図るべく、働学研の原点に立ち返り、ワイガヤを楽しみ大切にするようにしたいと思います。

働学研の原点は、日常の生活や仕事の中で感じるWhy、What、Howを持ち寄り議論することにあります。メモ、本の感想・書評、途中の草稿、刊行論文など、A4で1枚も含め、いずれもOK。

ブレーンストーミングが基本で、自由に意見やアイデアを出し合い発想を膨らましていく。発表の資料と思いに対して、こうしたらもっと良くなるという提案を大事にし、頭ごなしの批判は慎む。こうした点を、より明確に示したいと思います。」

「働学研の原点に立ち返り、ワイガヤを楽しみ大切に」という一節は、重要なポイントである。これに共鳴する返信も、たくさん届いている。

7　おわりに：社会人研究者を育てるロマン

7.1　市民大学院と基礎研からの依頼　―働学研の先進的事例に学ぶ

「働学研の活動から学びたいので、2/11理事会で講演してほしい」。そのような依頼を金井萬造・市民大学院（文化政策・まちづくり大学校）理事長からいただいたのは、2022年1月31日のことである。また2月2日には、基礎研の和田幸子・自由大学院校長から「教育支援委員会」への参加依頼が届く。

「働学研の教訓と課題」というテーマでまとめ始めたところだったが、両者は深くつながっている。そこで、市民大学院、基礎研のいずれをも視野に入れてまとめることにした。定年後3年の活動に焦点をあてつつ、「働学研」半世紀の視座から捉え直し、教訓と処方箋を汲み出そう、というものである。

7.2　社会人博士育成の大きな意義と難しさ

社会人研究者とくに社会人博士の育成は、大学教員にとって、また大学にとっても、いかに意義深いことか。教員の研究を刺激し肥やしとなり、大学の品格と権威を高める上でも、それに勝るものはない。それは、恩師（池上惇）から出会うごとにいただいた訓えであり励ましである。

働学研（博論・本つくり）研究会を2019年7月に立ち上げたのは、名古屋学院大学での博士課程十名ゼミ（産業システム研究会）21年間の手応えとノウハウを継承・発展させたい、との思いからである。

各分野を理論的・政策的にリードし切り拓いていく社会人研究者、社会人博士を育て社会に送り出したい。その思いは、現役時代のみならず退職後も変わりはない。社会人（とくに私費留学生）が博士論文を仕上げて博士号を取得する、あるいは単著書に仕上げて出版することは、その片方あるいは両方を問わず、至難の大事業といえる。

7.3　社会人研究者を育てる醍醐味とロマン

支援・指導する側にとっても、それなりの覚悟が要る。片手間でできることではない。他者実現に誠心誠意傾注しないと、できないことである。それゆえ、自らの生活や研究、いわば自己実現に向けたエネルギーを割くことも少なくない。

それと葛藤しながらも、粘り強く取り組んでいると、彼らにいくつかの奇跡が起こってくる。ある時期に、研究者としての離陸が起こり、難渋していた博論が一気に進み、完成へと向かう。あるいは、文章が見違えるように良くなり、論旨も明快になる、等々。あるいは、1人の博論や本つくりが進み出すと、他の人も感化され共鳴するように進み出す。ダメかもと思っていた人が大化けして、博論や単著書を仕上げていく等々。

社会人研究者を育てる醍醐味を味わい、ロマンを感じる瞬間でもある。

彼らを支援あるいは指導する側にも、知らないうちに変化が起きてくることも少なくない。「昼行燈」「ひらめきはないが粘りはある」（妻）の見立てのように、凡庸極まりない。そのような筆者が、定年退職の70歳まで、研究・教育に全力で取り組み走り抜くことができたのは、彼らに学び、彼らから示唆とエネルギーをいただいたおかげ、と感じている。

7.4　学びあい育ち合う　─他者実現と自己実現の両立・融合へ

そして、定年退職後の働学研においても、新たな醍醐味や感動のドラマを折に触れて感じる。無償の研究支援活動ゆえ、困難度は一桁アップするが、感動もより大きくなる。それが、自らの問題意識を刺激し研究の活性化につながる、という良循環も起きつつある。十名直喜（2022.1）『サステナビリティの経営哲学　─渋沢栄一に学ぶ』を急きょ出版できたのも、多くの励ましと示唆が背中を押してくれたおかげといえる。

社会人研究者を育てるというロマンは、それを歓び、自らを活かす肥やしにするというロマンにつながる。まさに、「学びあい育ちあう」ロマンであり、他者実現と自己実現の両立さらに融合の道にもつながる、と感じている。

補論 3

コロナ禍の再挑戦 3 年半の記録

―2020 年 6 月～ 2023 年 12 月

働学研（博論・本つくり）研究会の 4 年半の歩みを、月例会報告書に基づきまとめてみた。ご覧いただければありがたい（2024 年 1 月 25 日）。

1　源流
：博士後期課程十名ゼミにおける社会人研究者支援のノウハウ・文化

2019 年 3 月、名古屋学院大学を定年退職するまで、博士課程十名ゼミ（1999 ～ 2019）を 20 年余開催し、社会人研究者を支援する活動を続けてきた。十名ゼミから 10 数人の博士を送り出し、社会人研究者育成のノウハウや文化を育んできた。この灯を、退職後も何とか維持し、さらに大きくしていきたい。

2　働学研（博論・本つくり）研究会の立ち上げ（2019 年 7 月～）

そのような思いを胸に、働学研（博論・本つくり）研究会を立ち上げた。2019 年 7 月、第 1 回の月例会を京都の成徳学舎にて開催する。数人から出発するも、2020 年 1、2 月には 20 数名の参加を得て、会場は熱気に包まれる。さあ、これから！という時期に、コロナ禍が急速に広がり、2020 年 3 月を最後に 4 ～ 5 月は休会を余儀なくされた。2020 年 6 月対面式の月例会を再開するも、対面式の難しさを痛感する。

3　Zoom によるオンライン開催で月例会の再出発（2020 年 7 月～）、種々の工夫

そこで、2020 年 7 月より、Zoom によるオンライン開催で再出発した。それから 3 年半、いろいろと試行錯誤しながら工夫を重ね、2023 年 12 月

には第 52 回月例会を盛況裏に終えることができた。

オンライン開催に切り替えてからは、月例会について、開催通知とともに終了後 1-2 日後に報告書をまとめ会員にメールで開示することを心がけてきた。各発表については、要点と議論のポイントを 4 行（160 字）にまとめて紹介している。研究発表への感謝とともに、研究交流の質を確保し、これを機にさらに高めてほしいとの願いを込めている。

当初 1 年ほど、月例会の司会やオンライン操作などを 1 人でやっていた。当時、Zoom 操作に慣れない人が多く、画面操作と司会を 1 人でこなすのに四苦八苦。3 時間余を何とか終えるとバタンキューで、しばらく動けない。見かねた澤さんの提案で、2020 年 9 月より画面操作などをやっていただく。さらに 2020 年 10 月より、太田さん、濱さんに司会をやっていただく。また澤さんの支援で、メーリングリストを整備し、ＭＬで種々の連絡ができるように。さらに、月例会の動画を開示し、参加できなかった方にもご覧いただけるようにした。いろんな改善、工夫が、働学研の運営に織り込まれている。

この 4 年半、コロナ禍で 2 回の休会を余儀なくされるも、その他は途切れることなく、対面式 10 回、オンライン式 42 回、計 52 回の月例会を開催することができた。

その開催記録を、160 ページ余にまとめる（省略）。ただし、初期の 9 回分（2019 年 7 月～ 2020 年 3 月）は入っていない。資料として保存していなかったからである。2020 年 3 月、自宅パソコンの電子メールのサーバーが急に閉鎖となり、それ以前のメール記録などが引き出せなくなったことも、その一因となる。

そうした事情で、本資料には 2020 年 6 月～ 2023 年 12 月（43 回分）の月例会報告が織り込まれている。

4　質量とも想定を上回る成果と感謝

この 3 年半（43 回分）の月例会での発表は 280 本、参加者 981 人に上る。1 回当たりに換算すると、発表本数 6.5 本 / 回、参加者 22.8 人 / 回。初期

（コロナ禍前）の9回を含めると、発表本数は300本、参加者数は1,100人に上るとみられる。

月例会で、毎回数本の発表を組織していくことは、サーカスの綱渡りのようなもの。ハラハラドキドキの連続で、今回は出来ないかもと思ったことが幾度もある。

この間、働学研から3名の社会人博士を送り出している。社会人研究者の単著書は10冊を超える。他の学会から学会賞を授与された方が、複数みられる。研究の質・量ともに、社会的に認知され始めている。地味な活動ではあるが、粘り強く続行ける中、多くの奇跡が生まれつつある。

多くの方に支えられて、今日がある。働学研の月例会や企画にご参加いただいた方は、百数十名に上る。そのうち、確認できた130名余の方々に、月例会などの案内や報告書、出版や学位取得など、種々のお知らせをお送りしている。

本報告書は、いろいろな思いと感謝を込めてまとめたものである。

5　発見、創造、奇跡を生み出す「働きつつ学び研究する」活動に向けて！

「働きつつ学び研究する」活動を、これからもご一緒に進めていきたい。そこは、多くの苦しみ、試行錯誤とともに、発見と創造の宝庫といえる。

次の3年、5年後には、想定を超える奇跡をたくさん生み出すことができればと思っている。月例会へのご参加、ご発表をお待ちしている。くれぐれもお大事に。

第 10 章
「働く人たちの論文作成・研究支援ガイド版」に向けて
―「働きつつ学び研究する」意義と展望―

1　はじめに

「働く人たちの学ぶ論文作成・研究支援のガイド版」（2023 年 10 月）が、基礎経済科学研究所のホームページに掲載されている。その総論編としてまとめたものが、「「働きつつ学び研究する」意義と展望」である。

働きつつ学ぶ勤労者の論文作成・研究支援は、基礎研の理念を体現する大切な活動である。先進的事例も個々にみられるが、全体としては長らく停滞を余儀なくされる。低迷を打破し、新たな飛躍への足掛かりにしたい。そのような思いを込め、基礎研の原点と理念を活かすべく企画されたのが、「働きつつ学ぶ論文作成・研究支援のガイド版」である。

ガイド版総論は、第 9 章の一部を数分の一に圧縮したものであ、重なる面もみられる。むしろ、ガイド版の一角を担い、ホームページへの掲載を通して、新たな社会的・文化的意味合いを帯びている。それを機に、新たな対話・交流も生まれている。

それらを、第 10 章として提示する。その意義として、次の 3 点を挙げたい。

1 つは、基礎研運動への叱咤激励として、総論を提示していることである。

2 つは、それをしっかりと受けとめる母体として、ガイド版が出されたことである。基礎研の理念と運動を、社会人研究者の育成というコアの視点から、総括し展望を示すものとして注目される。

3 つは、総論を通して、新たな対話の波が起きていることである。

ガイド版執筆の社会人研究者 7 人から早々に、第 10 章への珠玉のコメントをいただく。各コメントにリプライするなかで、種々の気づきや発見も得る。2023年7月のことである。そこで、筆者のリプライに絞って提示する。総論をめぐる対話として、ご覧いただければ幸いである。

2　ガイド版総論 ―「働きつつ学び研究する」意義と展望

2.1　はじめに

半世紀を経てのリバイバル版「働きつつ学び研究することの意義と展望」を、21世紀版として提示したい。本題名の随筆（無署名）が、大工業論文とともに1973年の『経済科学通信』7号に掲載された。製鉄所3年目、25歳の時の作品である。

いろいろな産業・地域の職場で働く人たちが、自主的・主体的に学び研究することの意義を考察し展望したものである。「働きつつ学び研究する」というキーワードは、基礎研のリーダーたちに深く受けとめられ、基礎研の理念にも反映される。

この半世紀の歩みは、試行錯誤と激動に満ちた挑戦であったといえる。この理念を体現された多くの逸材、働きつつ学ぶ研究者（約3桁）を育んできた。本冊子の中核をなすのは、その内の10人が執筆された「仕事と研究の二刀流の経験とノウハウ」である。

筆者自身も、働きつつ学ぶ研究者の1人である。1971年に大学を卒業し鉄鋼メーカーで21年、基礎研にて半世紀（1973～）。その間に、企業や大学など4度の転身をとげてきた。1987～91年には京大大学院でも学び、1992～2019年の27年間、名古屋学院大学にて研究教育に携わり、定年退職後は自宅にてネットを中心に働学研を展開している。

職場や年齢、経験などの変遷を通して、仕事や立場、役割は変わる（流行）も、変わらぬもの（不易）がある。働きつつ学び研究するという人生スタイルである。25歳の立志は、半世紀を通して種々の試練を経て実りと次世代への継承の季節を迎えている。

この半世紀をふり返り、次の半世紀の道筋を照らす一助になれば幸いである。

2.2 基礎研の原点と理念

2.2.1 基礎研の原点とわが出発点

1968年10月、①憲法を暮らしに生かす運動、②労働者と知識人の同盟、③『資本論』学習の伝統を掲げ、経済学基礎理論研究所が創立された。今日の基礎経済科学研究所（略称、基礎研）に改称されたのは、1975年3月のことである。

基礎研は、①労働者研究者（100人）育成、②現場研究 + 古典の結合、③生活感覚あふれる経済学の創造という「3つの柱」を軸に、「働きつつ学ぶ」理念を掲げ、夜間通信研究科を開設した。2015年には、「働きつつ学び研究する」理念へと深化する。

労働者（社会人）と大学人が連帯し、学びあい育ちあう。それを通して、生き生きした現実感覚と基礎理論の結合を図り、現場研究と古典研究の結合を通して、生活感覚あふれる経済学を創造していく。「働きつつ学び研究する」は、そのような道筋と展望を凝縮し理念として提示したものである。その本質を見事に言い当てている一句が、「労働は生命のランプに油を注ぎ、思考はそれに火を点ずる」（ジョン・ベラーズ）である。「思考」には、「学ぶ」「思う」「研究する」が内在している。それらと労働の結合こそ、働学研の神髄に他ならない。それを、『資本論』第1巻の中に発見したのは、わが25歳の時である。

1971年春、大学を卒業して鉄鋼メーカーに入り製鉄所に配属されて2年が過ぎたばかりの1973年春、転機が訪れる。大阪で森岡孝二氏が主宰する経済学基礎理論研究会に参加する。研究会での活発な議論は、わが問題意識を掘り起こし、研究意欲に火をつける。1人で悶々と抱えていた種々の疑問やテーマをぶっつけて議論することができたからである。

数ヵ月で最初の論文「大工業理論の一考察（上）」を書き上げ、随筆「働きつつ学び研究することの意義と展望」（無署名）とともに、1973年秋『経済科学通信』7号に掲載される。

随筆（十名［1973］）は、労働者研究者像と育成のあり方について、次のように提起する。その労働者研究者像は半世紀を経た今も斬新で、21世紀的なあり方を示唆している。

「共同研究を通して、労働者の中に研究者・書き手を育成し、諸産業分野の労働者が自らの手で内在する諸問題を解明し、政策化し、積極的に組織していく力量をも形成する」

2.2.2 「働く」「学び」「研究する」の歴史的な意味と関係

1960-70 年代前半の「労働」「学習」観は、上下的・一方向的な傾向がみられた。

それに対し、「働く」「学ぶ」「研究する」として主体的に捉え直し、新たな視点から光をあてたのが、十名 [1973] である。「働」「学」「研」を有機的に結合して、「働きつつ学び研究する」とし、「現場」と「研究」の新たな結合を図ったものである。

「学ぶ」とは何か。「学ぶ」ことがどのような意味を持つのか。それらを主体的に捉え直すのが、学んだことを「思う」である。さらに「研究する」は、実践・検証・思索を通して、学んだことを根底から問い直すことである。「研究する」ことは、大学人（など職業）研究者の専売特許ではない。社会人が、多様な仕事や生活の現場において、諸課題と向き合う日々の営みの中にこそある。「研究する」ことの原点も、そこに伏在するといえよう。

仕事と研究のいずれも駆け出しの 25 歳にとって、理論的に深く理解していたわけではない。直感的に察知したのであろう。そこで提示したのが、「働きつつ学び研究する」(略称・働学研）である。「労働」「学習」を、「働く」「学ぶ」という主体的なキーワードで捉え直し、さらに両者をつなげ、「研究する」へと発展させる道筋を提示したものである。

その後、筆者は、鉄鋼労働者研究者として、また社会人研究者として、自ら率先して実践し試行錯誤しながら先進的なモデルを創造していく。19 年後の 1992 年春、大学に転じてからは、大学人研究者として学生さらに社会人研究者（とくに博士）の育成に力を注ぐ。それぞれのモデルを創造しつつ、理念を検証し、理論とノウハウを深め磨いていった。

2.3　夜間通信研究科と自由大学院の歩みと課題

2.3.1　夜間通信研究科の挑戦と歩み　―労働者研究者の育成をめざして

夜間通信研究科は、1975 年に発足し、多くの論文修了生を送り出した。2008 年までの 33 年間で、修了論文は 87 本に上る。1977 ～ 82 年は 48 本と活発も、1983 ～ 94 年 32 本と次第に難しくなる。開講式は 1994 年が最後となり、95 年以降は 7 本にとどまる。

その理由は、種々考えられよう。直接的には外部環境の変化が大きかったとみられる。

1 つは、1980 年代後半から社会人大学院が各大学に設置されていったことである。とくに、京都大学大学院経済学研究科における設置は基礎研に大きなインパクトを及ぼす。夜間通信研究科の先駆性と独自性が、大きく揺り動かされる状況が出現したのである。

2 つは、1989 年の「ベルリンの壁」崩壊、1990 年のソ連邦の解体である。その衝撃は、社会主義の思想と運動、さらにはマルクス経済学への厳しい視線、批判へと波及する。『資本論』と『帝国主義論』の講座を軸とする夜間通信研究科にとって、その衝撃は殊のほか大きかったと推察される。

2.3.2　自由大学院の歩みと課題

そうしたなか、夜間通信科は 2004 年に自由大学院へと改称する。既成大学院に設置されていく社会人大学院との差別化を図る一方、修了論文の作成指導を重視するという趣旨である。しかし低迷は打開できず、むしろより深刻化する。修了論文は、2006 年、2008 年各 1 本を最後に、休業を余儀なくされる。以降は、読書サークル活動の性格を強めていく。

自由大学院の「低迷」については、内部要因にこそ目を向け総括すべし、との指摘もいただいている。「指導」を担う大学研究者の多くが、研究、教育、行政などをめぐる大学内の生存競争に巻き込まれ、基礎研の研究教育支援活動に傾注できなくなっていたとみられる。

この問題提起は極めて重要で、基礎研の理念と政策の核心を突くものとみられる。正面から受けとめ議論するには、勇気と知的謙虚さも欠かせない。「教育支援委員会」（22 年 4 ～ 7 月、和田委員長）において繰り返し提起するも、真摯に議論されるには至らなかった。

論文作成支援を通して社会人研究者を育成するという先駆的な活動が、なぜ続かなかったのか。今日的な視点から、あらためて問わねばなるまい。

2.3.3 「働学研」の活動と理論への視座　―批判とリプライ

この間、「働学研」の活動と理論に対し、基礎観内部から種々の批判が出された。ここでは、2人の自由大学院校長からの批判とわがリプライを紹介する。

1つは、「学」と「研」の区分と統合をめぐってである。「「学」と「研」を区別することで、「学」や「研」の意義が損なわれる恐れがある。「学」の中に「研」が含まれているはず」(中村浩爾[2016])等。

すでに、2015年規約改正で「働きつつ学び研究する」が明記されている。にも拘わらず責任者から、それと相反する批判がなされた。その矛盾を問う声も聞こえない。実に、残念なことである。

2つは、仕事と生活を研究することの意味をめぐって。「仕事と生活を研究対象にする」ことに対し、そのような「条件が得られる人は決して多くはないだろう」との指摘である（和田幸子[2021]「書評　十名直喜『人生のロマンと挑戦』」『季刊　経済理論』Vol.57 No.4)。

それは、むしろ困難な時ほど大切である。働きながら苦しみや歓びを直視し、その原因を解明して、自分の独自な生き方や働き方につなげる。そうした地道な営み、日々の努力の積み重ねが、自分の潜在能力を引き出していく。少ない時間を活かして働きつつ研究する職人技も体得していく（十名直喜[2022]『サステナビリティの経営哲学』）。

上記は、半世紀の「働学研」体験をふまえて、基礎研の原点を問い直し深めたものである。

2.4　大学人と社会人の研究・教育交流のあり方

2.4.1 「指導」から「支援」への社会的流れ

「指導」を考え直す機運が、日本社会に各分野で高まりつつある。基礎研でも、自由大学院ゼミでは、タテ型・一方向型の「指導」観が当然視されてきた。

「自由大学院のゼミの本質は、主として労働者、市民、学生、院生が、研究者の指導の下に、研究能力を養成すること」。「専門的力量の差から必然的に生じることであり、共同研究を進めるにあたって必要な秩序」(中村浩爾 [2016])

そこでは、「研究者」(＝大学教員) とその他との研究力量の差が、上下「秩序」として固定的に把握されている。両者の関係は、そのようにタテ型・一方向型の関係であろうか。

むしろ、ヨコ型・双方向型の「支援」観こそ、基礎研の原点ではなかろうか。大学人と社会人の関係は、「学びあい育ちあう」水平型かつ双方向型の方向がめざされていたはず。

他方、保育から小中高にかけて、研究・教育をめぐる新しい社会的流れがみられる。教師と指導の関係を、タテ型・一方向型から、ヨコ型・双方向型として捉え直す。生徒を対等な人格として捉え、「教育指導」から「教育支援」へのシフトである。

この流れは、基礎研においても大きな流れに転じつつある。基礎研内につくられた「教育指導委員会」は、発足早々 2022 年 4 月に「教育支援委員会」へ、さらに 2022 年 12 月には「研究教育支援委員会」(大西委員長) へと改称する。大学人と社会人研究者を学びあい育ちあう対等な関係として捉え直すに至る。

2.4.2 主体性と双方向型の育成―タテ型・一方向型「指導」を超える秘訣

それでは、タテ型・一方向型の「指導」を超える秘訣はどこにあるのか。その秘訣は、大学人、社会人のいずれもが、主体性を取り戻す自己変革と粘り強い実践にある。

社会人は、仕事と生活を見つめ直し研究対象として位置づけ、日々の気づき (疑問、悩み、着想) を書きとめ、広げ深めていくことである。大学人は、「指導」という上から目線ではなく、現場の最前線に学びつつ、伴走者として、それを掘り下げていく理論や政策的な助言をしていくことが求められている。

研究者（大学教員など）は、労働者、市民から現場のホットな課題や専門性を、臨場感のなかで学ぶ。労働者や市民は、研究者から古典などの基礎理論を深く学ぶ。そのような学びあい磨き合いの交流を通してこそ、生活感覚あふれる経済学、より広く社会科学の創造が可能になる。基礎研の原点も、そこにあるといえよう。

2.5　基礎研における研究・教育支援への提言

基礎研の原点と理念は、先駆的かつ魅力的で、基礎研の存在意義と強みもここにある。その理念と原点に立ち返り、さらに深く捉え直し、新たな方向性を見出す必要がある。

理念と原点を生かし、さらに発展させていくべく、新３つの柱を提案したい。これまでの議論をふまえ、そのエキスをまとめたものが「新３つの柱」である。

図表 10-1　基礎研に求められる新３つの柱

(1)　自らの労働・生活と向き合い、研究対象として捉え直す
(2)　学びあい育ちあう水平型・双方向型の交流・支援
(3)　多様な階層・水準・発達ニーズに応える文化＆システムづくり

基礎研内外のゼミ・研究会との交流、さらに大学との連携を広げ、多様な発達欲求を発掘し磨きあう良循環を促していく。

社会人研究者の役割と期待は、大きい。自らの研究を広げ深め体系化し、研究推進の担い手へと脱皮していく。各位が関わる産業・地域の各分野の諸課題を解明し、新たな理論や政策を提示する。後進の社会人研究者を育てる。大学人研究者を多様な現場の世界に誘い、大学人との共同研究を通して、新たな研究と分野を切り開いて行く

自立した創意的な社会人研究者へ脱皮する上で、博士論文は貴重な手がかりとなる。大学教員への道もさることながら、現場の諸問題に切り込む最強の武器となるからである。

2.6　おわりに　―大学人と社会人が学びあう研究ロマン

社会人にとって、論文作成、博士論文仕上げ、単著書出版などは、いずれも至難の大事業である。支援・指導する側にとっても、それなりの覚悟とエネルギーが要る。それと葛藤しながらも、粘り強く取り組んでいると、社会人にいくつかの奇跡が起こってくる。

ある時期に、研究者としての離陸が起こり、難渋していた論文や博論が一気に進み、完成へと向かう。1人の研究が進み出すと、他の人も感化され共鳴するように進み出す（共進化）。ダメかもと思っていた人が覚醒し、博論を仕上げていく（大化け）等々。

名古屋学院大学博士課程十名ゼミ21年間の手応えとノウハウを継承・発展させ、各分野を理論的・政策的にリードし切り拓いていく社会人研究者、博士を育て社会に送り出したい。定年退職後の「働学研（博論・本つくり）研究会」(2019.7～）も、その思いから発足した。

働学研では、2022年7-9月にライフワーク3冊出版が相次ぎ、高評価を受ける。

濱真理[2022]『市民と行政の協働』に廃棄物資源循環学会の著作賞（23年5月）

支援者の十名直喜[2019]『企業不祥事と日本的経営』に労務理論学会特別賞（23年6月）

ダブルの「師弟」受賞（森岡・十名、濱・十名)。さらに、程遠紅・博士論文の本審査申請（23年7月)。そして博士号授与（24年3月)。

学びあい助け合いの切磋琢磨が、画期を呼び込み、新たな物語と奇跡へとつながる。社会人研究者を育てる醍醐味、ロマンを感じる瞬間である。そうした手応えが、大学人・社会人研究者に深い示唆と勇気を与える。

（基礎研のホームページに掲載）

3　ガイド版総論をめぐる対話
―感想・コメントへのリプライ

3.1　はじめに

「働く人たちの論文作成・研究支援ガイド」冊子への執筆依頼を受け、半世紀の歩み・課題（十名直喜「「働きつつ学び研究する」意義と展望」）をまとめ、2023年8月に投稿した。投稿する前に、拙稿へのコメントを体験・ノウハウの執筆者各位にお願いすると、7人からコメントをいただき、校正に反映させる。

本節3は、コメント7本へのリプライを編集したものである。各コメントは、紙数の制約もあり割愛するが、貴重な示唆をいただく。リプライを通して、働学研の理念、ノウハウ、課題などを浮かび上がらせたい。

なお文章は、「です。ます」調になっている。これは、電子メールでの文書のやり取りをそのまま再現したものである。臨場感を大切にしたいとの思いからである。

3.2　ガイド版総論（第10章）への感想・コメントの依頼メール

下記は、2023年7月にガイド版執筆者各位に送った電子メール文である。筆者が作成したガイド版総論へのコメントをお願いしたものである。

「働く人たちの論文作成支援ガイド冊子づくりを進めています。執筆者は、総論3人（あいさつ、半世紀の歩み・課題、助言）、各論10人（体験・ノウハウ）の計13人です。

これまで基礎研で先進的に奮闘してこられた10人の社会人研究者に、自らの体験とノウハウを披露していただくのが、この冊子の柱になっています。

そのうち7人（十名が直接依頼した5人、および働学研で日々交流している2人）の社会人研究者と、各位の原稿を交流し磨き合うネット空間をつくりました。出来た作品から随時紹介し意見を出し合うというものです。各位が原稿を洗練化する上で、参考になったのではと感じています。

そうしたことも奏功し、すでに7人の原稿が出来上がっています。それぞれの仕事と研究の物語と思いは、含蓄が深く読み応えがあります。

上記の作業が一息ついた段階で、総論にあたる十名直喜「働きつつ学び研究することの意義と展望―次の半世紀に向けて」）を紹介し、感想・意見をお願いしました。

早速、7 人全員から熱い感想（多様な視点からの深いコメントや意見）をいただいています。こうした交流を通して、新たな発想を紡ぎ出したいとの声もあります。

各位の感想・コメント対して、気づいた点を十名リプライとしてまとめ、その都度、交流ネットで返信しています。リプライといっても、時間をかけて熟慮したものではありません。直感的なものを走り書きし、口述筆記したようなものです。「巧遅は拙速に如かず」の精神です。

本資料は、リプライ 7 本を編集したものです。総論は、情報、知見の制約や枚数の制約もあり、舌足らずになっている面も感じます。7 人の社会人研究者との対話を通して、それが検証され、さらなる洗練化への叱咤激励も感じています。」(2023 年 7 月)

3.3　感想・コメントへのリプライ

ガイド版執筆者各位に総論へのコメントをお願いしたところ、社会人研究者 7 人から珠玉のコメントをいただく。下記は、各位へのリプライとして、電子メールで返信したものである。

3.3.1　大松美樹雄氏の感想へのリプライ

学びあい支えあうフラットな関係　―「伴走」と「支援」は世界の流れ

ご賛同いただき、ありがとうございます。

学びあい支えあうフラットな関係は、育児、介護、教育、研究などすべてに通じ求められています。その要をなすのが、「伴走」と「支援」で、今や多様な分野の常識とみられます。

博論支援の難局でつかんだ「伴走」の心得は、認知症支援にも通じるのですね。定年退職後に立ち上げた「働学研」でも柱に据え、工夫を重ねています。

（変化に即応する）スキルの習得と（根底から問い直す）創造的学び

変化に即応するスキルの習得も大切ですが、変化に流されず原点に立ち返り根底から問う創造的な学びが、ますます重要になっています。それに応える働学研を広げ深めていくことが求められています。

問われるプロ教員の「熱量」

「プロの教員の熱量」をいかに培い高めるか。その大きな力になるのが、自ら懸命に働き学び研究する活動です。基礎研や「働学研」は、そうした機会を種々提供しています、プロ教員は、社会人と学びあい磨き合う機会として生かしてほしい。

恩師からいただいた「ご恩」を後進に返す活動が「働学研」

置塩信雄先生は、わが恩師でもあります。30歳前後の3年間、鉄鋼産業研究会（科研費）に呼ばれ、現場研究者として大切にされ激励と示唆を受け、共著書に結実しました。名古屋学院大学への転身も、置塩先生のお力添えによるものです。

わが恩師（置塩信雄、池上惇、森岡孝二、中村静治など）からいただいたご恩を、後進の方々に少しでもお裾分けできれば、と頑張っている次第です。

3.3.2　小野満氏の感想へのリプライ

「学習」と「研究」の隔絶と夢の懸け橋

「学習と研究の間に大きな隔絶があった」というご指摘は、その通りだと思います。「学習と学び」の間にも、かなりの隔絶があったとみられます。半世紀前の労働者観には、「労働者＝学習」観が現在よりもはるかに支配的だったといえます。

それに疑問を感じ提示したのが、十名[1973]の「働きつつ学び研究する」という理念と政策でした。受動的・一方向型の「学習」から、主体的で双方向型の「学び」へ転換する。さらに、その延長線上に、新たな地平として労働者の「研究」を切り拓く。

そのような洞察と気概を、25歳の若造がなぜ持てたのか。働学研論を

『資本論』から発掘したこと、そこに価値を見出した基礎研の熱気と創設者たち、革新に向けた時代の息吹などによると感じています。

半世紀前の熱気と意欲に学び、ノウハウと知見を次の半世紀に活かす

1970 年代半ばの基礎研の大学人は、助教授、講師、ポスドクなど。いずれも 20 歳代から 30 歳代で、基礎研の理念に共鳴し、研究教育への高い意欲に満ちあふれていました。彼らの熱気が、労働者の発達欲求・研究意欲に火をつけ、両者の連帯と交流が基礎研を支えていたとみられます。

大学の世界も研究、教育、行政など、それなりに大変です。責任が重くなるにつれ、それへの対応に精一杯に。大学特有の生存競争に巻き込まれるなか、基礎研らしい熱気も次第に薄れていったとみられます。そうした傾向は、より深刻になっています。

夜間通信研究科、自由大学院と続くも、労働者を研究者として育て一人前にしていく活動はなかなか広がらず、開店閉業を余儀なくされ、現在に至っています。論文作成・研究支援のノウハウも組織的に蓄積されないまま、今日に至っています。そこが、基礎研にとって、アキレス腱になっています。労働者を支援し育てていく大学人は、むしろ減っています。

そうした閉塞を切り拓こうというのが、研究教育委員会の種々の取り組みです。社会人研究者の仕事と研究の体験とノウハウ集は、その大きな力になるでしょう。

「指導」から「支援」「伴走」への価値観転換のダイナミズム

大学研究者には、学生や労働者を「指導」するという文化と価値観が染みついているとみられます。基礎研でも今なお、その文化とシステムが根強くあると感じています。

基礎研において、労働者の論文作成を支援するシステムづくりが始まっています。昨春、この企画に呼ばれた時、「教育指導委員会」でした。「指導」ではない、「支援」だと粘り強く訴え、「教育支援委員会」に改名されました。今春、再度呼ばれた時、教育支援にとどまらない、基本は研究支援にあると訴えました。「研究教育支援委員会」に改名され現在に至って

います。

労働者（社会人）研究支援のガイド冊子づくりも、そうした文化とシステムの中で企画されたものです。大学人と社会人が論文作成支援を通じて学びあう関係をどのようにつくり出し発展させていくか。小野さんもご指摘のように、実はかなり根気に入る協働の事業だと思います。「指導」という上から目線での対応と関係は長続きしないでしょう。お互いの反省と歩み寄りが基本になります。

大学人は、社会人の仕事と人生の歩みに敬意を表し、一緒に寄り添い伴走しつつ、お互いに学びあう関係と信頼を築いていく。これは、大学人にとって得難い成長の機会となるはず。社会人研究者は、大学人や先進の社会人研究者の助言の謙虚に耳を傾け、それを目いっぱい吸収し会得していく。

そうした良循環を創り出していくなか、新たな気づきや発見、お互いの成長など、奇跡が起きることも少なくないでしょう。小生、大学教員に転じてからの30年間、それに徹するなか、数々の体験を通して珠玉の物語が紡ぎ出されてきたと感じています。

3.3.3　櫻井善行氏の感想へのリプライ

仕事現場の困難さと研究のテーマを結びつける

出会い、環境、意欲が大切であるとのこと。小生も同感です。

夜間通信研究科が発足した1975年頃、基礎研に集う労働者は、自治体や中小企業に働く人が大半でした。大企業に勤務するものの参加は、極めて少なく、小生は例外的存在でした。ご指摘のように、大企業の人事管理、労務管理の厳しさは当時、想像を絶するものがあったとみられます。それらと正面から向き合うという25歳の気概と決意が、「働きつつ学ぶ」理念や夜間通信科発足への確かなインパクトになったと感じています。

なお、「学校現場での困難さと研究のテーマを結びつける」ことが出来なかったとのこと。やはり、難しさと壁があるのですね。日々の仕事や職場は、ストレスに満ちあふれています。仕事が終われば、それから解放されたい。そのように思うのは、人の常といえるでしょう。

補助線を引いて考える　―仕事や職場の諸問題への視座

日々の仕事や職場の諸関係について、そのまま生で向き合うのは、心理的にもつらいことが少なくないでしょう。そこで、補助線を引いて考えてみる。補助線を引くということは、別の視点を入れてみることでもあります。社会科学的な研究対象として、仕事や職場の諸問題を新たな視点から捉え直す。今まで見えなかったものが見えてくる、新たな発想やアイデアも湧いてくる。そのような良循環が生れることも少なくないはず。

それを促すのが、いろんな人との出会いです。いろんな分野、専門性、テーマの人との出会いと交流が、新たな視点やアイデアに気づかせてくれるでしょう。

3.3.4　平松民平氏の感想へのリプライ

「働く」と「学び研究する」の結合が切り拓く新たな次元

「働く」は、「学び研究する」視点が加わると、別の意味合いを帯びるようになり、手段から目的へと格上げされるとのこと。すごい洞察だと思います。渋沢栄一も同じようなことをいっています。「ワクワクするような面白み」を仕事の中に見出すことが、仕事を変革し、創造的な人生を切り拓くことにつながるといっています。

近年の国際労働調査によると、日本社会における働きがいや働く意欲、学び欲求などは、国際的にも極めて低い水準にあるようです。日本社会の低迷、衰退の要因も、そこにあるとみられます。「働きつつ学び研究する」活動は、日本社会の再生に向けての深い処方箋といえましょう。

「学び」と「研究」のダイナミックな関係

「学び」は吸収いわば消費、「研究」は排出、生産、とみることもできるでしょう。主体的で創意的な学びは、知の主体的蓄積、さらに知的な人材」づくりという生産に転化します。「研究」は、ムダな排出いわば浪費も伴いますが、精根を込めた浪費の中に「知の発見と創造」が切り拓かれるといえます。

「学び」と「研究」のダイナミックな関係は、生産現場や教育現場のなかに潜んでいるといえましょう。

仕事現場とアカデミアの往復

製鉄所時代の21年間は、平松さんと同様、生産現場に浸り日々の仕事と格闘する現場人間でした。日々の仕事に埋没せずに、現代資源論や鉄鋼産業論などで先人を超える研究をしたいという思いを抱いていました。日本最高峰の研究者たちに直接教えを請いに行き、それを機に多様な交流を切り拓いてきました。

仕事現場とアカデミアの往復の真骨頂は、20代、30代にあったと感じています。

生産現場の若造が、研究論文などを携えて教えを乞うと大半の方が親身に応えてくださいました。一流の研究者ほどそうでした。その恩義を、後進の世代に返していきたいとの思いがあります。大学に転じてからは、その思いが年とともに強まり、若い学生のみならず社会人博士の育成に力を注ぐことにつながりました。

生産現場における学びと研究の「悶々」とは何か

大企業の独身寮にあって、『資本論』やマルクス主義哲学や経済学の本や雑誌をたくさん置いて研究すること自体、御法度に近かったといえます。その禁を破って、「所狭し」と並べ、時間を見つけては読み漁っていました。しかし、吸収しても、自由に議論する場がまったくありません。大企業の労務管理や労使関係のあり方などへの問題意識も重なり、自ら反問し苦闘していました。それを、「悶々」という言葉で表現したのです。

その後は、会社の人事ローテーションや出世街道からも完全に外され、厳しい視線にさらされます。一種の「見せしめ」として。それらとの葛藤、種々の悩みも、「悶々」に加味されていくのです。

「指導」と「先生」を問い直す

「先生」という呼称は、小生もできるだけ使わないようにしています。しかし、若い頃に、苦難の時に支援していただいた方などには、当時の思いを大切にすべく、「先生」も使っています。

基礎研では、「先生という呼び方を止めましょう」という提案も聞きます。大学人から出されています。しかし、「指導」という言葉や文化には、疑念も懐かれないことも少なくないようです。「呼び方」という見かけも大事ですが、「指導」を当然視する価値観とシステムを根底から問い直してほしい。

基礎研の原点を21世紀に生かす

「新3つの柱」を高く評価していただき、ありがとうございます。21世紀の課題に応え、切り拓く基礎研の原点とのこと。平松さんのように苦労されたハイレベルの社会人研究者にとっては、当然のこと。よくぞ言った！と。

しかし、基礎研において、これまでは少数あるいは異端の意見にとどまっていました。。この重い扉を、研究教育支援委員会が開こうとしています。

3.3.5　井手芳美氏の感想へのリプライ

日々の仕事に不可欠な思索と探求

研究することは、日々の仕事においても、むしろ実践の場でこそ、求められています。原点と本質に立ち返っての深い思索と探求こそ、イノベーションの孵化器といえます。

これは、社会人研究者が機会あるごとに訴えないと、大学人研究者にはなかなか伝わりません。基礎研でも、例外ではないようです。鉄鋼マン21年、大学教員30年を経た今も、折に触れ痛感することです。

学び欲求と働きがいを高める研究

研究が大学研究者の専売特許でないことは、世界の常識になっています。文理を問わず博士の数が少なく、しかも減る傾向にあるのは、日本だけです。日本の勤労者の学び欲求の低さ、働きがいの低さも、国際的に際立っています。そうした課題に正面から取り組んでいるのが、「働学研」

運動であり、先進的に推進しているのが働学研（博論・本つくり）研究会です。しかし今なお、例外的な、奇異のまなざしで見られることが少なくないのは、残念なことです。

困難な時こそ支えになり力になる
―「働きつつ学び研究する」活動の真価とパワー

名古屋学院大学の博士後期課程ゼミでは、博論の途上で会社の倒産、リストラに遭遇された方が（井手さんはじめ）数人おられました。究極のピンチに直面しても、またそういう局面でこそ、働きつつ学び研究する活動の真価が問われ試されるのですね。

彼らは、ひるまず、困難を直視し研究するなど正面から立ち向かい、克服され、博論も仕上げられました。博論の挑戦は、困難に立ち向かう勇気と知恵を与えてくれたのですね。

現役企業人との対話・交流の大切さ

オンライン対面授業は、企業人（経営者、管理者、技術者、専門家など）と対話し直接交流する貴重な場ですね。小生も、SBI 大学院大学「経営哲学」講義の一環として、「「経営哲学」対話」と銘打って、毎年開催しています。

2023 年度の履修者数は 106 名で、毎回のレポート提出は 100 本前後。対話集会は、自由参加とし、欠席しても減点なしにしています。

7 月 29 日に、「経営哲学対話」交流会を実施しました。出席者は 51 名で、昨年と比べ 10 人ほど減っています。種々の質問や問題提起を自由にしてもらい、それにリプライするというもの。予定の 90 分が瞬く間に経ち、刺激的で熱い交流の場となりました。

「本日の対面授業、大変内容が深いもので非常に考えさせられました。」等々（受講者メール）

3.3.6　池田清氏の感想へのリプライ

「働きつつ学び研究する」思想とその原点

「働きつつ学ぶ」生き方が、ご自身の人生において大きな意味と役割を持っていたのですね。困難と向き合い切り拓く上で、人生をより豊かにする上でも。それが出来たのは、「学び」を主体的、能動的に捉え、深く実践してこられたからでしょう。

「働きつつ学ぶ」の「学ぶ」には確かに、受け身的な「学習」にとどまらず、主体的かつ創意的な側面も含まれています。主体的な「学び」は、研究へと連動し発展する可能性を秘めています。働く者の視点から、「働く」「学ぶ」「研究する」の 3 者を問い直し相互の関係を創造的に捉え直したのが、「働きつつ学び研究する」理念と政策でした。

「労働は生命のランプに油を注ぎ、思考はそれに火を点ずる」

「働く」と「学ぶ」に生命（Life）を吹き込むのは、「働く」と「学ぶ」がダイナミックに結びつくことにあります。その本質を見事に言い当てているのが、「労働は生命のランプに油を注ぎ、思考はそれに火を点ずる」（ジョン・ベラーズ）の一句です。「思考」には、「学ぶ」「思う」「研究する」が内在しています。それらと労働の結合こそ、働学研の神髄に他なりません。それを、『資本論』第 1 巻の中に発見したのは、25 歳の時でした。

わが半世紀は、製鉄所において、大学において、それを実践し先駆的モデルを切り拓いていく歩みでもあったと感じています。

一方、基礎研の半世紀をふり返ると、「働きつつ学ぶ」の「学ぶ」に込めた主体性・能動性が、受け身的な学習へと変質していくプロセスをはらんでいたと感じています。2015 年には、基礎研の規約改正がなされ、「働きつつ学ぶ」から「働きつつ学び研究する」へと、理念の深化がみられました。しかし、その理念に生命を吹き込む活動はなかなか進まず、これからの課題とみられます。

3.3.7　田中興念子氏の感想へのリプライ

仕事と研究の歩みの交流・磨き合いこそ基礎研運動の原点・土台

本企画を「大変意義のあるもの」と評価していただき、ありがとうございます。仕事と研究の歩みは、人により様々ですね。筆舌に尽くしがたい体験や思いも込められているように感じます。それを忌憚なく開示し、交流し磨き合うことが、基礎研の文化であったはず。本企画及び交流の広場を通して、遅ればせながらも陽の目を見ることができつつあるといえるでしょう。

「働きつつ学び研究する」活動は社会人研究者の命綱

働きつつ学び研究することは、社会人研究者にとって、命綱となる営みでもあるのですね。子ども4人、単身赴任の夫という「母子家庭状態」の中で、働き学び研究することは、さぞや大変だったことでしょう。そうした中で、「働きつつ学び研究する」活動を続けてこられたことに、心より敬意を表します。

また極限的な状態であったからこそ、「働きつつ学び研究する」(働学研)活動が、母親・妻・労働者・研究者として、知的に文化的に働きたい、生きたい、との思いの命綱になったと推察します。働学研の真骨頂の生きざまが伝わってきます。

問われるタテ型「指導」、求められる「支援」のあり方

ご指摘の事例は、タテ型・一方向型の「指導」観が根強い中で生み出されたものと言えるかもしれません。働く人への研究支援は、お互いの信頼の中で行われる双方向型の学びあい磨き合いの中で、可能になるとみられます。博士課程十名ゼミ20年、定年後の働学研のいずれにおいても、奇跡が起きたのは、そのような営みの中です。

「研究指導」「教育指導」という言葉が、基礎研でも闊歩してきましたが、うまく行った事例の多くは、実質的には学びあいの研究支援であったとみられます。

一方的に指示されたとの役割分担、「排除」も、「タテ型の指導」の一環であり、その悪しき事例とみられます。お互いに胸襟を開き、反省を込めて語りあうなかで、未来への貴重な教訓とノウハウが得られると思います。

自由大学院の「停滞」要因と再生への視座　―双方向型「支援」への転換

自由大学院の「停滞」の要因について、外部要因だけでなく内部要因にこそ目を向け総括すべし、とのこと。まさにその通り、慧眼だと思います。タテ型「指導」を担う大学研究者の多くが、研究、教育、行政などをめぐる大学内の生存競争に追われ、働く人たちへの研究教育支援の形骸化が進行していたとみられます。

それを跳ね返すべく、「働学研」特集を『経済科学通信』に 3 回（2010、2016 年）組みました。理念・ノウハウ・政策を磨き、大学と基礎研の連携による社会人研究者育成の新地平を提言しました。しかし、タテ型「指導」観が根強いなか、むしろ厳しい批判にさらされ理解は広がらず仕舞いでした。

基礎研の研究教育支援機能の空洞化が、自由大学院の停滞の深部にあるといっても過言ではないでしょう。その空洞化を加速させたのが、タテ型・一方向型「指導」であり、再生への知恵と方策は双方向型「支援」への転換にあると感じています。

4　おわりに

「働く人たちの論文作成・研究支援ガイド」冊子において、総論として半世紀の歩みと課題をまとめたのが、「2「働きつつ学び研究する」意義と展望」である。

社会人研究者 7 人から、総論へのコメントをいただいたのは、2023 年 7 月のことである。彼らのコメントには、基礎研運動などを通して育まれ鍛えられた知性と感性が脈打っている。基礎研運動、とりわけコアをなす働学研の哲学とあり方について、気づかされる点も少なくない。

各コメントへのリプライは、そうした珠玉の知恵や示唆を、わが視点から捉え直したものである。総論と合わせて、基礎研運動の協奏曲としてお聴きいただければ幸いである。

第11章

学び直し社会の文化的創造

I　はじめに

1.1　社会人の「学び直し」と「働学研」

社会人の「学び直し」が近年、リスキリングという言葉とともに、かつてなく大きな関心を呼び起こしている。J.E. スティグリッツは、名著で次のように訴える。「社会は学び方を学ぶ必要がある。そして、技術進歩や経済構造の変化など、世の中が変わると同時に、学び方も再度学ぶ必要がある」[*243]。

「学び方」とは何かが問われよう。デジタルなどの新たなスキルも大切であるが、「学び直す」対象に位置する。むしろ、21世紀を生き抜くスキル、諸課題に応えるスキルが、「学び方」の本命とみられる。そこにメスを入れ、テーマを見出し、学ぶことがより重要となる。

「働きつつ学び研究する」活動は、そうしたニーズに深く向き合い、本質的に応えようとするものである。「働きつつ学び研究する」という営みは、社会人研究者のライフスタイルといえる。

「働学研」（どうがくけん）は、「働きつつ学び研究する」の略称である。そのネーミングをめぐり、この10数年、試行錯誤してきた。長らく「「働・学・研」融合」で通し、近年は「「働・学・研」協同」に変えたが、いずれもしっくりこない。そこで、キーワード3文字に絞り、コンパクトかつシンプルにしたのが、「働学研」である。

「博士課程十名ゼミ」（1999～2019年）の経験をふまえ、定年退職後に始めた研究会に、「働学研」を冒頭に付ける。それが、「働学研（博論・本つくり）研究会」である。略称も、「働学研」とした。百名を超える「会員」内だけでなく、複数の学会においても「働学研（どうがくけん）」で通っている。

1.2　仕事と人生への「洞察力」「俯瞰力」 ―リスキリングの本質

「働きつつ学び研究する」(働学研) とは何か。そうした働き方・学び方・生き方が持つ意味や可能性とは何か。

社会人のリスキリングが、国際的にも目立って低いのが日本社会である。学び直しが必要なのは、デジタルスキルなどの新しい「技能」「知識」だけではない。自らの仕事と人生をより深く捉え、あるべき方向を見定めていく「洞察力」「俯瞰力」がより求められる。

それは、まさに働学研が探求してきた課題に他ならない。それに極めて近く深く通じているとみられるのが、「戦略的学習力（Learning Strategy）」である。オックスフォード大学のマイケル・オズボーン教授が提唱し、近年注目されている概念である。「自分は何を学ぶ必要があるのかを見定め、最適な学習内容や学習方法を考え、効率的に習得する力」のことである[*244]。

1.3　仕事と人生を楽しく創造的にする　―働学研の挑戦

学び直しの時代に応えきれない日本社会。それをどう変えていくかが問われている。この課題に半世紀にわたって取り組んできたのが、「働学研」である。そこで得た理念とノウハウは何か。働学研が対象とするのは、仕事の現役世代だけではなく、青・壮・老にまたがっている。

「働学研」は、人生をどのように豊かにするのか。仕事をどのように創造的なものにするのか。楽しく意味あるものにするのか。働学研は、逆境をチャンスに転じる知恵と処方箋も探求する。

仕事や人生は、各局面において、その意味合いや色合いは変化する。その一方で、一貫して変わらぬものもある。仕事と人生における「不易」「流行」とは何か。筆者にとって「不易」にあたるのが、働学研である。

半世紀にわたる働学研の歩み、その挑戦と思いを、ライフワーク出版の視点から考えてみたい。

2　社会人研究者のライフワーク探求

2.1　社会人＆社会人研究者とは何か

2.1.1 「社会人」の定義にみる多様性と核心

「社会人」という表現は、日本社会でよく使われるが、日本独特のニュアンスを含み、翻訳するのも難しい。社会に生きる私たちは、大人、子どもの別なくすべてが社会人のはずである。学校を卒業して「社会に出る」というが、これもおかしな表現である。

社会に出て働く人たちを対象に1990年代に拡がったのが、社会人大学院である。労働者、管理者、経営者、主婦、定年退職者など多様な階層の人たちが学んでいる。

「社会人」とは何か、が問われよう。一般的には、次のように定義されている。

A：「社会の一員として…実社会で活動する人」(『広辞苑』)

B：「社会に参加し、その中で自身の役割を担い生きる人」(『ウィキペディア』)

C：「学校や家庭などの保護を離れて自立している人」(『実用日本語表現辞典』)

「実社会で活動する」、「役割を担い生きる」、「保護を離れて自立している」という表現には、「生計を立てる」という意味合いが含まれている。

それらをふまえ、社会人を次のように定義したい。社会人とは、「社会の一員として、一定の役割を担い、生計を立てながら生きる人」である。

「生計」(living, livelihood) は、「生活をするための手段や方法」のことである。「生計を立てる」は、一般的には「収入を得て生活を維持する」と理解されている (「生計を立てる」『意味解説辞典』)。「収入」は、金銭や品物などを手に入れることであるが、その手段や方法は多様である。給料、報酬、年金、さらに寄付、贈与なども含まれる。

2.1.2　社会人研究者の心得　―日々の仕事と生活を問い直す

「生計を立てながら生きる」ことは、「働く」ことに他ならない。「働く」

という言葉には、「精出して仕事をする」、「他人のために奔走する」、「効果をあらわす」などの意味が含まれている（『広辞苑』）。「働く」という意味や性格は、今や大きく変化しつつあり、「社会の役に立つ活動」という意味合いを強めている。

図表12-1 「社会人」&「社会人研究者」とは何か

「社会人」の一般的な定義

A：「社会の一員として…実社会で活動する人」（『広辞苑』）

B：「社会に参加し、その中で自身の役割を担い生きる人」（『ウィキペディア』）

C：「学校や家庭などの保護を離れて自立している人」（『実用日本語表現辞典』）

「実社会で活動する」、「役割を担い生きる」、「保護を離れて自立している」という表現には、「生計を立てる」という意味合いが含まれている。

本書における「社会人」の定義

「社会の一員として、一定の役割を担い、生計を立てながら生きる人」

「社会人研究者」の本義とあり方

「生計を立てながら生きる」自らと向き合い、問い直す人。

日々の仕事と生活に埋没するのではなく、研究対象として位置づけ捉え直す。

日々の気づき（疑問、悩み、アイデア）を書きとめ、問い直し、深めていく。

備考：筆者作成。

「生計を立てながら生きる」自らと向き合い、問い直すのが、社会人研究者である。広義には、大学人研究者も含まれるが、研究教育を本業にしていることを鑑み、それ以外の生業の人たちと区別しておきたい。

社会人研究者は、日々の仕事と生活に埋没するのではなく、それらを研究対象として位置づけ捉え直す。日々の気づき（疑問、悩み、アイデア）を書きとめ、それを問い直し、深めていく。

2.2　自らの仕事・生活へのアプローチ

2.2.1　問い直し、掘り下げることの大切さ

「働学研」は、「働く」「学ぶ」「研究する」の頭文字を表したもので、「働きつつ学び研究する」ことである。その眼目は、自らの足元を見つめ掘り下げることにある。自らの仕事・生活・思いを研究対象にし、古典に立ち返り各種文献と照合しつつ深めていく営みである。

自らの足元を問い直し、掘り下げる。それは、社会人にとって大切な心得であるとともに、社会人が社会人研究者へと脱皮する上でも欠かせない活動である。

2.2.2　等身大アプローチとライフワーク出版

社会人にとって、疎外された自らの労働と生活にずっと向き合うことは、つらい面も少なくない。自らの仕事と正面から向き合い捉え直す勇気が必要で、地道な研鑽も欠かせない。それは、産業・生活への等身大アプローチといえる。それは、仕事と研究の体系化、さらにライフワーク出版へとつながる道である。

図表 12-2 「働学研」の心得とダイナミズム

社会人＆社会人研究者の心得

働学研は、自らの足元を見つめ掘り下げる。それは、社会人の大切な心得。

疎外された自らの労働と生活にずっと向き合うことは、つらい面も少なくない。

自らの仕事と正面から向き合い捉え直す勇気が必要で、地道な研鑽も欠かせない。

社会人研究者のライフスタイル

社会人が、社会人研究者へと、脱皮する上でも欠かせない活動。

社会人研究者は、自らの仕事・生活・思いを研究対象にする。古典に立ち返り、各種文献と照合しつつ深めていく。

働学研の意義とダイナミズム

産業・生活への等身大アプローチである。
創造的な仕事につながり、イノベーションの孵化器になる。
仕事と研究の体系化、さらにライフワーク出版へとつながる。

備考：筆者作成

社会人が、数十年にわたる仕事と研究を単著書として出版することは、なかなか至難で、人生を賭けた大事業である。それを、「ライフワーク出版」と呼びたい。

ライフワーク出版は、数十年にわたる「働きつつ学び研究する」活動の成果であり、その集大成を図るものである。

3 社会人研究者の博士論文＆単著書出版への道

3.1 挑戦者と助言・伴走者の協働

3.1.1 博士論文に至るプロセス

1 本の論文作成から博士論文の仕上げ、学位取得まで、A から D に至るプロセスがある。

A　1 本の論文作成、洗練化、公刊（学術誌など）
B　論文を数本～ 10 数本の作成・公刊
C　各論文を貫くコンセプトを発掘し、それを軸に体系的に編集する
D　博士論文に編集→申請先（大学・窓口教授）の探索→学位申請→学内審査→学位授与

A から C まで、少なくとも数年はかかる。さらに D でも、1 年余かかる。

D ではまず、学位の申請先を見つける必要がある。博論作成と同等、あるいはそれ以上に大変なことも少なくない。

3.1.2 「論文博士」の高い壁を乗り越える研究支援とネットワーク

「課程博士」の場合、在籍中の大学院に申請できるので、申請先を見つける苦労は少ない。

一方、「論文博士」の場合、申請への道は険しい。本来、しっかりした単著書や体系的・独創的な論文があれば、高校卒・大学卒などの如何を問わず申請できるはずである。しかし、外部者に門戸を開いている大学は少ない。近年、課程博士重視が強まる中、論文博士への道はさらに狭まる傾向もみられる。申請にあたって、窓口・主査として引き受けてくれる教授が必要であるが、ピンポイントで見出すことは至難である。

その橋渡しをする支援者が必要である。既存の大学院との信頼関係を築き、それに基づく連携が大切になる。働学研は、博論作成への支援だけでなく、申請・審査に向けた支援も重視し、セットで行っている。

3.2 ライフワーク出版への道が複数に拡がる

3.2.1 単著書出版に至るプロセス

博士論文が認められ、博士号が授与される。おめでとう！と祝福されるが、それで一丁上がりではない。博士論文を単著書として出版するという大仕事が残っているからである。

単著書の出版は、3つのプロセスから成る。

E　より広い読者に向けた出版原稿への再編集（洗練化）

F　出版企画書の作成→出版社・編集者の探索→企画書送付→社内審査

G　出版原稿の提出→出版ゲラの校正（複数回）→出版（現物出版＋WEB出版）

出版環境が厳しさを増すなか、F、Gのプロセスをくぐり抜けるのは簡単ではない。A～Dのプロセスとは一味違う難しさがある。「出版に値するのは博論の1割程度」（出版社社長）との厳しい指摘もある。そこで、より広い読者に向けた作品へと再編集するEのプロセスが欠かせない。

図表 12-3　博士論文＆単著書出版に至るプロセス

1 本の論文作成から博士論文、学位取得に至るプロセス

A　1 本の論文作成、洗練化、公刊（学術誌など）

B　論文を数本～ 10 数本の作成・公刊

C　各論文を貫くコンセプトを発掘し、それを軸に体系的に編集する

D　博士論文に編集→申請先（大学・窓口教授）の探索
→学位申請→学内審査→学位授与

A ～ C：少なくとも数年かかる。D：1 年余かかる。

D：学位の申請先を見つける必要がある。

論文博士の場合、申請窓口･主査となる教授が必要だが、見出すのは至難。
→働学研：博論作成の支援＋申請・審査に向けた支援

博士論文から単著書出版に至るプロセス

E　より広い読者に向けた出版原稿への再編集（洗練化）

F　出版企画書の作成→出版社・編集者の探索→企画書送付→社内審査

G　出版原稿の提出→出版ゲラの校正（複数回）→出版（現物出版＋WEB 出版）

厳しい出版環境→ F、G のプロセスをくぐり抜けるのは一味違う難しさ

「出版に値するのは博論の 1 割程度？」（出版社社長）

→より広い読者に向けた作品へと再編集する「E のプロセス」が欠かせない

博論を経ないライフワーク出版の道

2022 年、博論を経ずに、2 冊の単著書が数十年に及ぶライフワークとして出版

D 以外のプロセスをクリアしていく際､CEFG を中心に働学研で支援する。

厳しい出版環境を切り拓く助言・伴走の大切さ

出版に至るプロセスは、山あり谷あり。道に迷うことも少なくない。助言や激励がほしい。良き助言者・伴走者がいると、ずいぶんと違った歩みになる。

備考：筆者作成。

3.2.2　厳しい出版環境を切り拓く助言・伴走の大切さ

各プロセスは、それぞれ山あり谷ありで、道に迷うことも少なくない。その折々に、助言したり励ましたりしてくれる人がほしい。良き助言者・伴走者がいると、ずいぶんと違った歩みになるであろう。

これまで、博士課程十名ゼミ＆働学研では、A～Dを走破して博士号の授与、さらにE～Gを走破して学位取得＆単著書出版に至るのが、通例であった。いずれの場合も、Dが要をなしている。

ところが、今回の出版同期化においては、3冊のうち2冊がDのプロセスを経ずに出版された。いずれも、数十年にわたる働学研の集大成、いわばライフワーク出版である。ライフワークの仕上げに向けて、これまでとは違う道、出版への新たな道が切り拓かれたのである。

3.3　博士課程十名ゼミ＆働学研における単著書出版と体験・ノウハウの共有・伝授

博士課程十名ゼミ＆働学研において、博士論文が単著書として出版されたのは2008年からで、計10冊に上る[*245]。

十名ゼミで単著書の出版が毎年みられるようになったのは、2016年以降のことである。その起点となったのが、十名直喜編(2015)『地域創生の産業システム』(水曜社)である。学位取得者および申請中の執筆者各位が、共著書の編集・出版体験を共有し、それを通して出版の意欲を高め、出版ノウハウを学ぶ機会となった。

また2022年には、博論を経ずに、2冊の単著書が数十年に及ぶ働学研の成果としてライフワーク出版された（横田幸子(2022)『人類進化の傷跡とジェンダーバイアス』社会評論社、熊坂敏彦(2022)『循環型地場産業の創造』社会評論社)。

夏場から秋口にかけて、濱　真理(2022)を含む3冊が相次いで出版されるという出版同期化が起こり、その対応に嬉しい悲鳴を上げる。ここに、ライフワーク出版への多様な道が拓けたのである。

4 博士論文・本づくりにおける節目と転機

4.1 「型」論と「守・破・離」の視点

「守破離」は、千利休（『利休道歌』）の「規矩作法を守り尽くして破るとも離るるとても本を忘るな」にあるといわれる[*246]。

「規矩作法」は、無形の「型」である。無形の「型」を、能楽論において深く多面的に考察したのが世阿弥である（西平　直(2009)『世阿弥の稽古哲学』東京大学出版会)。世阿弥は「型」論の元祖、といえる。

修業において、師匠から「型」を学び身につけるのが、「守」。他の「型」も学び、自分に照らし合わせ捉え直して既存の「型」を打破するのが、「破」。囚われを脱して自在の身となり、自らの「型」を創造するのが、「離」とされる。

「働きつつ学び研究する」営みにおいて、「働く」「学ぶ」は主として「守」のプロセス、「研究する」は、「破」に徹しつつ「離」をめざすプロセスと大別できる。しかし、この3要素は相互につながっており、「働く」が「学ぶ」「研究する」プロセスと同期化する場合も少なくない。

「研究する」活動においては、先行研究や助言は「型」に他ならない。それを徹底して「学ぶ」プロセスが大切である。自らの視点から捉え直すなかで、「破」へと進む。明示化さらに体系化するなかで、「離」へと転じる。

社会人研究者3人にみる数十年にわたる働学研活動、さらに単著書出版に至るプロセスは、実に多様で多岐にわたる。「守破離」のプロセスを数回経ているとみられる。そこで、それぞれの節目を浮かび上がらせるべく、守破離の視点から捉え直してみたい。

4.2 「啐啄の機」にみる「守・破・離」の節目

博論や出版に向けての研究支援において、心がけているのは「啐啄の機」という格言である[*247]。

「啐啄の機」は、雛（ひな）が卵から生まれ出ようとする様子、そしてタイミングの大切さを表す言葉である。「啐」は雛が卵の殻を破ろうとして内側からつつく音、「啄」は母鳥が卵の外側からつつく音、である。両者のタイミングが一致して、雛が誕生する。早すぎても遅すぎてもダメで、雛は孵化できない。タイミングが、死活的な重要性を持っているのである。

「啐啄の機」は、「守破離」とも深く通じている。「啐啄」における卵の殻は、既存の「型」に相当する。それをどう破り、新たな型を創造し「離」へと転ずるのか。「破」と「離」を促すタイミングは、博論支援のみならず出版支援においても極めて重要である。

博士課程十名ゼミでは、現役院生の内的な機が熟していない初期〜中期においては、外からつつく（厳しく追求する）ことを控え、良い点に光をあて励ますように心がけていた。博士論文 or 本としてコンセプトが明確になり骨格ができてくる（いわば卵の中の雛が成長する）と、助言もより深く厳しくなっていく。そのタイミングが早すぎても、遅すぎても、ダメである。挑戦者の意欲と努力を削ぐことになりかねないからである。

3人のライフワーク出版においては、「守・破・離」の各節目で、「啐啄の機」がうまく働いたとみられる。

4.3　洗練化・編集プロセスにみる創造性

博士論文あるいは本の原稿が形を成してくると、全体を俯瞰しながら洗練化・深化を図り、形を整えるという、編集プロセスが重要になる。

洗練化・深化・編集プロセスは、それ自体、1つの創造プロセスといえる。「形相整いて内相熟す」という格言がある。全体にまたがる形式的な整備・編集そのものが、質的な変革のプロセスでもある。

挑戦者の多くは、そうした点についての理解が十分とはいえない。形式的な整備のプロセスとみなす傾向も感じられる。

各章・節の配置・配列、さらに全体および章・節のタイトルにおけるキーワードの配置・配列は、極めて重要である。単著書および博士論文のいずれにおいても、生命線をなすとみられる。

知識やセンスによって筋道を立てて、ものや情報を集め、配置・配列の仕方によって、新しい意味を持たせる。ものや情報があふれる時代においては、その必要性や価値が高まっている。

それを、「配置・配列の独創性と創造性」とみなす見解[*248]に注目したい。本章の「洗練化・編集プロセスの創造性」とも、深く通じ合うとみられる。

5 ライフワーク出版の書評会＆シンポジウムが紡ぎ出す物語

5.1 議事録＆録画＆コメントが促す「働学研」の良循環

3 冊のライフワーク出版を軸とする書評会＆シンポジウム（第 37 回働学研 2022.9.12）は、37 名の参加を得て、10 本の発表と議論が行われ、オンライン画面が熱気に包まれた。

月例会は、毎月 20-40 名の方が参加され、多彩な研究発表、熱い議論がなされている。月例会などにご参加いただいた方は、この 3 年余で百名を超える。一期一会の交流を大切にしており、参加者は「会員」とみなし、ML にて月例会などの各種お知らせを送っている。月例会開催のお知らせ、直前に発表資料ファイルの開示、直後には議事録および録画など。さらに、会員の著書出版や各種企画などについても、随時発信している。

シンポジウムでの総括議論をめぐって、録画をみられた経営者の中野健一氏から、興味深いコメントが寄せられている[*249]。過分の評価をいただき恐縮するも、シンポジウムと働学研の近況と展望が的確に語られている。起業家＆事業家の育成事業をふまえての洞察は示唆に富む。そこで、5.2、5.3 で紹介したい。

5.2「働学研」の誕生物語と非営利経営

「「働学研」誕生物語は感動的であった。学び直しができにくい日本社会に、希望の場所を作られていたのを知って、その志に心が震えた。長寿時代では、おそらく、人生は 1 度きりではなく、何生も新たな人生を歩むことが可能になる。

そう考えた場合に、この世で何生も生まれ変わるような覚悟が必要であり、その生み出しには、それを成し遂げた経験者のお導きが欠かせない。鉄鋼時代、教授時代、働学研時代とすでに一生に 3 度の人生を生き抜かれていて、その有難い経験が「働学研」の生命力として吹き込まれていると感じた。」

「働学研は非営利の経営だと言われて、まさに納得した。お姿は新時代の学び場を事業経営されているように実際に感じる。だからこそ、参加者の一人一人の人生ロマンを一大事業と捉えて、まるで人生ロマンの経営指導を行って、苦楽に寄り添いながら一緒に支援なさっているのだと実感した。このような有難い場を創造され、私自身もメンバーに加えて頂いたことが本当に奇跡のようであると感じた。」

5.3　研究支援の場づくりと次世代へのたすき渡し

「池上先生が、十名先生の場づくりを先駆的な場をつくられて有難い、と言われていた。また、この世を生き抜く開拓者精神の重要性と辛い縁も含めてすべてを推進力に変えていく大切さを言われて、この生きづらい世を開拓する精神の気高さに魂が震えた。難事の中にこそ意志が試されるのだと感じた。更に、場づくりの目線で、博士論文を引き受けて頂ける大学や本の出版を引き受けて頂ける出版社を探す難しさを指摘されていて、「働学研」でのご尽力はただならぬものであることが改めて思い知らされた。導いて頂く身では分からない未踏の難事を突破頂けることの有難さは計り知れない。」

「程さん（程遠紅：博士課程十名ゼミの留学生、定年退職後は働学研にて博論を支援し申請）は自費で留学されての挑戦とのこと、本当に頭が下がる思いだった。異国の地で働きながら、さらに博士論文に挑戦されている志の高さに胸が熱くなった。また、それを十名先生や太田さん、濱さんが支援なさってという支援の輪が本当に美しいと感じた。先輩経験者が次世代の支援にまわっていく循環が「働学研」だと言われていて、まさに実感した。」

「今回は人生ドラマからの深い学びと感動の連続で、動画学習の機会を与えて頂いた有難さと共に、個人的にも大変学びの多い時間でした。働学研を開催し運営に携わっておられる方々、学びを頂いた発表者の方々にも心から感謝申し上げます。」[*250]。

5.4 学びあい助け合うロマンとノウハウを次世代へ

さて、これまで、ライフワーク出版に至る社会人研究者の3モデルを紹介してきた。彼らの奮闘はいずれも半世紀近くに及ぶ。ゴール前の数年間、伴走する機会に浴した。伴走者にとっても、珠玉の体験であったと感じている。

出版の2～3年前頃は、ゴールは見えるも思うように進まず悶々のご様子。やがて、硬い殻が破れ、博士論文や本づくりが一気に捗るにつれ、心身も回復し、より元気になり顔の輝きも増してくる。ゴールへ一直線の数ヵ月は全力疾走で、伴走・支援も最高潮に達する。彼らの活力、勇気に、どれだけ元気づけられたことか。

新たな挑戦者や、彼らへの伴走・支援の輪も、広がりつつある。学びあい育ちあうロマンとノウハウは、次世代へと継承され、新たな物語を紡ぎ出していく。

6 青壮老を生き抜く勇気と楽しみ―「働学研」の贈り物

6.1 仕事の喜びと人生の気づき
―組織へのこだわり・しがらみを超える（青・壮年期）

青・壮・老を創造的に生き抜くロマンと挑戦とは何か。そうした課題について問い直したのが、十名(2020)『人生のロマンと挑戦―「働・学・研」協同の理念と生き方』(社会評論社）である。

働学研のライフスタイルは、人生にどのような意味や色を付与するのか。

まず、青・壮年期の働き方・生き方により高い質をもたらし、青・壮年期の仕事を面白くし意義あるものにしてくれる。

現役で働く者にとって、組織のしがらみは複雑で逃れ難いものがある。自らのアイデンティティも見失いがちになる。しかし、仕事を研究対象にして学び研究するなかで、自らの大切なものに気づき、組織へのこだわりやしがらみが相対化され、人生の質を大切にする基軸ができる。仕事の質を高め喜びを見出すことができるようになる。

図表 12-4　働学研のライフスタイルは、人生にどのような意味や色を付与するのか

青・壮年期

主体的な独自の働き方・学び方を、現役時代に体得し磨く。

働き方・生き方により高い質をもたらし、面白くし意義あるものにする。

自らの大切なものに気づき、組織へのこだわりやしがらみが相対化される。

人生の質を大切にする基軸ができ、仕事の質を高め喜びを見出す。

老年期

新たな逆境:老化→喪失（心身機能の劣化、社会的なつながりの縮小）

老化は、機能の劣化だけではない。文化的熟成を促すプロセスとして捉え直す。

「過去の自分」との対話→「逆境」に立ち向かうヒントを見出す

定年後の人生を創造的にし、楽しく生きていく道を切り拓く。

働学研は、多様な体験を経て深まる文化的熟成のプロセスを創造的に促す。

備考：筆者作成

6.2　老年期を生き抜く勇気

6.2.1 「逆境」に向き合う

現役時代に主体的な独自の働き方・学び方を体得し磨いておくと、定年後の人生を創造的に楽しく生きていく道も切り拓くことにつながる。

まずは、「過去の自分」との対話のなかに、そのヒントを見つけ出すことである。

とくに、逆境にどう立ち向かい乗り越えてきたのかが、重要なポイントになる。その中に、老年期における新たな逆境への処方箋が含まれているとみられるからである。

機能的な側面からみると、老化は肉体的・精神的な諸機能の低下が避けがたい。それは、人生における新たな逆境に他ならない。その逆境にどう立ち向かうか。機能的な劣化を緩やかにしていく取り組みが欠かせない。

6.2.2　創造的な熟成の道を切り拓く

一方、文化的な側面からみると、「年の功」、「亀の甲より年の劫」といわれるように、老化は多様な体験を経て深まる「熟成」プロセスでもあり、人間らしさを高めるチャンスとみることもできる。

老化という逆境にどう立ち向かい、熟成という創造的な道を切り拓いていくかが問われている。働学研に取り組むなかで、その知恵やノウハウ、勇気を見出すことができるであろう。

6.3　引退後に深まる「熟成」　―人生の熟年期を切り拓く視座

6.3.1　機能と文化の両面から人生を見る

十名 (2008)『『現代産業に生きる技　―「型」と創造のダイナミズム』（勁草書房）では、「型」論において、「型」を社会科学的に定義し、技術と芸術の両側面から統合的に捉えた。さらに、十名 (2012)『ひと・まち・ものづくりの経済学』（法律文化社）では、機能と文化として捉え直し、その両側面から現代産業にアプローチしている。

機能と文化の両側面から見ることは、現代産業論のみならず、今や人生論とりわけ熟年論においても重要な課題になっている。

6.3.2　老人の知恵と活力の源

日本のみならずアジアの文化にみる、「長老」への眼差しは含蓄深いものがある。人生経験豊かな長老の判断を、多数決原理以上に尊重するところもみられる。

そうした慣習の根底にある老人の知恵と活力は何によるのか。長い年月のなかで集積された人生の問題解決能力は捨てがたいものがある。それだけでない。現実的な利害関係に縛られることが少ないゆえ、冷静かつ公平にみることができる。そうした社会的な立ち位置への視座も重要とみられる。

近代社会において、「長老」とほぼ同じ社会的位置に立つとみられるのが、定年退職者である。定年退職は、社会的な「引退」とみなされてきた。

6.3.3 「引退」後の心得と挑戦

一方、激しい運動を伴うスポーツ競技の世界では、比較的若くして競技からの「引退」を余儀なくされることも少なくない。それらは、いわば機能的な引退とみられる。

いずれの場合でも、それまでに培った知恵やノウハウは、朽ちるわけではない。体得された無形資産に他ならず、文化資本として活かすことも可能である。

「引退」後の心得は何か。現役時代は、外部からの圧力とか金銭的必要から働くことも少なくなかったであろう。引退後は、そうした束縛に囚われず、むしろ自分自身の創造的エネルギーが引き金になるような活動を心がけたい。

創造的可能性に楽しく挑戦したい。そのためにも、心の奥底から直接湧き上がってくる興味を大事にして、真剣に向き合うことである。

7 おわりに ―人生の文化的創造

7.1 人生 100 年時代をどう生き抜くか ―過去・未来の自分との対話

人生 100 年時代において、変化に富む時空間をどう生き抜くかが問われている。20 歳代のときの自分が、40 代の自分をみたらどう思うか。80 歳、100 歳になった自分が、今の自分をみたらどう思うか。

今の自分は、過去の自分、未来の自分の視線と評価に耐えられるのか。この問いこそ、長寿化時代の核心を突くものとなっている。仕事と研究を通して自らと向き合う「働学研」のライフスタイルは、その問いに応えようとするものである。

7.2 人生を貫く座標軸の探求

人生が長くなり、多くの移行を経験する時代には、人生全体を貫く座標軸が何かを意識的に問うことが求められている。座標軸とは何か。自らの人生にとって、大切にしているもの、価値あるものである。働学研のライフスタイルは、それを探求することにつながる。

それは、「働く」、「学ぶ」、「生きる」、「遊ぶ」のいずれかに深く関わる。中でも、「働く」は大きな位置を占めるとみられる。

「働く」という意味や性格は、今や大きく変化しつつある。「生きる糧を得る」活動にとどまらず、「自己実現の探求」さらには「社会の役に立つ」活動という意味合いを強めつつある。有償労働だけでなく無償労働の比重も高まっている。何よりも、楽しく働くことが求められている。

「働く」ことはまさに、生涯にわたる活動となり、社会人として生きる証となりつつある。「働く」活動には、「学び」、「研究する」活動も欠かせない。

7.3 「楽しむ」が育む創造的な仕事・人生

「これを知るものは、これを好むものに如かず、

これを好むものはこれを楽しむものに如かず」(孔子『論語』)

この名句は、仕事、研究、芸術、趣味など、いずれの分野にも通ずるとみられる。楽しむ境地に至らないと、学問や芸術は本物にならないし、人の魂を揺り動かすこともできないからである。

大学人研究者にとって、「楽しむ」境地にまで至ったかどうかは、定年後にわかるといわれる。学問は、義務でやっていると定年まで持たない。好きでやっているだけでは、定年になるとやる気が起きなくなってしまいやすいという。一方、楽しむ境地に達した人は、定年退職しようが転職しようが、自らの「仕事」を見出し、ずっと楽しみ続けていける。

働学研の極意と醍醐味は、社会人研究者の専売特許ではない。大学人研究者にこそ、より深くも求められているといえよう。

人生の文化的創造の新たな地平が、定年後に切り拓かれるのである。

補論 4

ライフワーク出版に至る「守・破・離」プロセスと「啐啄の機」

1　はじめに

2022年には7月～9月にかけて、働学研に集う社会人研究者3人（横田幸子、濱真理、熊坂敏彦）の単著書が相次いで出版された。いずれも数十年にわたる働きつつ学び研究するなかで創り出されたものである。

働学研での数年間は、その洗練化と仕上げの時期にあたる。補論4は、彼らの数十年にわたる歩み、切磋琢磨のプロセスを「守・破・離」から捉え直す。そして、人生をかけた彼らの大事業に対する支援者・伴奏者としての視点から、まとめたものである。

なお、3人が執筆された下記作品は、「出版に至る仕事・研究・人生物語」のモデルとして、『国際文化政策』第15号（2023年2月）に掲載されている。

横田幸子「ライフワーク出版に至る半世紀の歩み　―守・破・離の視点から」

濱　心理「博士論文&単著書出版に至る経過」

熊坂敏彦「古希記念・単著書出版への道　―構想から実現に至る8年間の軌跡」

2　横田幸子氏の「守・破・離」プロセス

2.1　研究における「守・破・離」のプロセス

2.1.1　「守・破・離」視点から捉え直す意義

出版に至る半世紀の歩みをまとめてほしいと、執筆者各位にお願いするも、どうまとめるか悩んでおられるご様子。そこで、「守・破・離」および「啐啄の機」の視点からまとめてみてはどうか、とアドバイスした。

「守・破・離」として捉え直すことの意義は何か。各プロセスにおける決定的なポイントが何処にあったのかが、明確につかみだすことができることである。「決定的なポイント」は、「啐啄の機」として捉えることもできる。「啐啄の機」は支援者が、「守・破・離」は挑戦者＆支援者のいずれもが、留意すべきポイントと言える。

アドバイスに対して、横田さんから次のようなリプライをいただく。

「長年の孤立した取り組みの末に、京都市民大学院での10年にわたる池上惇先生を始め諸先生方のご指導を頂き、3年前から働学研での十名先生の伴走を頂いて、やっと生み出すことが出来た拙著。諸先生方のご恩に報いるためにも、「啐啄の機」を捉えて雛の誕生を促して下さった十名先生への感謝の意味を込めて、私は拙著を生み出す過程を、ここに皆様にご報告させて頂きたい。」

2.1.2 「守・破・離」のプロセスと研究支援

なお、「守・破・離」のプロセスは、1回だけでなく何回も起きる。弁証法的な発展のプロセスといえる

1973-2011年における研究の歩みは、「守・破・離」の視点から、次のように整理できる。①柳ケ瀬さんなどから学んだ時期（守)。②各種文献を渉猟しアフリカ調査などで検証し膨らませた時期（破)。③出版原稿をまとめた時期（離)。出版の断念により、③の「離」は不完全燃焼に終わるも、一応仕上げたことの意義は大きい。

「各項目に関しては、それぞれに、とりあえず、それなりに納得できる形で書き上げることはできたことは大きい。本著の各章には、それが生きている。」

それを座標軸に取り組んだ市民大学院での2011年～19年は、守・破の時代とみられる。もう一度学び直す（守)。いろいろと格闘し、新たな知見をまとめ体系化しようともがく（破)。

「しかし、それを全体としてどうまとめようかと思い始めると、あそこが抜けている、ここが矛盾する、ここはダブっている・・・書き直して・・・を繰り返すのだが。繰り返せば繰り返すほど、新たなアラや矛盾

が目につきだして、ただ時間だけが過ぎていく。」

働学研で発表すると、いろんな指摘を受ける。それに影響され、自らの立ち位置を見失う危険も。誰もがはまりがちな落とし穴とみられる。それに囚われすぎず、エンドレスにならないように、仕上げに専念すべし、と促す。

「見切り千両」という格言がある。その潮時を、どこで見出すか。研究支援において、極めて重要なポイントをなす。

2.2　2019.10 ～ 2021.7 「働学研」での前半期 ―「序章」と「終章」に費やした 2 年弱

2.2.1 「序章」、「終章」への取り組みとあがき

「そんな出口の見えないあがきのなか」、働学研に参加された（2019.10)。

その後の 2 年間において、序章と終章の作成に格闘し、何とか形にする。「離」の門をくぐった段階とみられる。その間の試行錯誤のプロセスを、詳細に記されている。

最初に勧めたのは、形を整えることであり、序章を書くことであった。

「十名先生に、書き上げていた数章の原稿と、目次をお渡しし、ご指導をお願いする。まず頂いたご指導は、目次の数字を揃えて、見た目をすっきりさせ、きれいに仕上げること。次に頂いた課題は、「序章」を書くこと。」

かなり当惑された様子が、次の文面からもうかがえる。

「書き上げた原稿に対する、直接的なご指導を期待していた私は、びっくりして戸惑ってしまった。序章って、何を書けばいいの？　手が付けられないままに、時間が過ぎていく。」

次に、示唆したのが「ハラリの「サピエンス全史」を読むこと」である。

ハラリの『サピエンス全史』と向き合うように勧めたのは、横田さんの研究と多面的に深く関わると感じたからである。ハラリの理論が横田論とぶつかる点が少なくない。論点を明確にして対置することで、横田さんの論旨がより明確になるのでは、と感じた。

2.2.2　ハラリとの論争が執筆の覚醒を促す

実は、これが期待以上の効果をもたらす。横田さんの論理展開が、より明確になったのである。それまでは、いろいろと他の文献を引用されるも、紹介にとどまり、自らの見解と果敢に切り結ぶことが少なく、迫力不足を感じていた。

ハラリとの論争を機に、他の文献の引用についても、メリハリがつき、切り結ぶことも増えて、論文としての迫力が増していく。そうしたプロセスでは、小生も校正を粘り強く行い、変化を促すように心がける。

ハラリとの論争は、2020 年 12 月にまとまり、8 章の原型となる。続いて、序章は 2021 年 7 月にまとまる。「序章を書き上げることで、私はいったい何を言いたいのかが、おぼろげながらも見えてきた」とのこと。その「序章」も、結局は第 1 章のベースとなり、本書の序章の編集は、さらにその後となるのである。

「「試行錯誤しながら泥沼にはまる」ことを繰り返す」状況を案じて、「エンドレスにならないように…とにかくまとめ上げましょう」とアドバイスする。

2.3　洗練化・仕上げの過程（2021.7 ～ 2022.2）

2021.7-22.2 は、出版原稿の仕上げという「離」のプロセスを走り抜ける。この「離」のプロセスは、クローズアップすると、「守・破・離」のプロセスとしても捉え直すことができる。

出版が決まってから、出版されるまでの数か月間（22.2-22.7）も、一筋縄にはいかず、苦闘の歩みである。そのプロセス自体も、「守・破・離」として捉え直すこともできる。

横田さんの場合、序章と終章をまとめることにより、体系的な原稿として立体化されたと言える。これは、腹ばい、四つ足から立ち上がり、二足歩行に転じたことに相当する。

さらに、その段階では序章、終章とみなしたものが、第 1 章、第 8 章になり、新たに序章、終章をまとめる。終章も、出版原稿の最終仕上げ時に終章として新たに編集し直す。そうした助言が、学術書としての重要な決め手になったとみられる。

厳密に言えば、卵の殻が破れて雛が出てきたのが、この段階である。原稿が出版されても、学術書として歩んでいける土台がここで確立したといえる。

3　濱真理氏の「守・破・離」プロセス

3.1　仕事＆研究40数年にみる「守」「破」の人生浄瑠璃

大阪市役所時代（33年間）、大半を廃棄物問題に取り組む。京大大学院生および研究員時代（11年間）、植田和弘教授から親身の指導・支援を受ける。その間、放送大学院生（2年間）となり、御厨貴教授の指導を受ける。博士論文研究会（植田氏主宰）は、植田氏のご病気により、池上惇京大名誉教授に引き継がれる。働学研の発足を機に2019年、働学研に参加され現在に至る。

植田氏および御厨氏の助言は、「第三者」および「合意形成の合意」の視点など、内容的には博論の中核をなすもの、卵づくりのプロセスとみられる。「守」から「破」に踏み出したプロセスといえる。

池上氏の助言は、「（学習による）変容」視点などアイデアを膨らまし、論文としての内容を深化・発展させるプロセス、いわば「破」を大きく進めたとみられる。さらに、「論文」としての原型ができた段階、いわば「破」から「離」へと転じる段階と言える。横田氏の2019年7月の段階と言えるかもしれない。

3.2　働学研での「破」「離」3年　―博士論文＆単著書出版に至る道

形式整備が促す「破」「離」のダイナミズム

ただし、この段階では、博士論文としての水準には至らず、殻は破れていなかったとみられる。働学研に参加されたのは、「破」さらに「離」へと転じる模索期であったといえる。博士論文を仕上げ、申請・審査を経て学位授与も間近い冨澤公子氏からの紹介によるものである。ここに、濱氏へのバトンタッチが行われたのである。

働学研への参加を機に、全体のタイトル、各章・各節のタイトルと構成、脚注などを見直し、整備するように助言する。早速に着手され、脚注の充実、その変身ぶりに、目を見張る。「形相整いて内相熟す」の格言に沿って、「形相」の整備に力を入れる。

濱氏も、次の 3 点を挙げられている。①読者が読みやすいように心がけて書く。②序章、終章を書く。すなわち、全体構想を明確にする。③全文の具体的なチェック。

3.3 編集プロセスは、第 2 の創造

そのプロセスで、博論として体系化され質的な変革が図られたとみられる。この編集プロセスは、第 2 の創造といえる。ただ、形式的整備のプロセスとみなされがちで、内容的充実の側面への評価は少し弱いようにも感じられる。

これは、横田氏、濱氏に共通してみられる点で、博士課程十名ゼミで一から仕上げられた方々と少々異なる。それは、守破離の歴史的プロセスの違いによるとみられる。

柳ケ瀬、植田、池上と続く先生方の支援プロセスを、全体の中でどのように位置づけ捉え直すかが問われている。

3.4 博士論文・単著書出版に至る道

博士論文の申請・審査について、濱氏は「学位取得の実現に向けた支援内容」として次の 3 点を挙げられている。①名古屋学院大学の申請実務の具体的な教示。②名古屋学院大学との調整。③学位取得を実現させる。

単著書の出版については、出版企画書の作成支援を行い、その上で出版社を紹介する。出版原稿については、博士論文の見直し版を基にして、本や各章のタイトルなどについて助言し、さらなる洗練化を図る。

出版環境の激変期に遭遇するなか、出版社の事情が重なり、出版原稿の校正などが大幅に遅れていく。その折衝の大半を、窓口として引き受ける。濱氏も、「出版社との丁寧な調整。本オビのキャッチフレーズの作成」などを、挙げられている。

4　熊坂敏彦氏の「守・破・離」プロセス

4.1　銀行＆総研時代における「守」から「破」へのプロセス

日本長期信用銀行、筑波銀行・筑波総研での営業・調査を経て、2015年に退職する。それを機に、それまでの論稿を整理して体系化することを勧めた。

筑波総研時代の研究は、「守」から「破」へのプロセスとみられる。地域調査の論稿は、『筑波総研調査情報』などに次々に掲載される。20本を超えるも、それぞれがパーツにとどまっていた。そこで、それらを系統的にまとめるように、彼の背中を押した。

4.2　体系化に向け「空白の5年間」―「破」から「離」への「もがき＆試行錯誤」

筑波総研での調査レポートをベースに、2015年夏、編集・体系化に着手する。編集・体系化への着手は、「破」から「離」への発展をめざしたものといえる。

博士課程十名ゼミにも参加され、何回かの発表を通して、深めていく。タイトル、序章と終章を挿み3部構成とする。タイトルは、「循環型地場産業の創造と革新－茨城地域創生の技と文化」。しかし、そこからが難所となったようである。

その後の5年間は、構想のまま編集・体系化の活動は半ば頓挫する。地場産業やまちづくりの実証研究では、あれも足りない、これも足りないとみて、事例調査に次々と手を付ける。しかし、それが体系的にどのような意味を持つのかの理論的な考察は、積み残したままである。その衝動的な対応を、「青い鳥症候群」と名づけて警鐘を鳴らした。

「空白の5年間」といわれるが、「もがき＆試行錯誤の5年間」といえよう。

4.3　原稿の仕上げから単著書出版に至る「破」＆「離」プロセス

事態が進展したのは、2021年夏のことである。古希を記念にと一念発起し、コロナ禍で難しくなった現地ヒアリング調査に見切りをつけ、積年の課題に向き合う。夏休みにそれまでためていた編集・執筆作業を一気呵成に進め、1次原稿が仕上がる。

それを基に、洗練化に向けて電子メールでの対話、原稿ファイルの校正作業が続く。働学研の月例会での発表を機に、視野を広げる。

全体の形が整ってきた段階で勧めたのが、出版企画書の作成である。出版企画書の作成は、全体の論理構成を再検討し洗練化することにつながる。

なかでも、出版企画書を軸とする序章の拡充・整備があげられる。「先行研究の研究・評価、自説の体系化など、書物の命となる部分に関して、きめ細かなご指導とやり取りの中で、洗練化された」とのこと。

出版原稿の校正にあたっては、「校正一覧表（315 箇所）」を作成するように勧めた。「参考文献」「索引」の作成についても、基本的なルールをふまえるように促す。

出版企画書を作成し、出版社の打診し出版に至るプロセスも、「守・破・離」プロセスとして考察することができる。

5　おわりに―「ライフワーク出版」の意義と展望

5.1　社会人研究者の相次ぐ単著書出版にみる仕事・研究の人生ドラマ

2022 年 7 月～ 9 月は猛暑のなか、働学研運動にとってもかつてなく「熱い」季節となる。社会人研究者 3 人（横田幸子、濱真理、熊坂敏彦）による相次ぐ単著書出版という快挙がもたらしたヒートアップであった。いずれも数十年にわたる研鑽の成果である。まさに、「ライフワーク出版」といえよう。

出版に至る数年間、さらに数カ月、仕上げに向けてスパートするも、思うようにはかどらない。煩悶しつつも、1 つ 1 つ関門をクリアしていく。まさに、「知」のマラソンといえる。それはまた、守・破・離のプロセスでもある。守から破へ、破から離への悩みや苦しみが、深く大きいほど、乗り越える喜びも大きくなる。仕事・研究人生の壮大なドラマである。そのプロセスとノウハウを、語っていただいた。きっと読者の琴線にも触れるに違いない。

筆者もいま、節目となる10冊目の出版に向けて、そのプロセスを突っ走っている。彼らのノウハウに学びロマンに力をいただきながら。

5.2 「ライフワーク出版」の意義と展望
―人生を照らし晩節を飾る大事業の新地平

ライフワークとは、「一生かけてする仕事や事業」(『広辞苑』)、「一生かけて極める仕事や作品」(https://biz.trans-suite.jp/39136) を指す。それまでバラバラになっていた断片をつなげ、体系化していくプロセスであり、その結晶である。

それを、仕事と人生の物語として、1冊の本にまとめ出版する。それが、「ライフワーク出版」である。ライフワーク出版は、晩年になって結実することが少なくない。定年退職後のフリーな立場と心境が、それを促す。現職時代の様々な体験と研鑽を反芻し、その人でしか紡ぎ出しえないドラマを仕立てる。それは、仕事と人生の文化的再創造に他ならない。

仕事と人生を生き直すダイナミズムと楽しみが、そこにある。まさに、人生を照らし、晩節を飾る大事業と言えよう。

終章

学びと生き方の協奏曲

1　AI が促す主体的・創造的な学び

1.1　特集「DX で進化する鉄づくり」のインパクト

思いもかけぬ来訪者が、終章に新たな彩を与えてくれる。2024 年 2 月下旬、特集「DX で進化する鉄づくり」(『季刊　ニッポンスチール』Vol.18（2024 年 2 月 9 日発行）が届いた。日本製鉄から毎号いただいている。筆者も近年、単著書を出版した際にお送りし、ご厚意に応えている。

今回の特集は、仕上げ段階の本書とも深く響き合う。本書は、AI が促す多様な側面、その光と影にメスを入れている。後者の課題と創造的な学びの大切さを強調している。

それに対し、「特集」は、日本鉄鋼業が直面する諸問題に向き合い、AI にみる深層学習の成果と可能性をどう生かすか、深くコンパクトに提示する。鉄鋼現場の最前線に光をあてたものである。創造的な学びの大切さ、そして現場が直面する厳しさを、「Learn or Die」(「学ばないと生き残れない」）の箴言で提示する。

今や、データとデジタル技術の活用による DX（Digital Transformation：デジタルトランスフォーメイション）が、あらゆる業種・分野を超えて、未来に向けた社会変革の駆動力となっている。様々な仕事プロセスの IT 化だけにとどまらず、真に価値ある DX の姿が求められている。今、次の時代の製鉄の姿を想像する挑戦が加速している。

日本製鉄の DX 戦略は、そうした課題に応えようとする。「つなげる力」と「あやつる力」をキーワードに、原料調達から鉄鋼製品の生産・提供まで、サプライチェーンすべての領域で「鉄づくり」の進化を目指す。

特集が届いたのは、本書の仕上げに入り、終章に着手するも、どのようにまとめるか思案していた時のことである。

本書（第 1 章）では、AI をめぐる最新動向や課題について、新聞やネット検索を手がかりに考察する。しかし、生産・技術・経営現場の最前線で、具体的にどこまで進展し、どのような方向をめざしているか、定かとはいえない。

そのモヤモヤと課題に深く切り込み浮かび上がらせるのが、この特集である。求めていたものが、ジャスト・イン・タイムで届いたといえる。

この特集は、その最前線の息遣いが深い思索とともに紹介されている。鉄鋼業におけるデータとデジタル技術の活用、それによるDXの最前線と哲学が提示されていて、実に興味深く、啓発される。

1.2　30年近い時空を超えての、鉄鋼生産システムをめぐる対話

鉄づくりは、多様な工程を経る、複雑なプロセスのシステムで、多くのエネルギーも必要である。装置・プロセス型は、途中で生産（化学反応プロセス）を止めることが至難で、止めると材質が変わり生産できなくなることも少なくない。組立型の製造業とは異なる、装置・プロセス型の難しい点である。

操業に加えて、鉄鋼業は原料を購入し、製造した鋼材を加工して梱包・輸送する総合産業でもあり、全体として多くの人がかかわる。製鉄所では、製造ラインの操業よりも精製・梱包・輸送・点検・補修・工事などに人手がかかり、多数の人が携わっている。

10～20年後、そういう人たちが激減すると、製鉄所を稼働できなくなる。そこが、喫緊の課題になりつつあり、「労働人口減少への対応」がこれからの本流とみられる。

「特集」は、30年近く前に出版した拙著（十名直喜[1996]『鉄鋼生産システム』）[*251]を思い起こさせ、光を入れる。拙著は、鉄鋼生産システムの構造、日本型の特徴と課題を体系的に提示する。多様な工程と熟練、IT化、AI導入のインパクト、異常への対応などを考察している。

30年近くを経た現在、深層学習などに基づくAIの進化、DX戦略の広がりと深さは、隔世の感がある。熟練作業、効率化、異常への対応など課題には共通性もみられが、より高次元での対処が目立つ。

DXはいまや、現場の困難な作業のみならず計画システムの領域へと広

がっている。1980年頃、筆者は加古川製鉄所で原料需給配合計画システムをつくったことがある。特集にみる原料配船計画システム、出鋼計画システムのすごさに驚かされる。

世界各地から輸入・荷揚げする原料配船計画は、組み合わせが膨大な数（10の760乗通り等）になる。配船計画システムは2021年から運用し、立案作業時間は1/7になり、鉄鉱石輸送効率は10%アップしている。（組み合わせが10の300乗通りを超える）製鋼工程の生産計画を立案する製鋼スケジューリングシステムは2023年3月から運用開始し、毎週8～10時間（熟練者）が数秒～数分（若手技能者）へと短縮する。

鉄鋼の生産計画分野では、「組み合わせ爆発」の問題に直面している。多様な生産現場を担う労働力不足問題も待ったなし。そうした諸課題に創意的にどう対処するかが問われている。

1.3 働学研月例会における拙著（十名［1996］）との再会

久しぶりに拙著（十名［1996］）を紐解く機会に遭遇したのは、特集との出会いのさらに1か月余前に遡る。きっかけとなったのは、2024.1.20第53回働学研で行われた下記の発表である。

木村愛「工場の設備保全から考える日本の製造業の未来―設備保全の実際」。

月例会の前日、発表資料への詳しいコメントを働学研MLに発信する。口頭のコメントが咳で難しいかも、と判断してのことである。

メールでの下記コメントは、設備保全研究の重要性と勘所について、鉄鋼生産システムの視点から示唆したものである。そこには、AI・熟練・設備保全の視点から、わが鉄鋼生産システム論のポイントが語られている。

「設備保全は、深いテーマで、着眼点も良いと思います。確かに、博士論文にもつながるテーマですね。ただ、このテーマは奥行が深く、限りなく広い分野にまたがっています。

設備保全については、太田信義さん（自動車工場）、堀隆一さん（製鉄所）が数十年の技術体験と蓄積をお持ちです。彼らに学ぶべきことは、一杯あるでしょう。実は、十名も設備保全などについて、論文や本などにまとめてきました。
十名直喜[1996]『鉄鋼生産システム』同文館は、第3部でAIと熟練作業について30数ページにわたり論じています。設備保全についても、10ページほど割き、問題発見・解決型ワーク、異常対応、システム的熟練などについて、切り込んでいます。AIの視点から熟練作業に注目し、設備保全がそのコアに位置することを解明しています。
この2月に公刊されるAI、情報化などに関する拙稿も、30年の研究蓄積を背景にしているといえます。ご発表への助言の手掛かりにと、28年前の拙著を紐解き、そのことに改めて気づかされた次第です。先行研究は、きわめて分厚いものがあるでしょう。そのエキスを、しっかりと汲み取ってほしい。
「保全」といえば、いまや「環境保全」が席巻しています。「設備」とは何か。現代的に深めたいですね。
製鉄所では、気体・液体・固体が、容器、機械、パイプ、ベルトコンベア、電線、道路、鉄道などを媒介にして、ダイナミックにつながっています。現代でいうインフラ設備が、製鉄所の中に、凝縮されています。
社会においても、道路、橋、トンネル、鉄道、電線などインフラストラクチュアの老朽化と設備保全の在り方が、喫緊の課題となっています。IT、AIを活用した事前探査、予知、修復なども、すでに実践的になっています。
中小の工場設備といえでも、そうした広がりと深まりの中で、とらえる必要があるでしょう。先行研究にどれだけ迫り、新たな視点から捉え直すことができるか。それが、勝負どころとなるはず。「着眼大局、着手小局」という格言があります。経営、研究のいずれにおいても、重要な示唆とみられます。」(2024.1.19)

1.4 「Learn or Die」の事業姿勢で、学びと変化を楽しむ

西川徹・Preferred Networks代表取締役社長と福田和久・日本製鉄副社長との対談は、読み応えがある。多彩な分野でAI活用を進める場合、各事業者の専門領域に踏み込んだ知見がないと協業がうまく進まない。その

あたりの知見をどう体得していくか。西川氏は、その問いに応えるなか、働きつつ主体的・創造的に学ぶことの重要性を強調する。

協業で学び成長する。専門性を持つ人材を採用するとともに、自分たちも学ぶ。その事業の担当者を中心にその分野の知見を深め、協業の過程で精通していく。「Learn or Die」という社是を掲げ、「常に学ぶ」という事業姿勢を貫いている、という。

「Learn or Die」は、「Publish or perish」(出版か死か)を想起させる。Publish or perishは、研究を促す一方で、出版の難しさが研究者の呪縛となり研究をゆがめるとも言われる。

一方、Learn or Dieは、「学ばないと生き残れない」の意である。仕事と経営の現場では、主体的に「学びつつ研究すべし」という。仕事と経営の最前線における厳しさと戒めを示すとみられる。むしろ、楽しんで学ぶ、変化を楽しむことが大切だという[*252]。

2　仕事・生活・人生のリフォームへの視座

2.1　リフォームとは何か―「住まい」「生き方」「人生」をつなげる物語

本書の主題を「学びと生き方のリフォーム」としている。「リフォーム」とは何かが問われよう。リフォーム論の視点は、第8章にみる住宅のリフォーム論が起点をなしている。

住居は、年月を経るにつれて劣化が進み、家族構成、年齢、価値観なども変化する。それに伴い、必要に応じてつくり替えていく。それが「住まいのリフォーム」である。

その際、自分がどのような事情により、どのような目的でリフォームするのかという方針(ポリシー)が、問われる。そして、どのようなリフォームをイメージしているかという全体構想(トータルデザイン)が求められる。

これからどのように暮らしたいのか、これからの人生をどのように過ごしたいのか、楽しみたいのか。いわば、これからの人生の歩み方、家族のあり方が問われるのである。住宅のリフォームは、住まいのリフォームへ、人生のリフォームへとつながっている。

第8章（住まいのリフォーム物語　―Quality of Life と終活への視座」）は、自らの生活体験に光をあて、半世紀にわたるライフスタイルへの反省を込めて考察したものである。

副題にみる「Quality of Life」と「終活」という2つのキーワードに独自な思いと視点を込め、本書の視点や幅を広げる知恵としている。

2.2 「Quality of Life」と「終活」への新たな視座と定義

第8章の副題をなす「Quality of Life」には、人生と生き方の質を高めるという思いを込めている。「Quality」は、日本語では「品質」と訳されるが、「品質」よりも幅広い意味が含まれている。ものの良し悪しの程度に加えて、高級や上質、すばらしいなどの意味が含まれている。また「Life」には、生命、人生、生き方、生活など幅広い意味が含まれており（『広辞苑』第7班）、これらをふまえての「Quality of Life」である。

一方、「終活」についても、独自な思いを込めている。「終活」は、「終わりの仕度」とみられがちだが、それでは「活」が生きてこない。視点を逆転させ、もっと前向きに捉え直す。「人生の終盤を活かす生き方」こそ、「終活」にふさわしい。「終活」の新たな定義として提示している。

筆者は、定年退職（70歳）を機に、立ち生活へシフトし、その2年後に自宅の再リフォームを行った。それらは、老化の進行を遅らせ、生活の質を高めて人生の文化的熟成を促す試みであり、「人生の終盤を活かす生き方」、いわば前向きの「終活」とみなす。

人生は、序盤、中盤、終盤に3区分できる。人生の終盤は、伸縮自在である。人生100年時代を想定し、終盤を70歳代からとみなすと、30年近い人生が拓ける。

自宅のリフォーム物語は、人生のリフォーム物語でもある。それは、座り過ぎ論文とは少し波長が異なり、新たな展開といえる。「書き下ろし」の形で本書に編集することにした。

2.3　人生の終盤における学びと生き方　―研究活動と出版の心得

各章の原稿は投稿・校正を通して、それぞれ、スリム化と洗練化の篩にかけられている。しかし、1冊の本にするとなると、新たな視点から捉え直し編集することが求められる。

各作品に新たな命を吹き込み、蘇らせるのである。いわば、第2の創造である。これまでの本づくりでも、スリム化と拡充を並行して進めつつの、再創造を心がけてきた。そのことを、より明確に意識して進める。

「書き手の自己満足は禁物」とのこと。肝に銘じたい。ただ、70歳代後半になると、また別の視点や感性も重要だと感じている。内省と「いとおしさ」、いわば脚下照顧の視点である。1日1日が大切で、いとおしく思う。貝原益軒『養生訓』を読み直し、あらためて反省し、襟を正している次第である。これまでのわが研究活動にも、その眼差しを向けたく思う。

この2年余、働学研、文化政策研、基礎研などに向き合い、精魂を傾けて対応してきた。本書は、そうした活動とプロセスの一端に光をあてたものである。貴重な、かけがえのない研究成果であり、人生のリフォーム物語でもある。

いつ何時、人生の終幕を迎えるか、わからない。そのリスクは、年々高まっていく。人生の終幕がいつ訪れても、後悔しないようにしたい。支援していただいた人々への感謝を伝えたい。自らの体験、思い、ノウハウは、その都度まとめて開示しておくように心がけている。

本の出版は、そうした思いの結晶であり、知的な遺言書でもある。そのことを明示して、本として残しておきたい。これからの1日、作品1本、本1冊が、そのプロセスと感じている。

3　10冊目の本書に託す思い

3.1　鉄鋼・産業・経営の各3部作

これまで9冊の単著書を出版している。9冊は、鉄鋼、産業、経営に3冊ずつ分けることができ、「鉄鋼3部作」「産業3部作」「経営3部作」を成している。各3部作には、人生の折々の思いや時代の息吹、課題などが反映されている。わが仕事・研究人生の見取り図といえる。

鉄鋼3部作は、製鉄所21年間の研究成果をベースにしており、大学に転じた直後の数年間に仕上げたものである。製鉄所時代の交流・体験・思索を軸に、先行研究と切り結び、公開データをふまえてまとめたものである。

産業3部作は、大学での新たな研究の成果である。研究分野を、鉄鋼産業・大企業から地域の地場産業・中小企業へとシフトし、現地調査・ヒアリングを軸にしてまとめたものである。さらに、ものづくり経済学、現代産業論として体系化して提示する。

経営3部作は、定年退職を機に、またそれ以降にまとめ出版したものである。

現職時代の総括に加えて、退職後の研究・教育に向けての号砲となったのが、(7) である。そして退職後に取り組んだのが、(8)(9) である。

出版環境が年々厳しさを増すなか、これが最後になるかもしれないと思いつつ、本に仕上げ、出版してきた。各3部作は、そうした思いの積み重ねでもある。

図表 終1　鉄鋼・産業・経営 各3部作の出版一覧

鉄鋼3部作

(1) [1993]『日本型フレキシビリティの構造―企業社会と高密度労働システム』法律文化社

(2) [1996]『日本型鉄鋼システム　―危機のメカニズムと変革の視座』同文舘

(3) [1996]『鉄鋼生産システム　―資源、技術、技能の日本型諸相』同文舘

産業3部作

(4) [2008]『現代産業に生きる技　―「型」と創造のダイナミズム』勁草書房

(5) [2012]『ひと・まち・ものづくりの経済学　―現代産業論の新地平』

法律文化社
(6) [2017]『現代産業論　―ものづくりを活かす企業・社会・地域』水曜社

経営3部作

(7) [2019]『企業不祥事と日本的経営　―品質と働き方のダイナミズム』晃洋書房
(8) [2020]『人生のロマンと挑戦　―「働・学・研」協同の理念と生き方』社会評論社
(9) [2022]『サステナビリティの経営哲学　―渋沢栄一に学ぶ』社会評論社

3.2　10冊目の区切りと再出発

10冊目となる本書には、様々な思いを込めている。日々の生活と学びに、より大きな光をあてている。

10は区切りをなす数値である。1～9とは一線を画す。スポーツでは、勝利数や優勝回数などにおいて、9と10では重みが違う。単著書の出版でも同じである。9冊まで来れば、10冊目をと思うのは人の常といえよう。

凡庸極まりない筆者であるが、「十名」という姓が、10への希求をより大きくする。仕事・研究人生を終えるまでに、「姓が表す数値10までに到達したい」。自己実現に向けての、ひそかな思いといえる。それが日の目を見るのも、多くの人たちとの交流、学びあい育ちあいのおかげである。

自己実現に一区切りをつけ、新たな人生へと踏み出すことができればと思う。仕事への助言、論文づくり、博士論文や本づくりなど、社会人研究者への支援は、彼らの自己実現、いわば他者実現への支援にほかならない。伴走しながら励まし背中を押すことができればと思う。伴走するためには、自らの絶えざる学びと鍛錬も欠かせない。

4　次世代に託す学びと生き方の知恵
―夕日の美しさと朝日の神々しさの協奏曲

本書を1日の太陽に見立てれば、序章は朝日、終章は夕日、のイメージである。

自宅に近い公園の竹林や大木の間から朝日が昇るにつれて、空が紅から黄へ、さらに白、青へと転じていく。早朝のすがすがしさ、光の神々しさは、生きる力と励ましを与えくれる。

一方、沈みゆく夕日の美しさは、感動を呼び起こし、畏敬の念を禁じ得ない。自宅2階から見える瀬戸内海の夕日も格別である。好天下の夕日は、空と海を柔らかく7色に照らしながら、遠く西南に浮かぶ家島諸島の山間に沈んでいく。人生の下り坂にあって、精一杯に生きた最後を照らし出すかのようである。

渋沢栄一が大往生（享年92歳）を遂げる際に、沈みゆく夕日と残照を感じたという。「不思議な思い出」の1節で、孫・渋沢敬三が語っている。

「病床が最後まで明るかった…最後が来るときには…ちょうど太陽が西山に後光を残して沈みゆく時に感ずるような、美しい淋しさと大自然への還元というような安心さえ覚え」たという[*253]。

終章をまとめるにあたって、夕日の美しさと荘厳さを感じたのは、初めてのことである。本書の第8章では、「人生時間の法則」（人生時間＝体感時間×内省時間）を提示している。夕日の沈みゆく速さは驚くばかりで、年齢とともに加速する「体感時間」を想起させる。7色に照らす夕日の荘厳さは、年を重ねて熟考が深まる「内省時間」を示唆している。

夕景の美しさは、神々しい朝日へとつながる。熟成した人生の知恵は、世代間の学びと交流を通して、次世代に受け継がれていくのである。そうした一助になればとの願いを込めて、本書を読者に捧げたい。

あとがき

本書は、半世紀を超える研鑽、多くの方との研究交流、助け合い学びあいを通して、紡ぎ出された。いわば、学びと生き方の物語であり、協奏曲である。

製鉄所21年、大学27年、在宅5年。舞台は変われども、「働きつつ学び研究する」、助け合い学び合うという生き方は変わらない。

製鉄所で働き始めて3年目の1973年、初めて論文を執筆し同年秋に公刊された。その時の感動は、今なお記憶に新しい。その後、本・論文・書評などの執筆は半世紀を超えるも、最初の論文の感動と反響を超えるものは見当たらない。

いかに超えるかが、課題になっている。10冊目となる本書でもって、それに応えたく思う。このような挑戦ができるのも、多くの恩師、先輩、友人、家族に恵まれたからである。心よりお礼申し上げたい。

わが恩師（池上惇、森岡孝二、置塩信雄、中村静治、黒岩俊郎、館充、等々）は、ほとんど鬼籍に入られている。半世紀を超えて薫陶を受ける恩師（池上惇）が、卒寿の今も、ご壮健なのは有り難い。奇跡といえる。本書でもって、卒寿のお祝いができることを嬉しく思う。また、働学研で初の単著書出版に向け奮闘されている社会人研究者の小野満氏（91歳）にも、卒寿のお祝いとエールを送りたい。

定年後に始めた働学研（博論・本つくり）研究会は、5年近くになる。月例会は、毎月数本の研究発表がなされ、熱気に包まれる。研究発表は、すでに300本を超える。そこから、社会人博士3人を送り出し、多くの単著書も出版されている。彼らに伴走し、叱咤激励するなかで、筆者も鍛えられ、得難い知と勇気をいただいている。

本書の各パーツは、そうした中で揉まれたものが多い。本書の仕上げにあたって、社会人博士３人（太田信義、濱真理、井手芳美）から頂いた助言が有り難い。序章と終章を思案するなか、何回もコメントをいただく。コメントは、迅速、的確で深く、「百本ノック」の如く返ってくる。助言する者、される者は、時と場合によって適宜入れ替わる。働学研の場も、その様相を呈している。

定年退職後、生活人間への転換を図っているが、今なお仕事漬け人間の域を出ていない。本書は、現役時代の反省なども込めて考察する。日々の生活において、至らぬことが多く、妻に学ぶことも多い。「ありがとう」「ごめん」「よくやっている」が日々、自然に口に出るようになる。

早朝には、２時間余の運動・家事（風呂洗い・庭の草抜き・買い物など）が日課となる。日中の８時間余は、「立ち机」での仕事に傾注する。筆者にあっては、「晴耕雨読」というよりも、「朝耕昼読」が似合う。早朝、通勤・通学者などに出会うと、「おはようございます」「いってらっしゃい」で送り出す。時には自由人と、朝端会議を楽しむ。本書の「学び」編には、そうした一端を織り込んでいる。

本書の出版を快く引き受けていただいた社会評論社の松田健二社長、温かい眼差しで編集の労をとっていただいた板垣誠一郎氏に、感謝申し上げたい。1970年9月創立の社会評論社は、政治・社会・経済・思想など多様なジャンルの書籍を出版され、今日に至っている。陣頭指揮をとられる創始者の松田社長（84歳）は、90歳まで頑張りたいとのこと。長寿を心よりお祈りしたい。

この一日、この一冊が、最後になるかもしれない。全力を尽くし、悔いることなきようにしたい。本書に込めたメッセージと思いが、「仕事人間」に、「終活」を志すシニア層に、届くことを願っている。

引用文献（本）一覧

池上惇 [2020]『学習社会の創造　―働きつつ学び貧困を克服する経済を』京都大学学術出版会。

井手芳美［2017］『経営理念を活かしたグローバル創造経営　―現地に根づく日系企業の挑戦』水曜社。

庵原孝文［2010］『日本企業の中国巨大市場への展開』三恵社。

岩城穰・高田好章ほか編 [2019.2]『森岡孝二の描いた未来　―私たちは何を引き継ぐか』森岡孝二先生追悼記念誌。

N. ウィーナー [1948]『サイバネティックス　―動物と機械における制御と通信』（*Cybernetics: Control and Communication in the Animal and the Machine, by Norbert Wiener, 1948*）第 2 版 [1961]、池原他訳、岩波書店、1962 年。

N. ウィーナー [1950]『人間機械論　―人間の人間的な利用』（*The Human Use of Human Beings; Cybernetics and Society, by Norbert Wiener 1950*）第 2 版 [1954]、鎮目恭夫・池原止か夫訳、みすず書房、1979 年。

SBI 大学院大学『SBI 大学院大学紀要』第 10 号（2023 年 2 月）、11 号（2024 年 2 月）。

太田信義［2016］『自動車産業の技術アウトソーシング戦略　―現場視点によるアプローチ』水曜社。

小笠原英司 [2004]『経営哲学研究序説―経営学的経営哲学の構想』文真堂

C. オニール [2016]『あなたを支配し、社会を破壊する、AI・ビッグデータの罠』(Weapons of Math Destruction, by Cathy O’ Neil,2016) 久保尚子訳、インターシフト、2018 年。

貝原益軒 [1713]『養生訓』伊藤友信訳、講談社学術文庫、1982 年。

可喜庵の会編 [2007]『温故知新の家づくり』農山漁村文化協会。

J.K. ガルブレイス [1977]『不確実性の時代』（*The Age of Uncertainty, by John Kenneth Galbraith*, 1977）齋藤精一郎訳、講談社文庫、2009 年。

基礎経済科学研究所『経済科学通信』第 7 号（1973 年 11 月）、122 号（2010 年 4 月）、123 号（2010 年 9 月）、141 号（2016 年 9 月）、151 号（2020 年 8 月）。

基礎経済科学研究所編 [2012]『日本型企業社会の構造』労働旬報社。

基礎経済科学研究所編［2021］『生き生きとした現実感覚と基礎理論の結合』基礎研創立 50 周年記念冊子、基礎経済科学研究所。

熊坂敏彦［2022］『循環型地場産業の創造　―持続可能な地域・産業づくりに向けて』社会評論社。

経済理論学会『季刊　経済理論』第 57 巻第 4 号（2021 年 1 月）、第 58 巻第 2 号（2021 年 7 月）、桜井書店。

国際文化政策研究教育学会『国際文化政策』第15号（2023年2月)、16号（2023年8月)、17号（2024年2月)。

小林秀樹[2013]『居場所としての住まい　―ナワバリ学が解き明かす家族と住まいの深層』新曜社。

F. コンウェイ/J. シーゲルマン[2005]『情報時代の見えないヒーロー：ノーバート・ウィーナー伝』(*Dark Hero of the Information Age : In Search of Norbert Wiener, the Father of Cybernetics, by Flo Conway, Jim Siegelman, 2005*) 松浦俊輔訳、日経ＢＰ社、2006年。

近藤隆雄[2015]「心情をくむサービス」①日本経済新聞2015.6.2, ③同2015.6.4。

斎藤幸平[2020]『人新世の「資本論」』集英社新書。

斎藤　孝[2000]『身体感覚を取り戻す―腰・ハラ文化の再生』日本放送出版協会。

桜井善行[2019]『企業福祉と日本的システム　―トヨタと地域社会への21世紀的まなざし』ロゴス。

佐川　旭[2015]『住まいの思考図鑑　―豊かな暮らしと心地いい間取りの仕組み』エクスナレッジ。

渋沢栄一[1916]『論語と算盤』守屋淳訳、ちくま新書、2010年。

A. シュミット[1962]『マルクスの自然概念』(*Der Begriff der Natur in der Lehre von Marx*, by Alfred Schmidt, 1962) 元浜清海訳，法政大学出版会，1972年。

杉山友城（2020)『地域創生と文化創造　―人口減少時代に求められる地域経営』晃洋書房。

J.E. スティグリッツ/B.C. グリーンウォルド[2015]『スティグリッツのラーニング・ソサイエティ』(Creating a Learning Society; by Joseph E. Stiglitz and Bruce C. Greenwald ,2015) 岩本千春訳、東洋経済新報社、2017年。

S. ズボフ[2019]『監視資本主義　―人類の未来を賭けた闘い』(*The Age of Surveillance Capitalism, by Shoshana Zuboff, 2019*) 野中香方子訳、東洋経済出版社、2021年。

A. スミス[1759]『道徳感情論』水田洋訳、岩波文庫、2003年。

A. スミス[1776]『国富論』水田洋監訳、杉山忠平訳、岩波文庫、2000-2001年。

全国日本学士会[2022]『会誌　ACADEMIA』No.188、2022年10月。

M. テグマーク[2017]『LIFE 3.0　―人工知能時代に人間であること』(*LIFE 3.0; Being Human in the Age of Artificial Intelligence, by Max Tegmark, 2017*) 水谷淳訳、紀伊国屋書店、2020年。

十名直喜[1993]『日本型フレキシビリティの構造―企業社会と高密度労働システム』法律文化社。

―　[1996]『日本型鉄鋼システム―危機のメカニズムと変革の視座』同文舘。

―　[1996]『鉄鋼生産システム―資源・技術・技能の日本型諸相』同文舘。

―　[2008]『現代産業に生きる技―「型」と創造のダイナミズム』勁草書房。

―　[2012]『ひと・まち・ものづくりの経済学―現代産業論への視座』法律文

化社。
— [2017]『現代産業論―ものづくりを活かす企業・社会・地域』水曜社。
— [2019]『企業不祥事と日本的経営―品質と働き方のダイナミズム』晃洋書房。
— [2020]『人生のロマンと挑戦―「働・学・研」協同の理念と生き方』社会評論社。
— [2022]『サステナビリティの経営哲学―渋沢栄一に学ぶ』社会評論社
冨澤公子 [2020]『長生きが幸せな島<奄美>』かもがわ出版（コンパクト版）。
冨澤公子 [2021]『幸福な老いを生きる―長寿と生涯発達を支える奄美の地域力』水曜社。
P.F. ドラッカー [1993]『ポスト資本主義社会』(*Post-Capitalist Society by Peter F. Drucker, 1993*) 上田惇生訳、ダイヤモンド社、1993 年。
二宮厚美 [2023]『社会サービスの経済学―教育・ケア・医療のエッセンシャルワーク』新日本出版社。
白　明 [2018]『複合型産業経営と地域創生―内モンゴルの 6 次産業化への日中比較アプローチ』三恵社。
橋本義夫 [1968]『だれもが書ける文章―「自分史」のすすめ』講談社新書。
濱　真理 [2022]『市民と行政の協働―ごみ紛争から考える地域創造への視座』社会評論社。
Y.N. ハラリ [2015]『ホモ・デウス　―テクノロジーとサピエンスの未来（上）（下）』(*HOMO DEUS; A Brief History of Tomorrow, by Yuval Noah Harari, 2015*) 柴田裕之訳、河出書房出版社、2018 年。
C. ヒダルゴ [2015]『情報と秩序』(*Why Information Grows ; The Evolution of Order, from Atoms to Economics, by Cesar Hidalgo, 2015*) 千葉敏生訳、早川書房、2017 年。
V. フォーテネイス [2008]『認知症にならないための決定的予防法―アルツハイマー病はなぜ増えつづけるのか』(The Anti-Alzheimer' s Prescription :The Science-Proven Plan to start at any age, by Vincent Fortanasce,2008) 東郷えりか訳、河出書房新社、2010 年。
藤田泰正 (2008)『工作機械産業と企業経営』晃洋書房。
藤原智美 [1997]『「家をつくる」ということ　―後悔しない家づくりと家族関係の本』プレジデント社。
M. ポランニー [1966]『暗黙知の次元』(*The Tacit Dimension, by Michael Polanyi, 1966*) 佐藤敬三訳、紀伊国屋書店、1980 年。
A. マーシャル [1920]『経済学原理（第 8 版）』(*Principles of Economics*, Eight Edition, by Alfred Marshall) 第 2 分冊，永沢越郎訳，岩波ブックサービスセンター，1985 年。
K. マルクス [1867]『資本論』第 1 巻 (Das Kapital. Kritik der Politischen Ökonomie, von Karl Marx) 大内兵衛・細川嘉六監訳、大月書店、1968 年。
見田宗介 [1996]『現代社会の理論：情報化社会の現在と未来』岩波新書。

宮本忠雄監修 [1983]『頭の健康百科』日本経営指導センター。
向井雅明 [2012]『考える足　―「脳の時代」の精神分析』岩波書
森岡孝二 [1979]『独占資本主義の解明―予備的研究』新評論
—　[1982]『独占資本主義分析と独占理論』青木書店
—　[1987]『独占資本主義の解明―予備的研究　増補新版』新評論
—　[1995]『企業中心社会の時間構造―生活摩擦の経済学』青木書店
—　[2000]『日本経済の選択―企業のあり方を問う』桜井書店
—　[2005]『働き過ぎの時代』岩波新書
—　[2009]『貧困化するホワイトカラー』ちくま新書
—　[2011]『就職とは何か―＜まともな働き方＞の条件』岩波書店
—　[2013]『過労死は何を告発しているか―現代日本の企業と労働』岩波書店
—　[2014]『教職みちくさ道中記』桜井書店
—　[2015]『雇用身分社会』岩波新書
—　[2019]『雇用身分社会の出現と労働時間―過労死を生む現代日本の病巣』桜井書店
山田良治 [2018]『知識労働と余暇活動』日本経済評論社。
柳宗悦 [1942]『工芸文化』文芸春秋社（[1985] 岩波書店に基づく）。
柳宗悦 [1948]『手仕事の日本』清文社（[1985] 岩波書店に基づく）。
山根幸三 [2022]『フリーメイソンと日本』(株) エコール国際ネットワーク、2022 年。
横田幸子［2022］『人類進化の傷跡とジェンダーバイアス　―家族の歴史的変容と未来への視座』社会評論社。
労務理論学会編 [2024]『「失われた 30 年」と人事労務管理』晃洋書房、2024 年 3 月。

脚注一覧

はしがき

1　鳥飼玖美子「AIと人間」日本経済新聞、2024.2.20。

第1章

2　J.K. ガルブレイス [1977]『不確実性の時代』齋藤精一郎訳、講談社文庫、2009年。

3　2は、「基礎からわかるチャットGPT」読売新聞、2023.4.21、を基にまとめたものである。

4　前掲記事（読売新聞、2023.4.21）。

5　井上智洋「雇用不安定な未来　不可避」「生成AIと経済社会（下）」日本経済新聞、2023.7.24。

6　A. ング「AI活用は人類の利益」日本経済新聞、2023.9.3。

7　「真価引き出す賢さを」日本経済新聞、2023.9.3。

8　井上智洋、前掲記事。

9　土居丈朗「生成AIと人間の違いは」日本経済新聞、2023.6.24。

10　若松英輔「体験と経験」日本経済新聞、2023.6.24。

11　柳田邦男・酒井邦嘉（特別対談）「教育にAI　高リスク」読売新聞、2023.7.25。

12　「大脳の成熟「本能」先行　ー感情ブレーキ発達遅く」読売新聞、2023.5.29。

13　前掲記事（読売新聞、2023.5.29）。

14　柳田邦男・酒井邦嘉（特別対談）、前掲。

15　柳田邦男・酒井邦嘉（特別対談）、前掲。

16　「情報量3万倍、未来も予測」日本経済新聞、2023.8.29。

17　大塚隆一「生成AI　2つの環境リスク」日本経済新聞、2024.2.4。

18　I. ブレマー「AIのリスク　国家も個人も」日本経済新聞、2023.7.6。

19　F. コンウェイ /J. シーゲルマン [2005]『情報時代の見えないヒーロー：ノーバート・ウィーナー伝』松浦俊輔訳、日経ＢＰ社、2006年。

20　今井むつみ「書評　岡野原大輔著『大規模言語モデルは新たな知能か』」日本経済新聞、2023.8.26。

21　井上智洋、前掲記事。

22　N. ウィーナー [1948]『サイバネティックス　ー動物と機械における制御と通信』第2版 [1961]、池原他訳、岩波書店、1962年。

23　N. ウィーナー [1948]、前掲書、159ページ。

24 N. ウィーナー [1948]、前掲書、第 2 版への序文。
25 N. ウィーナー [1948]、前掲書、14-15 ページ。
26 F. コンウェイ /J. シーゲルマン [2005]、前掲書、276、293 ページ。
27 N. ウィーナー [1950]『人間機械論　―人間の人間的な利用』初版 [1950]、鎮目恭夫・池原止か夫訳、みすず書房、1979 年。訳は、第 2 版 [1954] に基づく。
28 N. ウィーナー [1950]、前掲書、11 ページ。
29 N. ウィーナー [1950]、前掲書、21 ページ。
30 N. ウィーナー [1950]、前掲書、87 ページ。
31 N. ウィーナー [1950]、前掲書、82、96 ページ。
32 F. コンウェイ /J. シーゲルマン [2005]、前掲書、16-17 ページ。
33 F. コンウェイ /J. シーゲルマン [2005]、前掲書、11-12 ページ。
34 P.F. ドラッカー [1993]『ポスト資本主義社会』上田惇生訳、ダイヤモンド社、1993 年、347 ページ。
35 C. ヒダルゴ [2015]、前掲書、14 ページ。
36 C. ヒダルゴ [2015]、前掲書、19-24 ページ。
37 C. ヒダルゴ [2015]、前掲書、20-21 ページ。
38 C. ヒダルゴ [2015]、前掲書、33 ページ。
39 M. ポランニー [1966]『暗黙知の次元』佐藤敬三訳、紀伊国屋書店、1980 年。
40 C. ヒダルゴ [2015]、前掲書、283 ページ。
41 C. ヒダルゴ [2015]、前掲書、35 ページ。
42 C. ヒダルゴ [2015]、前掲書、225-228 ページ。
43 C. ヒダルゴ [2015]、前掲書、190、198 ページ。
44 C. ヒダルゴ [2015]、前掲書、213-214 ページ。
45 Y.N. ハラリ [2015]『ホモ・デウス　―テクノロジーとサピエンスの未来』柴田裕之訳、河出書房出版社、2018 年、125 ページ。
46 十名直喜 [2017]『現代産業論　―ものづくりを活かす企業・社会・地域』水曜社。
47 K. マルクス [1867]『資本論』第 1 巻、大内兵衛・細川嘉六監訳、大月書店、1968 年、第 12 章。
48 Y.N. ハラリ [2015]、前掲書、227-228 ページ。
49 Y.N. ハラリ [2015]、前掲書、107 ページ。
50 C. オニール [2016]『あなたを支配し、社会を破壊する、AI・ビッグデータの罠』久保尚子訳、インターシフト、2018 年。
51 Y.N. ハラリ [2015]、前掲書、190-191 ページ。
52 Y.N. ハラリ [2015]、前掲書、226、242 ページ。
53 Y.N. ハラリ [2015]、前掲書、243 ページ。

54 Y.N. ハラリ [2015]、前掲書、232-234 ページ。
55 Y.N. ハラリ [2015]、前掲書、238-241 ページ。
56 Y.N. ハラリ [2015]、前掲書、243 ページ。
57 Y.N. ハラリ [2015]、前掲書、241-242 ページ。
58 Y.N. ハラリ [2015]、前掲書、245-246 ページ。
59 S. ズボフ [2019]『監視資本主義　―人類の未来を賭けた闘い』野中香保子訳、東洋経済新報社、2021 年。
60 S. ズボフ [2019]、前掲書、7 ページ。
61 S. ズボフ [2019]、前掲書、7-8 ページ。
62 S. ズボフ [2019]、前掲書、7-8 ページ。
63 S. ズボフ [2019]、前掲書、10-11 ページ。
64 S. ズボフ [2019]、前掲書、22 ページ。
65 S. ズボフ [2019]、前掲書、15-17 ページ。
66 S. ズボフ [2019]、前掲書、430 ページ。
67 S. ズボフ [2019]、前掲書、402 ページ。
68 大塚隆一「生成 AI　新たな「人類の脅威」」読売新聞、2023.6.18。
69 大塚隆一、前掲記事。
70 M. ガブリエル「AI は異星人の知性」日本経済新聞、2023.7.14。
71 横山広美「「AI 8 原則の順守を」」「人工知能と社会（下）」日本経済新聞、2023.5.9。
72 M. サンデル「「技術の未来」の話をしよう」日本経済新聞、2023.6.30。

補論 1

73 「生成ＡＩ考」読売新聞 2024.2.8。
74 ジョン・ソーンヒル「「AI の父」が説く脅威論」日本経済新聞 2024.2.28。
75 「AI に「善意」は宿るか」日本経済新聞、2024.3.4。
ジョン・ソーンヒル「「AI の父」が説く脅威論」日本経済新聞 2024.2.28。
77 「AI に「善意」は宿るか」日本経済新聞、2024.3.4。
78 「AI に「善意」は宿るか」日本経済新聞、2024.3.4。

第 2 章

79 見田宗介 [1996]『現代社会の理論：情報化社会の現在と未来』岩波新書、30-31 ページ。
80 見田宗介 [1996]、前掲書、141-142 ページ。
81 見田宗介 [1996]、前掲書、161-162 ページ。
82 ヒダルゴ , 2015, 11 ページ。
83 日本経済新聞、2023.2.4。

84　日本経済新聞、2023.2.4。
85　二宮厚美 [2023]『社会サービスの経済学：教育・ケア・医療のエッセンシャルワーク』新日本出版社、279 ページ。
86　二宮厚美 [2023]、前掲書、46-48 ページ。
87　二宮厚美 [2023]、前掲書、127 ページ。
88　「代謝」『ウィキペディア』https://ja.wikipedia.org/wiki/ 代謝, 2023.10.5 閲覧。
89　『広辞苑』第 7 版,「物質代謝」,「エネルギー代謝」。
90　「精神代謝」https://health.k-solution.info/2013/10/_1_662.html, 2023.10.5 閲覧）。
91　二宮厚美 [2023]、前掲書、44-45 ページ。
92　二宮厚美 [2023]、前掲書、97-98 ページ。
93　二宮厚美 [2023]、前掲書、55 ページ。
94　二宮厚美 [2023]、前掲書、57 ページ。
95　十名 , 2022, 41 ページ。
96　二宮厚美 [2023]、前掲書、52 ページ。
97　二宮厚美 [2023]、前掲書、82 ページ。
98　近藤隆雄 [2015]「心情をくむサービス」①日本経済新聞 2015.6.2, ③同 2015.6.4。
99　斎藤幸平 [2020]『人新世の「資本論」』集英社新書、156 ページ。
100　K. マルクス [1867]『資本論』第 1 巻, 大月書店, 1968 年、234 ページ。
101　A. シュミット [1962]『マルクスの自然概念』元浜清海訳, 法政大学出版会, 1972 年、87 ページ。
102　K. マルクス [1867]、前掲書、138 ページ。
103　A. マーシャル [1920]『経済学原理（第 8 版）』第 2 分冊, 永沢越郎訳, 岩波ブックサービスセンター, 1985 年、138-139 ページ。
104　A. マーシャル [1920]、前掲書、157-158 ページ。
105　A. マーシャル [1920]、前掲書、199 ページ。
106　N. ウィーナー [1948]『サイバネティックス：動物と機械における制御と通信』第 2 版, 池原他訳, 岩波書店, 1962 年、159 ページ。
107　N. ウィーナー [1948]、前掲書、第 2 版序文。
108　C. ヒダルゴ [2015]『情報と秩序』千葉敏生訳, 早川書房, 2017 年、19 ページ。
109　F. コンウェイ /J. シーゲルマン , 293 ページ。
110　M. テグマーク [2017]『LIFE 3.0：人工知能時代に人間であること』水谷淳訳, 紀伊国屋書店, 2020 年、43 ページ。
111　M. テグマーク [2017]、前掲書、50 ページ。
112　M. テグマーク [2017]、前掲書、78-79 ページ。
113　M. テグマーク [2017]、前掲書、86-89 ページ。

114　M. テグマーク [2017]、前掲書、100-102 ページ。
115　M. テグマーク [2017]、前掲書、127-133 ページ。
116　M. テグマーク [2017]、前掲書、136-139 ページ。
117　M. テグマーク [2017]、前掲書、140-141 ページ。

第３章

118　十名 [2008]『現代産業に生きる技―「型」と創造のダイナミズム』勁草書房。
119　産業３部作は、下記の３冊である。
十名 [2008]、前掲書。
十名 [2012]『ひと・まち・ものづくりの経済学―現代産業論の新地平』法律文化社。
十名 [2017]『現代産業論―ものづくりを活かす企業･社会･地域』水曜社。
120　柳宗悦 [1942]『工芸文化』文芸春秋社（[1985] 岩波書店に基づく）。
121　柳 [1942]、26 ページ。
122　柳 [1942]、35-38 ページ。
123　柳 [1942]、34-35 ページ。
124　柳 [1942]、45 ページ。
125　柳 [1942]、54-59 ページ。
126　柳宗悦 [1948]『手仕事の日本』清文社（[1985] 岩波書店に基づく）。
127　柳 [1948]、11-12 ページ。
128　柳 [1948]、14 ページ。
129　柳 [1948]、239 ページ。
130　熊倉功夫「解説」、柳 [1948]、243 ページ。
131　柳 [1942]、117 ページ。
132　柳 [1942]、107-112 ページ。
133　柳 [1942]、115 ページ。
134　柳 [1942]、199 ページ。
135　柳 [1942]、212-217 ページ。
136　「伝統工芸　枠脱し「粋」磨く」日本経済新聞 2022.8.6。
137　「日本の伝統の未来　―美意識と創造性　工芸の力」読売新聞 2022.7.24。

第６章

138　岩城穰・高田好章ほか編 [2019.2]『森岡孝二の描いた未来　―私たちは何を引き継ぐか』森岡孝二先生追悼記念誌。
百本を超える「追悼の辞」は、いずれも感銘深いものがある。そのうちの下記５本を、小論では取り上げている。
池上惇「追悼　森岡孝二先生　市民活動が社会変革の原点」

熊沢誠「追悼・森岡孝二さん　企業社会を考察する盟友」
中谷武雄「50年間社会人ゼミを継続した森岡孝二さんを偲んで」
西谷敏「森岡さんを偲ぶ」
十名直喜「森岡孝二先生との出会いが切り拓いた「働・学・研」協同の人生」

139　基礎経済科学研究所編 [2012]『日本型企業社会の構造』労働旬報社。

140　筆者は、1992年に神戸製鋼所から名古屋学院大学へ転じ、2019年に定年退職するまでに、下記7冊の単著書を出版した。現代産業論の理論化・体系化の歩みにおいて、羅針盤となったのが、企業社会論および「働・学・研」協同論であったと感じている。
[1993]『日本型フレキシビリティの構造―企業社会と高密度労働システム』法律文化社。
[1996.4]『日本型鉄鋼システム―危機のメカニズムと変革の視座』同文舘。
[1996.9]『鉄鋼生産システム―資源・技術・技能の日本型諸相』同文舘。
[2008]『現代産業に生きる技―「型」と創造のダイナミズム』勁草書房。
[2012]『ひと・まち・ものづくりの経済学―現代産業論への視座』法律文化社。
[2017]『現代産業論―ものづくりを活かす企業・社会・地域』水曜社。
[2019]『企業不祥事と日本的経営―品質と働き方のダイナミズム』晃洋書房。

141　十名直喜 [2020]『人生のロマンと挑戦―「働・学・研」協同の理念と生き方』社会評論社。

142　森岡孝二の12冊の単著書については、社会活動の経緯と関連づけながら、図表1に俯瞰的に示している。

143　橋本義夫は、「自分の生活、体験、思考などを、自分の言葉で書き、自分の文章をつくる時代に入った」として、「ふだん記」運動を提唱する。庶民に自分の生活史を書かせよう、その主体的な意欲を引き出そうとした（橋本義夫 [1968]『だれもが書ける文章―「自分史」のすすめ』講談社新書）。
　それを「自分史」として捉え直したのが、色川大吉である。自分史の核心は、歴史を切り結ぶその主体性にあり、自分と歴史の接点を書くことにあるとみた（色川大吉 [1992]『自分史―その理念と試み』講談社現代新書）。
　十名 [2020] は、自分史の側面を有しながら、仕事・研究史でもある。さらに、筆者の提唱する現代産業論（その文化的アプローチ）および「働・学・研」協同論をわが半世紀の考察を通して検証したものである。

補論2

144　労務理論学会編 [2024]『「失われた30年」と人事労務管理』晃洋書房、2024年3月。

第7章

145 「直立二足歩行」https://ja.wikipedia.org/wiki/。
146 向井雅明 [2012]『考える足 ―「脳の時代」の精神分析』岩波書店、1、42-45 ページ。
147 宮本忠雄監修 [1983]『頭の健康百科』日本経営指導センター、168 ページ。
148 榎戸誠「哲学者たちにとって歩くとはどういう意味を持っていたのだろうか」2018.11.29、
https://enokidoblog.net/talk/2018/11/31717（2023.12.4 閲覧）。
149 十名直喜 [2020.2]『人生のロマンと挑戦 ―「働・学・研」協同の理念と生き方』社会評論社。同 [2022.1]『サステナビリティの経営哲学 ―渋沢栄一に学ぶ』社会評論社。
労務理論学会特別賞の受賞 2023 年 6 月（十名直喜 [2019.2]『企業不祥事と日本的経営 ―品質と働き方のダイナミズム』晃洋書房）。
150 「立位」https://ja.wikipedia.org/wiki/ 立位（2023.12.5 閲覧）。
151 斎藤 孝 [2000]『身体感覚を取り戻す―腰・ハラ文化の再生』日本放送出版協会、224 ページ。
152 斎藤 孝 [2000]、前掲書、14、16 ページ。
153 藤井太洋「仕事部屋のスタンディングデスク」日本経済新聞、2023.11.20。
154 新日本フィルハーモニー交響楽団 note 班「楽聖ベートーヴェンと文学の巨人ゲーテ」https://note.com/newjapanphil/n/n20ef6fc01297（閲覧 2023.11.25）。
155 外山滋比古 [2021]『老いの練習帳』朝日新聞出版、19-21 ページ。
156 「立ち仕事の体への影響は？メリット・デメリットや座り仕事の影響も解説」https://qualite.ats-jp.com/column/impact-of-standing-work/（2023.11.26 閲覧）。
157 「立ち仕事の人が起こしやすい 4 つの体の不調とその対策方法とは」https://shibuya-ashi.com/job/standing-work/standing/ （2023.11.26 閲覧）。
158 「立ち仕事の体への影響は？…」、前掲記事。
159 「風呂に入る際、鏡に映ったわが体形を見て愕然とする。下腹の出方がひどい。下腹だけ、年齢とともに膨れてきている。「これは大変」…。
そこで始めたのが、腹筋運動である。腹筋の弱まりは、目を覆うものがある。仰向けに寝て、腹筋だけで半身を起こすことができない。少し無理をすると、みぞおち辺りが引きつって痙攣しそうになる。…
研究室やマンションでは、いろいろな制約もあり、このような腹筋運動は出来なかった。しかし自宅では、スペースや畳・布団などもあるのでいつでもできる。この環境変化は大きい。腹筋運動に励みたい。また、腹筋運動が下腹のふくらみをどう変えていくのか、行かないのか見ていきたい。」(日誌 2019.5.15)

160　十名直喜 [2020]『人生のロマンと挑戦　―「働・学・研」協同の理念と生き方』社会評論社、2020 年 2 月。

161　十名直喜 [2020]、前掲書、「第 2 部(「働・学・研」協同の理念と半世紀の挑戦　―仕事・研究・人生の創造的アプローチ)。

162　『名古屋学院大学論集　社会科学篇』Vol.56 No.3 十名直喜教授退職記念号 ,2020 年 1 月。

163　「2 か月、いろんなショックが続き、バランスを崩している。その 1 つは、8 冊目の本を出版するも、その売れ行きは思わしくなく、ショックが大きい。その 2 つは、コロナショックである。つぎつぎと事態が悪化し、いろんな心配が高まっている。その 3 つは、株価の暴落ショックである。…その 4 つは、「経営哲学」講義の準備に想定以上に時間やエネルギーをとられ、他のことへの対応ができなかったことである。

　自らの無能さを思い知らされているこの頃である。それが響いたのか、1 週間ほど前から腰痛に罹る。」(日誌 2020.3.27)。

164　V. フォーテネイス [2008]『認知症にならないための決定的予防法―アルツハイマー病はなぜ増えつづけるのか』(The Anti-Alzheimer' s Prescription :The Science-Proven Plan to start at any age by Vincent Fortanasce) 東郷えりか訳、河出書房新社、2010 年。

165　V. フォーテネイス [2008]、前掲書、25 ページ。

166　V. フォーテネイス [2008]、前掲書、47 ページ。

167　中川恵一「「座りすぎ」は健康リスク」日本経済新聞、2020.7.8。

168　健康学習学会「コラム　座りすぎは健康に悪い?!」http://www.social-marketing.co.jp/%e5%ba%a7%e3%82%8a%e3%81%99%e3%81%8e%e3%81%af%e5%81%a5%e5%ba%b7%e3%81%ab%e6%82%aa%e3%81%84%ef%bc%9f%ef%bc%81/2　(2020.8.31 閲覧)。

「日本人は世界一「座りすぎ」?　超尿病リスクや認知症リスク」2019.6.27　https://www.sankei.com/life/news/190627/lif1906270023-n1.html　(2020.8.31 閲覧)。

　中川恵一「「座りすぎ」は健康リスク」、前掲記事。

　茅島奈緒深「座りすぎの死亡リスクは最大 40%増―日本人は世界一座りすぎている」

2017.10.20　https://www.businessinsider.jp/post-106010　(2020.8.31 閲覧)。

169　中川恵一「在宅勤務、「座りすぎ」に」、日本経済新聞、2020.7.1。

170　大西淳子「座りすぎの死亡リスク上昇、14 の疾患で確認」2018.10.16

https://gooday.nikkei.co.jp/atcl/column/15/050800004/101000096/（2020.8.31 閲覧）。
171 中川恵一「在宅勤務、「座りすぎ」に」、前掲記事。
172 茅島奈緒深「座りすぎの死亡リスクは最大 40%増」、前掲。
173 中川恵一「在宅勤務、「座りすぎ」に」、前掲記事。
174 中川恵一「在宅勤務、「座りすぎ」に」日本経済新聞、2020.7.1。
175 中川恵一「「座りすぎ」は健康リスク」日本経済新聞、2020.7.8。
176 茅島奈緒深「座りすぎの死亡リスクは最大 40%増―日本人は世界一座りすぎている」
2017.10.20 https://www.businessinsider.jp/post-106010 （2020.8.31 閲覧）。
177 健康学習学会「コラム 座りすぎは健康に悪い？！」、前掲記事。
178 中川恵一「「座りすぎ」は健康リスク」、前掲記事。
179 茅島奈緒深「座りすぎの死亡リスクは最大 40%増」、前掲。
180 中川恵一「「座りすぎ」は健康リスク」、前掲記事。
181 「日本人は世界一「座りすぎ」？ 超尿病リスクや認知症リスク」、前掲。
182 茅島奈緒深「座りすぎの死亡リスクは最大 40%増」前掲。
183 中川恵一「「座りすぎ」は健康リスク」、前掲記事。
184 「デスクワーク男性、タンパク尿リスク」読売新聞、2020.9.5。
185 「立ち姿勢を取り入れると、働き方が変わる」https://workmill.jp/jp/webzine/20190515_tachishisei_report/（2023.12.22 閲覧）。
186 「1 日に 3 時間たって過ごすとマラソンと同じくらい健康に良い」、前掲。
187 貝原益軒 [1713]『養生訓』伊藤友信訳、講談社学術文庫、1982 年。
188 河尻定編「人生の羅針盤・晩節考 ―儒学者・貝原益軒」日本経済新聞、2024.2.29。
189 貝原益軒 [1713]、前掲書、25、436 ページ
190 貝原益軒 [1713]、前掲書、432 ページ。
191 貝原益軒 [1713]、前掲書、45、48
192 貝原益軒 [1713]、前掲書、45、48、58 ページ。
193 貝原益軒 [1713]、前掲書、57 ページ。
194 貝原益軒 [1713]、前掲書、58 ページ。
195 貝原益軒 [1713]、前掲書、80 ページ。
196 貝原益軒 [1713]、前掲書、40、45 ページ。
197 貝原益軒 [1713]、前掲書、32 ページ。
198 貝原益軒 [1713]、前掲書、59 ページ。
199 宮本忠雄監修 [1983]、前掲書、107 ページ。
200 宮本忠雄監修 [1983]、前掲書、102 ページ。
201 厚生労働省 [2023.12.21]「健康づくりのための睡眠ガイド 2023」（案）

（https://www.mhlw.go.jp/content/10904750/001181265.pdf　2024.1.23 閲覧）。
202　「適度な休息、脳の疲労防ぐ」日本経済新聞、2024.1.17。
203　WURK[2020.9.24]「過ぎたるは猶及ばざるが如しの意味と読み方、語源…」https://eigobu.jp/magazine/sugitaruhanaooyobazarugagotoshi（2023.12.10 閲覧）。
204　人類の資源消費量が地球環境容量を踏み越え、一方における貧困という過少問題、他方における生産力・生産物の過剰問題、地球規模の物質代謝のかく乱、それらの是正、解決の課題に直面している（十名直喜 [2022]『サステナビリティの経営哲学』社会評論社、第 7 章他）。
205　貝原益軒 [1713]、前掲書、44 ページ。
206　貝原益軒 [1713]、前掲書、52 ページ。
207　貝原益軒 [1713]、前掲書、64 ページ。
208　貝原益軒 [1713]、前掲書、233 ペー。
209　瀬口昌久「「老い」経験値を生かすステージ」読売新聞、2023.9.12。
210　貝原益軒 [1713]、前掲書、232 ページ。
211　貝原益軒 [1713]、前掲書、232 ページ。
212　桜井進「「体感時間」年取るほど短く」読売新聞、2023.9.15。
213　貝原益軒 [1713]、前掲書、232、237 ページ。
214　https://www.msn.com/ja-jp/money/career/ 絶対ダメ - 老後に必ず後悔する - お金と時間の使い方 - ワースト 1/ar-BB1gXLu7?ocid=msedgntp&pc=DCTS&cvid=56309125a86643ccb9a5656f871138dc&ei=73。2024.1.21 閲覧。

第 8 章

215　十名直喜 [2019]『企業不祥事と日本的経営　―品質と働き方のダイナミズム』晃洋書房、ⅰ～ⅱページ。
216　小林秀樹 [2013]『居場所としての住まい　―ナワバリ学が解き明かす家族と住まいの深層』新曜社、2 ページ。
217　可喜庵の会編 [2007]『温故知新の家づくり』農山漁村文化協会、2 ページ。
218　可喜庵の会編 [2007]、前掲書、19 ページ。
219　藤原智美 [1997]『「家をつくる」ということ　―後悔しない家づくりと家族関係の本』プレジデント社、85 ページ。
220　佐川　旭 [2015]『住まいの思考図鑑　―豊かな暮らしと心地いい間取りの仕組み』エクスナレッジ、10 ページ。
221　平成 30 年住宅・土地統計調査　住宅及び世帯に関する基本集計　結果の概要 (stat.go.jp)。
222　リフォームとは何かを考えるにあたって、下記の指摘をヒントにしている。

「住居の傷みから修繕することはもとより、家族構成の変化、年齢の変化、価値観の変化などにより当然住まいも変わり、修繕が必要になってきます。住居の快適さを追求しながら、住居を作り替えるのがリフォームなのです。たとえば家を3回造っても完全に満足できるものではないといいます。それは、使う人によって変化が出てくるからなのです。…

リフォームするときに大切なことは、自分がどのような目的でリフォームしたいのかというポリシーを持つことです。そしてさらに必要なことはトータルデザインです。」（山本佐代子 [1995]『絵とき　住まいのリフォームの進め方』オーム社、viiページ）。

第9章

223　十名直喜 [1973.11]「大工業理論の一考察（上）」（ペンネーム・戸名）、および同「働きつつ学び研究することの意義と展望」（無署名）『経済科学通信』7号）。

224　基礎経済科学研究所編 [2021]『生き生きとした現実感覚と基礎理論の結合』基礎研創立50周年記念冊子、基礎経済科学研究所。

225　藤岡惇 [2021]「基礎研50年の歩み　―「肉体と精神の高次結合」という理想に導かれ、経済学の民主化・市民化をめざす」基礎経済科学研究所編 (2021)『生き生きとした現実感覚と基礎理論の結合』に所収。

226　十名直喜編 [2010]「“働きつつ学ぶ” 現場研究のダイナミズムと秘訣（上）（下）」『経済科学通信』122、123号。

十名直喜編 [2016]「特集1「働・学・研」融合の理念と実践」『経済科学通信』141号。

227　『経済科学通信』141号「特集1　「働・学・研」融合の理念と実践」には、下記の2論文その他が収録されている。

十名直喜 [2016]「「働きつつ学ぶ」理念と活動の21世紀的視座」

中村浩爾 [2016]「「働・学・研」融合という理念と実践へのコメント」。

228　十名直喜 [2020]『人生のロマンと挑戦―「働・学・研」協同の理念と生き方』社会評論社、191-193ページ。

229　有川節夫「博士進学増やす制度提案」日本経済新聞、2019.11.4。

230　「「博士」生かせぬ日本企業」日本経済新聞、2019.12.8。

231　同上。

232　有川節夫「博士進学増やす制度提案」、前掲。

233　有川節夫、同上。

234　「「社会が求める博士」育成」日本経済新聞、2024.3.27。

235　和田幸子 [2021]「書評　十名直喜著『人生のロマンと挑戦―「働・学・研」

協同の理念と生き方』」『季刊　経済理論』第 57 巻第 4 号、桜井書店。

　十名直喜 [2021]「和田幸子氏の書評へのリプライ」『季刊　経済理論』第 58 巻第 2 号、桜井書店。十名直喜 [2022]『サステナビリティの経営哲学―渋沢栄一に学ぶ』社会評論社（第 6 章）に収録。

236　藤岡惇 [2021]、前掲論文。

237　十名直喜 [2008]『現代産業に生きる技―「型」と創造のダイナミズム』勁草書房。

238　博士課程十名ゼミ（産業システム研究会）10 周年記念シンポジウム [2009.12]

「"働きつつ学ぶ" 現場研究のダイナミズムと秘訣―名古屋圏に活きる社会人研究者像」。

239　名古屋学院大学総合研究所 [2020.1]『名古屋学院大学論集（社会科学篇）』（十名直喜教授退職記念号）Vol.56 No.3。

240　十名直喜 [2020.1]「「働・学・研」協同の理念と半世紀の挑戦　―仕事・研究・人生への創造的アプローチ」『名古屋学院大学論集（社会科学篇）』（十名直喜教授退職記念号）Vol.56 No.3。

241　十名直喜 [2020.2]『人生のロマンと挑戦 ―「働・学・研」協同の理念と生き方』社会評論社。

242　2022 年夏場に、下記の 3 冊が出版される。いずれも、数十年にわたる仕事や思索、探求を通して紡ぎ出されたライフワークである。

横田幸子 [2022]『人類進化の傷跡とジェンダーバイアス　―家族の歴史的変容と未来への視座』社会評論社。

濱　真理 [2022]『市民と行政の協働　―ごみ紛争から考える地域創造への視座』社会評論社。

熊坂敏彦 [2022]『循環型地場産業の創造　―持続可能な地域・産業づくりに向けて』社会評論社。

第 11 章

243　J.E. スティグリッツ /B.C. グリーンウォルド [2015]、前掲書、日本語版への序文、iii ページ)。

244　石田裕子「リスキリング支援で生産性向上」日本経済新聞 2022.8.16。

245　1　藤田泰正［2008］『工作機械産業と企業経営』晃洋書房。

　2　庵原孝文［2010］『日本企業の中国巨大市場への展開』三恵社。

　3　太田信義［2016］『自動車産業の技術アウトソーシング戦略』水曜社。

　4　井手芳美［2017］『経営理念を活かしたグローバル創造経営』水曜社。

　5　白　明［2018］『複合型産業経営と地域創生』三恵社。

　6　櫻井善行［2019］『企業福祉と日本的システム』ロゴス。

7　杉山友城［2020］『地域創生と文化創造』晃洋書房。
8　冨澤公子［2020］『長生きが幸せな島＜奄美＞』かもがわ出版（コンパクト版）。
9　冨澤公子 (2021)『幸福な老いを生きる』水曜社。
10　濱　真理 (2022)『市民と行政の協働』社会評論社。

246　「守破離」『ウィキペディア』2022.9.29 閲覧。

247　「啐啄の機」『ウィキペディア』2022.9.29 閲覧 .

248　野口雅弘「「決められない」に向き合う」日本経済新聞、2022.8.1。

249　中野健一 (2022.9.17)「9/11 働学研「学習ノート」。

250　中野健一 (2022.9.17)、前掲ノート。

終章

251　十名直喜 [1996]『鉄鋼生産システム　―資源・技術・技能の日本型諸相』同文館。

252　特別企画　技術対談　西川徹・福田和久「ソフトとハードの融合で現実世界が抱える課題を解いていきたい」『季刊　ニッポンスチール』Vol.18、2024 年 2 月 9 日発行。

253　渋沢栄一『論語と算盤（現代語訳）』守屋淳訳、2010 年、240 ページ。

索引

さ行

た行

な行

は行

ま行

や行

ら行

わ行

著者紹介

十名　直喜（とな　なおき）

1948 年 5 月　兵庫県加西市生れ
1971 年 3 月　京都大学経済学部　卒業
1971 年 4 月　神戸製鋼所入社（1992 年 1 月まで）
1992 年 3 月　京都大学大学院経済学研究科博士後期課程修了
1992 年 4 月　名古屋学院大学経済学部　助教授
1994 年 5 月　京都大学博士（経済学）
1997 年 4 月　名古屋学院大学経済学部および大学院経済経営研究科　教授
1999 年 9 月　英国シェフィールド大学客員研究員（～ 2000 年 8 月末）
2016 年 4 月　名古屋学院大学現代社会学部および大学院経済経営研究科　教授
2019 年 4 月　名古屋学院大学　名誉教授　　特任教授（～ 20 年 3 月）
2019 年 10 月　SBI 大学院大学経営管理研究科　客員教授

単著書

『日本型フレキシビリティの構造』法律文化社、1993 年 4 月
『日本型鉄鋼システム』同文舘、1996 年 4 月
『鉄鋼生産システム』同文舘、1996 年 9 月
『現代産業に生きる技』勁草書房、2008 年 4 月
『ひと・まち・ものづくりの経済学』法律文化社、2012 年 7 月
『現代産業論』水曜社、2017 年 11 月
(中国語版)『現代産業論』程永帥訳、中国経済出版社、2018 年 3 月
『企業不祥事と日本的経営』晃洋書房、2019 年 2 月
『人生のロマンと挑戦』社会評論社、2020 年 2 月
『サステナビリティの経営哲学』社会評論社、2022 年 1 月

労務理論学会特別賞受賞（2023 年 6 月）

学びと生き方のリフォーム

AI 時代の人間・労働・経営

2024 年 6 月 20 日初版第 1 刷発行

著　者／十名直喜

発行者／松田健二

発行所／株式会社 社会評論社

〒 113–0033　東京都文京区本郷 2-3-10　お茶の水ビル

電話　03（3814）3861　FAX　03（3818）2808

印刷製本／倉敷印刷株式会社

感想・ご意見お寄せ下さい　book@shahyo.com